COMITÉ D'ENTREPRISE
BARCLAYS BANK PLC
45, Boulevard Haussmann
75315 PARIS CEDEX 09
Tél. : 01 55 27 58 89

OPÉRATION VAUTOUR

DU MÊME AUTEUR

Stephen W. Frey

OPÉRATION VAUTOUR

roman

TRADUIT DE L'AMÉRICAIN
PAR DOMINIQUE RINAUDO

ÉDITIONS DU SEUIL
27, rue Jacob, Paris VIe

COLLECTION DIRIGÉE
PAR ROBERT PÉPIN

Titre original : *The Vulture Fund*
Éditeur original : Dutton
ISBN original : 0-525-93986-5
© Stephen 2, Inc., 1996

ISBN 2-02-030009-5

Prologue

La femme s'adossa au gros rocher de granit et leva les yeux sur les milliers de branches noires et nues qui dessinaient des motifs géométriques complexes – on aurait dit des toiles d'araignées – sur le ciel gris de cette après-midi d'hiver. Elle frissonna. Elle avait froid et faim et mourait de fatigue. Quelle erreur ils avaient faite en venant !

– Ça y est, cette fois-ci je crois savoir où nous sommes.

Lentement, elle baissa les yeux sur l'homme qui était son mari depuis trois semaines. Accroupi dans la neige, penché sur une carte topographique, il mâchonnait une barre de friandises. Il ne savait pas où ils étaient. Depuis le matin, s'il n'avait pas répété cette phrase dix fois, il ne l'avait pas dite une seule.

Trois jours plus tôt, ils avaient dû rater un embranchement quelque part. Depuis, ils erraient dans les Appalaches, au cœur de la Virginie-Occidentale. Ils pouvaient se trouver à un kilomètre comme à vingt du chemin de grande randonnée. Ils escaladaient mont après mont et ne s'arrêtaient dans les vallées que le temps nécessaire à se désaltérer dans les cours d'eau avant d'attaquer le sommet suivant. La femme secoua la tête.

– Tu es complètement perdu, oui ! Comment ai-je pu être assez bête pour me laisser convaincre de passer notre lune de miel à crapahuter en montagne ? A l'heure qu'il est, je pourrais être sur la plage de Saint Thomas, en train de me faire servir des *piña coladas* par un beau monsieur en smoking blanc. Mais non, il faut que je me gèle les fesses quelque part au nord de Sugar Grove, au fin fond de la Virginie.

– Fort jolies petites fesses, soit dit en passant, lui répondit-il en souriant.

– Peut-être, mais tant qu'on sera paumés dans ce trou, tu n'es pas près de les revoir. Faire l'amour dans une tente pendant trois semaines, j'en ai ma claque, et jusqu'à la fin de mes jours.

Elle se frotta les genoux pour soulager la douleur.

L'homme la regarda faire un instant, puis se replongea dans la lecture de sa carte.

– Laisse-moi le temps de m'orienter et on se remet en route. J'aurai retrouvé le chemin avant ce soir. C'est promis.

Elle poussa un grognement. Elle se moquait bien qu'il retrouve le chemin. Ce qu'elle aurait voulu, c'était pouvoir se prélasser deux ou trois heures dans un bain chaud.

– Cinq minutes, pas plus, répéta-t-il sans s'adresser à elle en particulier.

Elle se détourna et se mit à escalader prudemment un énorme rocher. Athlète comme elle l'était, elle gravit la dizaine de mètres qui la séparait du sommet en quelques secondes et découvrit une vue magnifique sur les Appalaches. Si elle n'avait pas été égarée, le spectacle l'aurait enthousiasmée. Ils avaient tout ce qu'il fallait de vivres et ne couraient aucun danger, mais soudain la civilisation lui manquait.

Tout en bas, vers le nord, elle remarqua une large entaille à flanc de montagne. « Ce doit être une mine désaffectée », se dit-elle. Au début de leur expédition, le vieil homme qui les avait servis à l'épicerie de Sugar Grove leur avait dit que les mines étaient la seule source d'emplois qu'il restait dans les environs et avait ajouté qu'elle commençait elle aussi à se tarir. Elle aurait voulu pouvoir remonter le temps et se retrouver dans cette épicerie cinq jours plus tôt. Elle aurait alors convaincu son mari de louer la première voiture qui leur serait tombée sous la main, de filer à l'aéroport et de prendre l'avion pour les Caraïbes.

Elle sortit des petites jumelles puissantes de son blouson et les chaussa. En contrebas de la mine, elle découvrit plusieurs bâtisses apparemment abandonnées et plus ou moins en ruine. Comme son haleine embuait légèrement les lentilles, elle voulut ranger l'instrument dans sa poche. Juste à ce moment, elle remarqua des silhouettes qui avançaient le long d'un bâtiment. Son moral remonta aussitôt. Enfin, la civilisation tant attendue ! A tout le moins des gens qui leur indiqueraient comment y retourner. Dans quelques heures, ils seraient sortis de cette fichue forêt et feraient route vers des cieux plus cléments.

Elle affina la mise au point et observa les silhouettes avec grand intérêt. Soudain elle baissa ses jumelles, mais les remit aussitôt devant ses yeux. Tous les hommes étaient armés d'un fusil. Et pas d'un fusil ordinaire. Son père étant un chasseur invétéré, elle s'y connaissait en armes et non, ces armes-là n'étaient pas faites pour la chasse. Elle se trouvait un peu loin pour en avoir la certitude, mais... elle aurait juré que c'étaient des fusils d'assaut.

– Nom de Dieu !

– Tu as dit quelque chose, chérie ?

Elle rangea les jumelles dans son blouson et redescendit rapidement du rocher. Elle sauta le dernier mètre et atterrit dans la poudreuse profonde. Comme elle s'approchait de son mari, celui-ci se releva.

– On dirait...

Elle ne termina pas sa phrase.

La balle entra par l'occiput et ressortit au-dessus de l'œil droit. Le crâne de son époux explosa ; de la cervelle, du sang et des fragments d'os se répandirent partout cependant qu'un fin brouillard rouge se déposait sur les arbres et la neige. Sous les yeux horrifiés de sa femme, son corps s'abattit dans la poudreuse blanche. Elle voulut crier, mais aucun son ne sortit de sa bouche. Brusquement, elle eut la gorge comme prise dans une mâchoire d'acier.

Presque aussitôt, une deuxième balle fendit l'air glacé, et son sifflement aigu se perdit en échos inquiétants entre les arbres. Elle eut le bras simplement éraflé mais, sous le choc, elle tomba à la renverse dans la neige. Une douleur fulgurante lui traversa le corps.

– Ah, mon Dieu !

Comprimant sa blessure, elle se remit péniblement debout et prit la fuite. Ce n'était pas un accident : la deuxième balle n'avait quasiment aucune chance de la toucher vu que la femme se trouvait à cinq bons mètres de son mari. La personne qui avait tiré ne s'était pas trompée de cible ; il ne s'agissait pas d'un chasseur fou qui les aurait pris pour des cerfs. Non, on voulait les tuer. Mais pourquoi ?

La pente soudain plus abrupte se déroba sous ses pieds ; elle la dévala, les joues ruisselantes de larmes. D'abord la mort horrible de son mari, sous ses yeux, et maintenant c'était elle qu'on traquait. Et les traces qu'elle laissait dans la neige étaient on ne peut plus visibles. On n'avait qu'à les suivre.

Sa chute fut stoppée net par un tronc d'arbre contre lequel elle alla buter. Elle en eut le souffle coupé, mais sentit à peine la douleur tant l'adrénaline qui la poussait à survivre et l'anesthésiait à la fois avait coulé fort dans ses veines.

Elle resta quelques instants immobile, serrant son bras invalide dans sa main, tendant l'oreille. Mais elle n'entendit que la brise légère qui jouait dans les branches supérieures des arbres.

Elle roula sur le dos et contempla le ciel gris. Encore un quart d'heure et l'obscurité rendrait ses traces de pas plus difficiles à déceler, ce qui favoriserait sa fuite. Si seulement elle pouvait atteindre un cours d'eau qui ne soit pas pris par la glace ! Il lui suffirait de l'emprunter sur une courte distance pour semer ses poursuivants. Ses chaussures de marche étaient imperméables et la protégeraient de l'eau glaciale. Elle finirait bien par arriver à un village. Elle s'en sortirait. Sûrement.

Elle se releva tant bien que mal en s'appuyant au tronc d'arbre et reprit sa descente en essayant de ne pas tomber. Mais elle glissa plusieurs fois, chutant de quatre ou cinq mètres à la seconde, retombant de tout son poids sur son bras blessé. Elle réussit néanmoins à ne pas crier – elle savait bien que ce serait le plus sûr moyen de trahir sa présence.

Elle atteignit enfin le pied de la montagne et s'étendit un instant près d'un gros rocher pour reprendre son souffle, l'oreille aux aguets. Il n'y avait que le bruit du vent dans les arbres. Peut-être avait-elle échappé au tueur. Avait-il perdu sa trace dans la lumière déclinante ? Et si elle allait s'en tirer... Ce n'était pas le moment de se reposer. Il fallait repartir !

Elle se remettait sur les genoux lorsqu'une main énorme enserra sa gorge délicate. Elle secoua la tête en regardant le visage basané sous le bonnet de ski noir, puis attrapa le gros poignet à deux mains. De nouveau, les larmes ruisselèrent sur ses joues rougies.

— Je vous en prie, ne me faites pas de mal. Aidez-moi.

D'un regard implorant, elle fixait les petits glaçons pris dans la moustache noire de son agresseur.

L'homme la regarda à son tour. Il aurait pu lui briser le cou d'un seul geste, mais cela aurait trahi un travail de professionnel et il fallait faire croire à une embuscade tendue par des amateurs cherchant de l'argent ou des bijoux. Avant de la tuer, il songea un instant à l'amener à ses hommes pour qu'ils se défoulent sur elle des tensions qu'ils avaient endurées pendant leur entraînement, mais il se ravisa : il ne fallait surtout pas qu'ils se déconcentrent. Ils n'étaient à la mine que depuis une semaine. S'ils commençaient à rechigner pour de bon vers la fin du stage, il serait toujours temps de donner du mou.

— Nous n'avons rien contre vous, lui dit-il avec un fort accent du Moyen-Orient, mais vous n'avez pas eu de chance. Vous vous trouvez au mauvais endroit au mauvais moment.

Puis il la releva brutalement, la tourna dos à lui, sortit son long couteau de sa ceinture et, l'immobilisant du bras gauche, il lui enfonça les vingt centimètres de sa lame en dents de scie dans le poumon droit. Il recommença aussitôt l'opération à plusieurs reprises, en prenant soin de viser les côtes à chaque fois. Il n'oublia pas de la frapper là où il savait qu'il n'y avait pas d'organes vitaux — toujours pour ne pas mettre un coroner sur la piste d'un tueur professionnel. Enfin, il laissa le corps sans vie retomber sur la neige.

— Beau travail, lui lança son second, qui se tenait sous un pin. On dirait que vous aimez ça.

Le basané grogna. Quand il s'agissait de tuer, la question n'était pas de savoir si on aimait ou pas. Il fallait le faire, point final.

— Aide-moi à la remonter à côté de l'autre. Après, on rentre à la base. Demain, on les emmène sur le chemin de grande randonnée, à soixante-dix kilomètres au sud. Quand la police les trouvera après la fonte des neiges, nous aurons quitté la base depuis longtemps. Si jamais on les retrouve avant, on pensera qu'ils se sont fait agresser par des bagnards en cavale.

Il marqua une pause et regarda autour de lui.

– D'ailleurs, je ne serais pas étonné qu'il y en ait dans le coin.

1

Mace McLain entra d'un pas coulé dans la salle de conférences en veillant à respirer l'assurance et le calme aux yeux du banquier japonais qui l'attendait assis à l'autre bout de la longue table. A la dernière minute, la veille, alors que toutes les autres parties engagées signaient le protocole d'accord, celui-ci s'était montré gourmand et avait interrompu la transaction d'un milliard de dollars à quelques centimètres de la ligne d'arrivée. Maintenant, les autres investisseurs – savoir ceux qui apportaient le capital, les compagnies d'assurances et les autres banques commerciales – menaçaient de se retirer, ce qui, en plus de lui faire perdre quelque soixante-dix millions de dollars d'honoraires, aurait réduit à néant six mois de travail acharné.

Le Japonais se leva en le voyant approcher.

– Bonjour, monsieur Tashiro.

– Bonjour, monsieur McLain, lui renvoya Tashiro avec un fort accent japonais.

Mace eut un sourire et se dressa de toute sa hauteur devant le petit homme : il avait compris que l'autre cultivait soigneusement son accent. Les Japonais avaient souvent recours à ce subterfuge lors de négociations difficiles : ils pouvaient ainsi prétexter qu'un point crucial leur avait échappé à cause de la langue. Mais Tashiro travaillait à la filiale new-yorkaise de la Osaka Trust depuis trois ans, et Mace le savait pour avoir effectué toutes les recherches habituelles. Qu'il essaye de lui faire le coup de la barrière linguistique et il le renverrait dans ses buts aussi sec. Il lui serra la main et remarqua que le Japonais avait

la paume moite. Ainsi donc, il était nerveux. Mace rit intérieurement : il y avait de quoi.

– Prenez place, je vous prie, dit-il.

Tashiro se fendit de trois révérences à l'orientale et attendit
qu'il ait fait le tour de la pièce et se soit installé en face de lui.
Il sortit alors une carte de visite imprimée en anglais d'un côté
et en japonais de l'autre et la fit glisser sur le plateau en acajou
verni. Enfin il s'assit.

Mace prit la carte et la mit tranquillement dans la poche de
sa chemise, puis il posa son carnet relié de cuir devant lui et
s'assit à son tour. C'était ridicule de s'installer à trois mètres
l'un de l'autre, séparés par une table assez grande pour accueillir
un conseil d'administration d'IBM, mais c'était ainsi que les
Japonais négociaient leurs affaires et Mace avait besoin de
l'argent de Tashiro. Il jouerait donc le jeu.

– Notre hôtesse vous aura offert des rafraîchissements, je pré-
sume ?

– Oui, oui, tout va bien, merci.

Tashiro avait du mal à imiter la décontraction de McLain.

– Merci, répéta-t-il pour se calmer.

Il jeta un coup d'œil à la salle richement décorée. Ce monument à la gloire du capitalisme américain l'impressionnait. Où
qu'il se trouve, il sentait peser sur lui les regards sombres d'hommes aux visages sévères, associés maintenant disparus de Walker
Pryce & Company, la banque d'affaires qui employait McLain.
De jolies tables et chaises en bois patiné complétaient le décor,
un lustre de cristal pendant au-dessus de sa tête telle une épouvantable guillotine. Tout d'un coup, la sobriété austère de la
Osaka Trust lui manqua.

– Monsieur Tashiro, cela fait maintenant six mois que nous
travaillons à cette transaction.

Mace se pencha en avant et plissa les paupières ; sa voix prit
un ton d'autorité : bien que toujours posé, il se fit plus intran-
sigeant.

– Pourquoi avez-vous attendu la dernière minute pour soulever ce litige ? poursuivit-il. Cela ne convient pas du tout à
mon client.

Mace savait parfaitement pourquoi il avait choisi cet instant, mais tenait à lui donner des sueurs froides. Les Japonais détestaient les questions trop pointues.

Devant l'attaque, Tashiro recula sur son siège. Ces Américains étaient diablement directs. Ils allaient droit au but, contrairement à ses concitoyens qui pouvaient tourner autour du pot pendant des heures, discutant de questions annexes dans le seul but de tester les faiblesses de l'adversaire.

– Je ne parlerais pas de litige, mais plutôt d'un problème à résoudre, dit-il.

Ne jouons pas sur les mots, pensa Mace. Un problème à résoudre, c'était un litige. Mais il resta de marbre, ne trahissant ni irritation ni déception.

– Monsieur McLain, je ne suis pas certain que le code des impôts fonctionne comme vous le prétendez. Et si j'ai raison, savoir si les intérêts que doit toucher la Osaka Trust ne sont pas défiscalisables, ma banque perdra de l'argent.

Mace ne quittait pas son adversaire des yeux. Le Japonais savait parfaitement que la loi fiscale n'allait pas changer de si tôt et que le montage de la transaction était irréprochable. Jones Day, l'un des plus prestigieux cabinets d'avocats de Cleveland, le leur avait fait savoir par son bureau de Washington.

Tashiro n'en ignorait rien. Mais il savait aussi que Mace McLain avait besoin de la Osaka Trust pour conclure l'affaire. Sans elle, le tour de table n'atteindrait pas le minimum fiscal de participation japonaise et la transaction serait nulle et non avenue. Du moins le croyait-il.

Mace prit lentement sa respiration. Ainsi donc, Tashiro allait tenter de lui extorquer de meilleurs taux d'intérêts. Mais s'il cédait, il lui faudrait faire de même avec toutes les autres banques et quand les fonds de pension et les compagnies d'assurances l'apprendraient, eux aussi se mettraient à réclamer une plus grosse part du gâteau. On s'engagerait alors dans une réaction en chaîne irréversible et tout s'écroulerait.

– Quelle solution proposez-vous, monsieur Tashiro ?

Le Japonais ajusta ses lunettes. Les coudes sur les bras de son fauteuil, il joignit les mains devant sa bouche et fixa l'Américain : il le sentait prêt à négocier. Il sourit discrètement. Ses craintes s'éloignèrent, telle une marée descendante.

Il allait prendre la parole lorsqu'une grande porte s'ouvrit à toute volée à l'autre bout de la pièce. Les deux hommes tournèrent la tête. Sherman Stevens, associé chez Walker Pryce, fit irruption dans la salle.

– Bon sang, Mace ! Ça fait une heure que je vous cherche, s'écria-t-il sans même regarder le banquier japonais. Cette putain de transaction WestPenn est en train de capoter. Norfolk Southern va surenchérir notre offre sur les actions de WestPenn. Dites-moi que je rêve, que ce n'est pas vrai ! Il me la faut, cette affaire !

Mace jeta un coup d'œil à Tashiro, qui semblait totalement désemparé.

Il regarda de nouveau Stevens, son visage cramoisi et ses cheveux en bataille, et hocha légèrement la tête. Plus âgé que lui, Stevens était déjà passé associé alors que lui-même n'était encore que sous-directeur, et les associés étaient censés garder leur calme sous la pression d'une affaire en train de se conclure. Stevens, lui, s'agitait comme un néophyte et perdait la tête parce qu'il voyait filer la villa qu'il projetait de s'acheter à Grande Caïman.

Mace se leva et se tourna vers Tashiro.

– Pardonnez-moi, lui dit-il. Veuillez m'excuser un instant.

Tashiro bondit sur ses pieds et acquiesça de la tête en se courbant en deux : il ne comprenait rien à ce qui se passait.

– Asseyez-vous, je vous prie. Je reviens dans un instant, ajouta Mace.

Tashiro obéit aussitôt.

Mace se tourna vers Stevens.

– Suivez-moi, Sherman, lui lança-t-il d'une voix ferme en passant devant lui.

Puis, Stevens sur ses talons, il se dirigea vers une salle de réunion plus petite. Une deuxième transaction aurait donc été en train de leur échapper. Où cela s'arrêterait-il ?

Cela faisait neuf mois que Mace et Stevens travaillaient à monter l'acquisition. Petite compagnie de chemins de fer mal en point, la WestPenn exploitait six cents kilomètres de voies secondaires entre la Pennsylvanie et l'Ohio, et voilà que, tout d'un coup, le géant ferroviaire Norfolk & Southern Railroad allait rafler les actions de la société juste au moment où Walker Pryce mettait la main dessus.

Mace s'engouffra dans la salle et referma la porte derrière Stevens. Sans même prendre la peine de s'asseoir, il attaqua :

– Comment avez-vous entendu parler de la surenchère de Norfolk ?

– Je ne peux pas vous le dire, lui répondit Stevens d'un ton soudain agressif.

Mace écrasa son poing contre le mur. Stevens fit la grimace.

– Mais qu'est-ce qui vous prend ? dit-il.

Mace ignora la question.

– Par qui l'avez-vous appris ? répéta-t-il un peu plus fort, mais d'une voix toujours aussi posée.

Stevens hésita. Dans les banques d'affaires, on ne révélait pas ses sources à la légère. Mais, sous le regard brûlant de McLain, il finit par céder.

– C'est Peter Schmidt, de chez Morgan Stanley, qui m'a appelé. Ils vont représenter Norfolk Southern.

Mace le dévisagea un instant, puis éclata de rire.

– Quoi ? Ce pauvre minus ? Il essaie seulement de nous barrer la route. Norfolk Southern se moque complètement de West-Penn : c'est beaucoup trop petit pour sa stratégie. Peter a dû convaincre ses dirigeants de remporter l'affaire dans le seul but de nous mettre des bâtons dans les roues. Il ne nous a toujours pas pardonné de l'avoir envoyé au tapis sur le financement de Black & Decker il y a deux ans de ça.

– Peu importe les pourquoi et les comment. Il l'a fait, c'est tout ce qui compte !

Mace décrocha le téléphone et composa un numéro. Une secrétaire lui répondit.

– Passez-moi Peter Schmidt, s'il vous plaît, lui demanda-t-il d'un ton assuré.

– Schmidt à l'appareil.

Le financier de chez Morgan Stanley avait pris la communication presque aussitôt. Il parlait d'une voix cassante.

– Mace McLain à l'appareil.

– Bonjour, Mace, lui renvoya Schmidt plus lentement, mais sur un ton où perçait le sarcasme.

Mace fit la grimace. Il se représenta Schmidt en train de se renverser dans son fauteuil, un sourire odieusement satisfait sur les lèvres.

— Sherman me dit que vous avez dégoté un autre enchérisseur pour WestPenn.

— Exact, mon vieux, lui répondit Schmidt en jubilant.

— Norfolk n'a rien à faire de WestPenn, Peter. Et vous le savez parfaitement.

— Oui. Mais je leur ai fait croire le contraire et c'est le principal, dit Schmidt d'un ton suffisant.

— Vous n'avez quand même pas oublié que la souscription de trois milliards de dollars pour l'aéroport de Chengtu doit être mise sur le marché avant la fin de l'année, si ? lui renvoya Mace du tac au tac. Ça va générer des honoraires fabuleux... sans parler de la notoriété que ça vous vaudra. Ça aussi, ça doit compter ?

Schmidt hésita, ne sachant où Mace voulait en venir.

— Mais encore ? dit-il.

— Vous n'êtes pas sans savoir que Walker Pryce a été nommé chef de pool par le gouvernement chinois. Et que nous avons choisi Morgan Stanley comme partenaire, ce qui vous assure de coquets honoraires et une mine d'affaires en Chine. Nous savons très bien que vous avez eu du mal à pénétrer ce marché, mais il n'est pas trop tard pour que nous changions d'avis et fassions équipe avec... je ne sais pas, moi... Goldman Sachs, disons. Vous seriez content que votre président apprenne que Morgan s'est fait griller par Goldman Sachs à cause de WestPenn... à cause de vous, Peter.

Il y eut un silence à l'autre bout du fil.

— Vous ne pouvez pas vous passer de nous sur la transaction Chengtu, reprit enfin Schmidt d'un ton peu convaincant.

— Bien sûr que si, lâcha Mace en jouant les blasés.

De nouveau, le silence s'éternisa.

— Rappelez les chiens, Peter. Annulez l'offre de Norfolk Southern, souffla Mace au financier de chez Morgan Stanley.

— C'est bon, finit par murmurer Schmidt dans le combiné.

Mace raccrocha aussitôt, sans même prendre congé. Puis il fit claquer ses doigts sous le nez de Stevens.

– Oublié, Norfolk Southern. Terminé. Bouclez cette affaire, Sherman. Et vite, avant que quelqu'un d'autre essaie de nous couper l'herbe sous le pied.

Il passa en trombe devant l'associé et quitta la pièce.

Stevens le suivit des yeux, paupières plissées. Ce gosse était bon. Indéniablement. Mais parfois un peu trop sûr de lui. Cela ne lui ferait pas de mal d'apprendre à respecter un associé. A faire des courbettes. Stevens se promit d'en parler au prochain conseil.

Tashiro se leva en voyant Mace revenir.

– Asseyez-vous, dit ce dernier.

Il était temps de mettre fin à la négociation. Au lieu de reprendre sa place en face du Japonais, il s'assit à côté de lui et le regarda droit dans les yeux.

– Dans cette affaire, lui dit-il, seul le prix vous intéresse, certainement pas la question de savoir si notre montage est viable ou non. Vous essayez de me soutirer un petit plus à la vingt-troisième heure parce que vous vous croyez en mesure de le faire.

Tashiro avala sa salive.

– Vous vous trompez, monsieur McLain, lui dit-il.

– Absolument pas. Telle que, l'affaire est très juteuse, monsieur Tashiro. Faire monter les prix n'est aucunement justifié. J'ai une autre banque prête à prendre votre place si vous voulez vous retirer. (Il marqua une pause.) Mais si vous déclinez notre offre, soyez assuré que la filiale new-yorkaise de la Osaka Trust ne se verra plus jamais proposer d'affaire par Walker Pryce & Company.

Son regard se fit perçant. Il n'avait aucune autre banque sous le coude. Osaka était la seule à marcher dans l'affaire. Mace bluffait, purement et simplement. Il était imbattable au poker.

Tashiro en eut soudain assez de ces petits jeux. D'après ses renseignements, Mace mentait. Mais les yeux de son adversaire semblaient dire le contraire. Il se sentit transpirer dans son costume trois pièces gris. Telle quelle, la transaction était effectivement juteuse. Et la Osaka Trust allait gagner beaucoup d'argent sur ce prêt, comme elle l'avait fait dans bien d'autres affaires que Walker Pryce lui avait apportées ces dernières années. S'il refusait de céder et que Mace ait véritablement quelqu'un d'autre dans sa manche, la source se tarirait et cela ne ferait certainement pas plaisir à ses directeurs japonais.

Lentement, douloureusement presque, il leva les yeux et affronta Mace.

– C'est d'accord, dit-il. Nous ne touchons plus à rien.

Mace inspira profondément et haussa un sourcil.

– Bien. Je vous suggère de retourner à votre bureau et de signer les documents nécessaires sans plus attendre.

Il se leva avant même d'avoir terminé sa phrase.

Tashiro l'imita. Il chancelait sur ses jambes. Puis il hocha la tête, ramassa son attaché-case et quitta la pièce.

Mace le suivit des yeux, et rit sous cape en s'approchant de l'immense fenêtre qui donnait sur Wall Street. Il jeta un bref coup d'œil aux nuages d'hiver – ils étaient noirs et lourds de neige –, et consulta sa montre. Onze heures. Il avait déjà remis deux négociations sur leurs rails et ses millions de dollars d'honoraires commençaient à pointer à l'horizon. Mais la journée était loin d'être terminée et des tas de vilaines choses pouvaient arriver à ses six autres transactions.

Il s'écarta de la fenêtre. Il ne savait plus où donner de la tête, et le lendemain sa journée de travail serait amputée par un cours qu'il devait donner à l'université Columbia dans la soirée. Il n'avait parfois pas assez de vingt-quatre heures dans une journée.

– Merci d'être ici ce soir. Je sais qu'il ne vous est pas facile de venir, mais vous comprendrez aisément que, vu ma position, le secret absolu est indispensable.

Lewis Webster regarda son interlocuteur droit dans les yeux et, d'un signe de tête, parut lui signifier que tous les kilomètres qu'il venait de parcourir en pleine nuit étaient une bagatelle. Il était furieux d'avoir à avaler tant de couleuvres, mais il n'avait pas le choix. S'il ne coopérait pas, s'il refusait de courir le risque immense que cet homme l'obligeait à prendre, il encourrait de longues années de prison. On le lui avait bien fait comprendre. Et il ne purgerait pas sa peine dans une maison d'arrêt de bon ton pour criminels en col blanc. Il pourrirait avec des assassins fous et des tueurs en série jusqu'à son dernier soupir. Sur ce point aussi, on s'était montré clair.

– Puis-je vous offrir un sandwich, monsieur Webster ?

L'homme se tourna vers la table basse et, d'un geste, lui désigna les fines tranches de roastbeef et de jambon joliment disposées sur un plateau.

Webster déclina son offre d'un signe de tête. Il mourait de faim, mais plus que tout il voulait en finir avec cet entretien. Il regarda son hôte dans les yeux, en faisant tout son possible pour lui cacher sa haine... et la peur qui le tenait. Le scénario lui avait été clairement et froidement expliqué lors de la dernière entrevue, dans cette même suite d'hôtel, un mois auparavant. Lui, Lewis Webster, associé principal de Walker Pryce & Company, l'une des plus grandes banques d'affaires de Wall Street, s'était rendu coupable de délit d'initié, de fraude sur titres et de manipulations sur comptes de clients. Condamné par un tribunal, il risquait un minimum de trente et un ans de prison. Comme il en avait déjà soixante-deux, il avait peu de chances de jamais retrouver la liberté. Et condamné, il le serait d'une manière pratiquement certaine. Son interlocuteur lui avait montré les preuves.

Webster planta ses ongles dans le bras du fauteuil. Il y avait néanmoins une porte de sortie, et pas des plus désagréables, lui avait dit l'homme. Webster haïssait la politesse de ce salopard. Mais il allait coopérer en le faisant profiter des moyens dont dispose une grande banque d'affaires. Si les choses se passaient comme prévu, les profits seraient énormes – plusieurs milliards de dollars. Walker Pryce en garderait quelques-uns et, en sa qualité d'associé principal, Webster y empocherait des bénéfices personnels. Mais, plus important peut-être, il resterait un homme libre. Il n'aurait pas à subir le mitard, les cellules infestées de poux, les coups, les viols. Rien que d'y songer, il ne put s'empêcher de frisonner sur son siège.

– Un problème, monsieur Webster ? Vous avez froid, peut-être ? Veuillez m'excuser, je vais monter le thermostat. C'est que j'aime la fraîcheur, voyez-vous.

L'homme sourit et fit mine de se lever.

— Non, non. C'est parfait. Je vous en prie, l'interrompit Webster d'un geste de la main.

L'homme se rassit sans cesser de sourire. Il avait bien compris ce qui coupait l'appétit de Webster et le faisait trembler à intervalles réguliers. La terreur se lisait à livre ouvert sur le visage de ce dernier. Il rit intérieurement.

— Avez-vous eu l'occasion de réfléchir à notre dernière conversation ?

— Oui, lui renvoya aussitôt Webster.

Autant en finir au plus vite.

— Et alors ?

Webster jeta un coup d'œil au thermostat. C'est vrai qu'il faisait froid !

— Je ne vois pas que j'aurais le choix. Et vous en êtes parfaitement conscient. Je ne comprends pas pourquoi il a fallu attendre un mois pour se revoir.

— Il y a deux raisons à cela. La première est que je suis un homme très occupé. Tout comme New York et les banques d'affaires, Washington et la politique ne laissent guère de répit. La deuxième est que je voulais vous permettre de repenser à loisir à ce que je vous ai dit lors de notre dernière rencontre. Vous allez prendre une décision d'une importance extrême.

— J'ai eu tout le temps d'y réfléchir.

L'homme se pencha lentement en avant ; sa tête s'arrêta à quelques centimètres de celle de Webster.

— Et vous acceptez ?

Sa voix était devenue un murmure.

Webster le regarda : fort et impénétrable, son visage reflétait le pouvoir exorbitant dont il jouissait déjà et qui ne lui suffisait pourtant pas.

— Oui.

— En toute connaissance de cause ?

— Oui.

— Vous êtes conscient qu'en cas de problème, c'est vous qui en subiriez les conséquences et pas moi ? Et que si jamais vous tentiez de donner l'alerte, de vendre la mèche à mes ennemis, poursuivit-il sans attendre la réponse à sa question, dans le meilleur des cas votre peine de prison s'en trouverait allongée. Et dans le pire, eh bien...

En entendant cette menace, Webster sentit sa haine se muer en une peur physique qui le submergea comme un raz de marée.

– Je comprends, dit Webster en fermant les yeux quelques instants. Le problème, c'est que la majorité des associés veulent introduire Walker Pryce en Bourse sans plus attendre. Le moment leur paraît propice. Et si cela se fait, je n'aurai aucun moyen de convaincre les nouveaux actionnaires de lever un fonds de cette importance, ni de l'investir comme vous l'entendez.

– A vous de les convaincre que dans la conjoncture actuelle, une cotation en Bourse ne serait pas dans leur intérêt. C'est aussi simple que ça.

– Mais pas si facile.

– Ce genre de décision est prise par le comité directeur, n'est-ce pas ce que vous m'avez dit la dernière fois ?

– Si.

Webster baissa les yeux.

L'homme se pencha lentement en avant, prit deux grosses enveloppes kraft qu'il avait appuyées contre le pied de son fauteuil et les lui tendit.

– Ceci devrait vous aider, dit-il.

Et il les lui remit en souriant.

2

– Prêts ? C'est parti ! hurla le capitaine aux vingt-cinq hommes de l'unité d'assaut n° 3 qui dans l'instant pénétrèrent en trombe dans le dépôt de gaz liquéfié, en plein centre de Los Angeles. Il s'arc-bouta pour parer à d'éventuelles explosions, les terroristes ayant pu poser des mines devant les portes. Mais rien de tel ne se produisit. Dieu merci, ils étaient intervenus moins d'une heure après l'attaque du dépôt et avaient empêché les assaillants de se barricader à l'intérieur.

Tandis que les hommes s'éparpillaient dans le bâtiment, des tirs de fusils automatiques se firent entendre un peu partout. Embusqués en haut des immeubles voisins, des tireurs d'élite arrosaient en continu la façade du bâtiment administratif principal afin de couvrir les forces d'assaut.

C'est alors que du toit de ce même bâtiment surgit un terroriste cagoulé prêt à décharger des cartouches Black Rhino qui mettraient les gilets de ses hommes en charpie. Avant même de pouvoir presser la détente, il fut abattu par un tireur d'élite qui l'avait mis en joue par la porte entrouverte d'un hélicoptère suspendu dans le ciel nocturne, tel un gros bourdon, à une centaine de mètres d'altitude. L'homme fut projeté en arrière et son corps décrivit plusieurs vrilles avant de retomber, face contre terre, sur le goudron poisseux du toit.

Quatre autres terroristes se débusquèrent pour riposter. Trois furent aussitôt abattus par les tireurs de l'hélico, mais le quatrième réussit à échapper à leur feu nourri et à vider les cinquante balles de son chargeur dans l'obscurité. Il fit six victimes parmi les troupes d'assaut qui couraient vers le dépôt principal, où, disposés côte à côte, les grands réservoirs de gaz naturel liquéfié tenaient de la bombe à retardement. Une seconde plus tard, il tombait à son tour.

A travers ses lunettes de vision nocturne, le capitaine de l'unité d'assaut n° 3 vit les hommes des unités 1, 2 et 4, qui étaient entrés par les trois autres portes, converger vers les zones de stockage. Qu'ils puissent tirer sur leurs propres camarades était un risque à ne pas écarter : ils travaillaient d'instinct et sous l'effet de l'adrénaline. Malgré leur entraînement intensif et quotidien, certains pouvaient avoir la détente facile.

Soudain, le sifflement d'un Diamondback, une nouvelle roquette de conception iraquienne, leur déchira les oreilles.

– Planquez-vous ! hurla le capitaine.

Il n'avait pas vu d'où était parti le missile, mais l'avait tout de suite reconnu à son bruit inquiétant. Les hommes plongèrent par terre, la roquette fendant l'air au-dessus de leurs têtes. Quelques secondes plus tard, elle s'écrasait dans la rue, à l'extérieur de l'enceinte. Tout fut éclaboussé d'éclats meurtriers qui pulvérisèrent les vitres des immeubles aux alentours.

On dirait que les missiles ne sont pas leur fort, pensa le capitaine en criant à ses hommes de reprendre l'assaut. Les terroristes auraient dû viser le sol, juste devant ses troupes. Auraient-ils réussi que les minuscules éclats de métal tranchant les auraient littéralement déchiquetés.

L'unité n° 2 changea brusquement de direction et se porta vers le bâtiment administratif d'où avait été tiré le Diamondback. Un éclair embrasa une fenêtre du second étage, et un deuxième missile en jaillit. Cette fois-ci, le tir fut meilleur : il aboutit au milieu des hommes. Sept d'entre eux furent fauchés. Presque aussitôt, la fenêtre d'où était partie la roquette fut soufflée par des grenades qui ouvrirent un trou béant dans la façade. Trois explosions suivirent quand les flammes de l'incendie atteignirent les roquettes que les terroristes avaient gardées en réserve dans la pièce. Soixante mètres plus loin, le capitaine en sentit la chaleur.

La cible n'était plus qu'à quelques mètres. Soixante-six hommes, soit ce qu'il restait des unités 1, 3 et 4, arrivèrent ensemble au premier réservoir. Les hommes de l'unité 2 avaient pris le contrôle du bâtiment administratif en neutralisant les tireurs de roquette. Ils parvenaient à l'aire de stockage lorsque le capitaine de l'unité 3 repéra deux terroristes dans l'obscurité. Agenouillés au pied d'un réservoir, à une trentaine de mètres, ils essayaient d'attacher quelque chose à la base d'un pilier. Sans voir ce dont il s'agissait, le capitaine eut une assez bonne idée de ce qu'ils préparaient.

– Là ! cria-t-il en les montrant du doigt.

Puis, à la tête de ses troupes, il se dirigea vers eux. Ils étaient en train d'amorcer une bombe. Si le réservoir explosait, tout le centre de Los Angeles sauterait avec. Mais à quoi pensaient les urbanistes ? Comment, à une époque pareille, avaient-ils pu laisser ces installations sans protection et accessibles à n'importe qui ?

Le capitaine courait, les yeux fixés sur les deux terroristes dont il ne pouvait s'empêcher d'admirer le dévouement complet à la tâche, la détermination qu'ils mettaient à mourir et à tuer pour faire passer leur message. En cas d'explosion, il ne resterait rien d'eux. C'est du suicide, se dit-il. Mais ils se moquent bien de mourir. On leur a tellement lavé le cerveau qu'à leurs yeux la mort n'est qu'un moyen d'atteindre un monde meilleur. Que peut-on contre un tel dogme s'ils croient dur comme fer à tout ce qu'on leur raconte ? Il se hâta. Ce n'était pas le moment d'essayer de percer les secrets d'une religion. La bombe pouvait exploser d'un instant à l'autre.

Plus que cinquante mètres. D'ici, on peut tirer. On risque de faire sauter le réservoir ou la bombe, mais il faut tenter le tout pour le tout. C'est maintenant ou jamais.

Il ralentissait l'allure pour pouvoir viser lorsqu'un des deux terroristes pivota sur ses talons et vida sur les troupes le chargeur de son arme automatique, qui cracha de petits éclairs blancs. Aussitôt paralysé par quatre balles dans la colonne vertébrale, le capitaine s'affaissa de tout son poids sur l'asphalte. Au prix d'un immense effort, il leva la tête une dernière fois et vit les terroristes succomber à un tir groupé. Les Wolverines avaient gagné. Certains étaient morts, mais ils avaient sauvé la plus grande ville du pays d'un anéantissement certain. Il sentit le sang lui remplir les poumons, la gorge et la bouche, et sa joue retomba sur le goudron crasseux.

3

De longs cheveux bruns dégradés encadraient négligemment son visage délicat. Sa peau était parfaite, ses yeux d'un bleu profond, ses joues creuses, et ses lèvres pleines se retroussaient tandis qu'elle souriait d'un air boudeur à ses voisins occupés à flirter avec elle. Et même si son corps disparaissait derrière sa cour d'admirateurs et la table où elle était assise, Mace ne doutait pas qu'il fût à la hauteur de la partie visible de cette jeune femme. Il détourna rapidement les yeux. Son regard s'était déjà trop attardé sur elle.

De sa place à la chaire de l'amphithéâtre, il passa en revue les quatre-vingt-dix visages de ses camarades. Située en plein Manhattan, à un jet de pierre du quartier financier le plus célèbre du monde, la Columbia Business School formait depuis toujours les meilleurs hommes et femmes d'affaires du pays, car elle ne recrutait que les candidats brillants et combatifs. Après deux ans d'études intensives, elle en renvoyait la plupart au monde du travail avec soixante-quinze mille dollars de dettes, voire plus, et un bout de papier attestant qu'ils étaient imbattables en affaires, ce qui dans la réalité ne valait pas un clou. Mais d'autres gagnaient plus de cent mille dollars par an dès qu'ils empochaient leur diplôme.

Les élèves qui briguaient des places dans le marketing chez Procter & Gamble, Philip Morris et autres leaders en produits grand public avaient pris d'assaut le premier rang : dans leur enthousiasme exubérant, ils espéraient mieux se vendre auprès du professeur en s'installant près de lui. Ceux qui visaient les hauts salaires de McKinsey, Bain et autres majors du conseil se trouvaient juste derrière eux. Les yeux au niveau de ceux du professeur, ils se croyaient mieux placés au milieu de la classe, plus proches des gens, en quelque sorte. Les ingénieurs occupaient le troisième rang parce que les autres étaient déjà pris quand ils arrivaient – pile à l'heure – et que, de toute façon, ils n'avaient pas de temps à perdre en finesses de ce genre. Ils étaient là pour apprendre, et pas seulement pour décrocher un diplôme.

Le « pont supérieur », ainsi que les étudiants de MBA appelaient affectueusement le quatrième et dernier rang, était le lieu de prédilection des jeunes loups aux dents longues qui voulaient croquer Wall Street à la sortie de l'école. Ce perchoir leur permettait de choisir le moment opportun pour participer aux discussions, car les attaques ne pouvaient venir que d'en bas, des quartiers inférieurs, où les étudiants étaient obligés de se tordre le cou pour leur parler. Ils pouvaient aussi préparer les cours suivants sans se faire repérer par le professeur, et se moquer discrètement des réponses cafouilleuses de leurs camarades. Intelligents, paranoïaques et prompts au sarcasme cinglant, les occupants du pont supérieur étaient les financiers de demain.

Les plans de classe tacites et les perspectives de carrière des MBA n'avaient aucun secret pour Mace, qui n'était lui-même diplômé de Columbia que depuis quatre ans. Si sa carrière au sein du groupe de conseil en placements immobiliers de Walker Pryce progressait plus vite que celle de ses anciens camarades, c'était peut-être parce qu'il n'avait pas respecté la tradition et s'était toujours mêlé aux ingénieurs du troisième rang, celui où l'on apprenait quelque chose.

Avec une indifférence bien rodée, Mace fixa tour à tour chacun des étudiants du rang supérieur. Tandis qu'ils bavardaient entre eux, il parcourut si lentement la rangée de visages que lorsqu'il revint sur celui de la jeune femme, cela parut plus naturel. Il ne passait au suivant que lorsqu'il avait croisé le regard d'un élève. S'il avait accepté – et pour un semestre entier – de sacrifier deux soirées par semaine à dispenser ce cours de Financement immobilier, c'était pour que Walker Pryce ait une longueur d'avance sur les autres banques d'affaires new-yorkaises quand il s'agirait de recruter les étudiants les plus prometteurs de Columbia. Il essayait donc de graver leurs visages dans sa mémoire avant les entretiens d'embauche, qui devaient commencer dans trois semaines, soit début février.

Les étudiants savaient que Mace était là pour débusquer les jeunes talents, et la classe était bondée. Au fond d'eux-mêmes, tous, y compris ceux qui se destinaient à devenir consultants, rêvaient de finance. On y gagnait des sommes tout simplement fabuleuses.

Mace revint subrepticement à la jeune femme, dont les yeux séducteurs passaient sans préférence marquée d'un admirateur à l'autre. Il la vit faire des sourires qui pouvaient passer pour sincères et lui attiraient les faveurs redoublées des jeunes gens. Soudain, il se rendit compte qu'elle le dévisageait. Elle ne le regardait pas à la dérobée, elle n'essayait pas de cacher ses intentions comme les autres, non, elle le dévorait tout simplement des yeux.

Il soutint son regard pendant quelques secondes, puis il repéra l'étiquette plantée dans la rainure devant elle : Rachel Sommers. Ce nom lui disait vaguement quelque chose. Il fouilla dans sa mémoire, mais en vain. Lentement, ses yeux remontèrent le long du pull-over ample et rencontrèrent ceux, bleu sombre, de la jeune femme, dont les lèvres charnues esquissèrent le sourire qu'il connaissait déjà. Mais, cette fois, elle inclina légèrement la tête de côté, comme pour se présenter.

– Allez, allez, votre attention, s'il vous plaît.

Charlie Fenton, doyen de l'école, tambourina sur le bureau laqué avec sa pipe.

– Silence !

Aussitôt, le brouhaha des conversations cessa. Mace sourit en voyant cet homme grand, aux cheveux argentés, parcourir l'assistance du regard. Charlie n'avait pas perdu la main. Il était toujours capable de faire taire une classe arrogante rien qu'avec sa pipe.

Charlie Fenton aimait croire qu'il imposait le silence grâce à son autorité naturelle. En réalité, le respect que lui vouaient les étudiants de MBA devait tout à ses contacts de haut niveau dans le monde de la finance. Il connaissait les dirigeants et les associés de toutes les grosses firmes de Wall Street, et pouvait à sa guise lancer un jeune dans une carrière fulgurante qui le rendrait multimillionnaire.

– Bon, dit-il.

Le doyen fit une pause pour ménager ses effets, puis, de la main dans laquelle il tenait sa pipe, il désigna Mace.

– Je vous présente Mace McLain. Sous-directeur chez Walker Pryce & Company, l'une des plus prestigieuses banques d'affaires de Wall Street.

Fenton avait prononcé ces derniers mots avec un accent nasal, aristocratique et comme teinté d'une pointe de dégoût. Bien qu'attachant une grande valeur à ses relations de Wall Street, Fenton aimait faire sentir à son public qu'ils n'étaient pas du même monde, ce qui ne l'empêchait pas de posséder à Darien, Connecticut, un manoir juste à côté de chez un associé de Goldman Sachs.

– Mace fait partie du club, poursuivit-il d'un ton toujours faussement moqueur, ce qui n'est pas nécessairement une bonne chose. Il travaille seize heures par jour, sept jours sur sept. Il mange du canard laqué ou de la pizza au dîner, et du canard laqué froid ou de la pizza froide au petit déjeuner.

Il ménagea une pause pour entendre le gloussement de rigueur, puis reprit en ces termes :

– Il dort au bureau, sur un canapé, quatre nuits sur cinq. Il connaît tous les grands aéroports du monde comme sa poche, et mieux que vous ou moi ne connaissons notre propre maison.

Mace hocha la tête en souriant. Fenton avait raison.

– Oh, bien sûr, reprit le doyen, il gagne beaucoup d'argent. Il doit posséder un appartement dans une résidence de luxe de l'Upper West Side ; au travail comme dans sa vie privée, il fréquente les gens les plus intéressants et les plus intelligents du monde.

Dans un silence de mort, les étudiants l'écoutaient avec une attention toute capitaliste.

– Mais je suis prêt à parier que son mobilier se limite à un matelas jeté à même le sol, une commode déglinguée et un vieux vélo d'appartement. Aussi bien n'a-t-il pas eu une minute à consacrer à ce genre de choses depuis qu'il a emménagé. Quant à ses relations professionnelles, disons qu'elles lui donnent du fil à retordre, croyez-moi. Vous conviendrez donc que ça ne vaut pas le sacrifice. Mace, combien de jeunes associés Walker Pryce a-t-il recrutés dans les meilleures *business schools* l'an dernier ? ajouta-t-il en se tournant vers lui.

Mace promena son regard sur ces jeunes gens avides, qui n'avaient pas d'emploi digne de ce nom depuis près de deux ans. Il ne put s'empêcher de sourire. Charlie s'y entendait pour les amadouer. C'était surtout pour cela que Lewis Webster, le dirigeant de Walker Pryce, tenait à ce que lui, Mace, assure ce cours. Dès que les présentations seraient terminées, toute la classe serait pendue à ses basques dans la course à l'emploi.

– L'an dernier ? Nous en avons embauché trente-trois, Charlie.

– Trente-trois, trente-trois... répéta Fenton, comme perdu dans ses pensées.

On y arrivait. Comme le disait volontiers Webster, Fenton était capable de vendre de la glace à des Esquimaux et des parkas en duvet à des Jamaïcains. Il était passé maître dans l'art de travailler les étudiants au corps. Et si aucune autre banque d'affaires ne jouissait du privilège de se vendre aux meilleurs MBA de Columbia, c'était parce que Fenton l'entendait ainsi. Seule Walker Pryce était autorisée à enseigner chez lui un trimestre entier.

– Quel était le salaire annuel moyen de ces trente-trois personnes ? insista le doyen.

– Cent soixante-dix-sept mille dollars.

Une manière de hoquet parcourut l'assistance.

– Et le salaire le plus élevé ?

Mace darda un œil en direction de Rachel Sommers. Les lèvres serrées, elle le dévisageait.

– Deux cent trente-deux mille dollars.

De nouveau, les étudiants retinrent leur souffle.

Fenton baissa les yeux sur le dallage usé de la salle et secoua la tête.

– Des gens de vingt-sept ans qui gagnent deux cent trente-deux mille dollars. Mon Dieu, où va le monde, Mace ?

– Les jeunes banquiers d'affaires travaillent comme des fous, Charlie. Ils méritent d'être rémunérés au prix du marché.

Les disciples du libéralisme étagés sur les gradins de l'amphithéâtre hochèrent la tête comme un seul homme : pour eux, il allait de soi qu'ils devraient tous gagner deux cent trente-deux mille dollars dès leur sortie de l'école.

Le doyen poussa un long soupir.

– Vous avez sans doute raison. Mais ça paraît tellement extraordinaire ! Bon, assez parlé salaire, ajouta-t-il après avoir hoché la tête une dernière fois. Vous êtes ici pour étudier le financement immobilier, et Mace McLain est venu l'enseigner... à condition qu'il ne soit pas retenu à Londres ou à Los Angeles par ses affaires. (Sa voix se fit soudainement paternelle.) Mais son supérieur hiérarchique m'assure qu'il fera toujours l'impossible pour venir, sinon... (Il haussa un sourcil en regardant Mace, qui acquiesça de la tête.) Bon, je vous laisse.

Et il disparut, laissant la porte battre derrière lui.

Mace enleva aussitôt son veston et le posa sur la petite table noire près de la chaire.

– Au travail ! Qui peut me dire ce que sont la part intérêt et la part principal d'une échéance ?

Aucune main ne se leva.

– Allons, jeunes gens. A moins de ne jamais avoir ouvert le *Wall Street Journal*, vous avez certainement entendu parler d'intérêt et de principal.

Toujours pas de réponse. Personne n'osait affronter le banquier d'affaires qui étalait devant eux quatre ans d'expérience professionnelle.

Mace désigna au hasard un jeune frisé au troisième rang, tout en lisant son nom.

– S'il n'y a pas de volontaires, je vais être obligé d'interroger M. McDuffy, dit-il.

McDuffy leva les bras et les yeux au ciel, comme pour y chercher l'inspiration divine. Les autres pouffèrent d'un rire nerveux.

– Il s'agit de l'intérêt et du principal d'un emprunt immobilier garanti.

La prière de McDuffy avait été exaucée. Les rires se turent et les têtes se tournèrent vers Rachel Sommers, qui parlait d'une voix assurée.

– Il y a quelques années, poursuivit-elle, les banquiers d'affaires ont eu l'idée de rassembler des emprunts immobiliers à structure similaire et de vendre des titres garantis par ces emprunts aux investisseurs publics. Ensuite, pour intéresser le plus grand nombre d'investisseurs possible, ils ont scindé l'emprunt en intérêt et principal, qu'ils ont vendus séparément.

Elle croisa les bras devant elle en finissant son explication.

Mace la regarda fixement. Ainsi donc, en plus d'être belle, elle était intelligente.

– Excellent, dit-il.

Il lui fit un signe de tête, puis parcourut la salle du regard.

– Quelqu'un peut-il me dire ce qu'est une SCPI ?

La glace était rompue. Rachel avait calmement sauté le pas et atterri de l'autre côté sans encombre. Plusieurs mains se levèrent aussitôt.

– Oui, monsieur... euh...

Il n'arrivait pas à déchiffrer le nom du jeune homme brun assis au dernier rang, tout en haut à gauche.

– Jensen, lui souffla l'intéressé en pointant le doigt sur son étiquette.

– C'est ça... Jensen. A vous.

Jensen déblatéra un moment sur les sociétés civiles de placements immobiliers et leurs avantages fiscaux comparés aux investissements traditionnels. Mace le laissa parler, mais son explication ne fut ni aussi succincte ni aussi précise que celle de Rachel sur les emprunts garantis. Mace décida de mettre un terme à son supplice.

– Merci, monsieur Jensen, dit-il.

Conscient de ne pas avoir fait bonne impression, Jensen s'interrompit au milieu d'une phrase.

– Au fait, il y a une importante SCPI qui a des problèmes en Californie en ce moment. Quelqu'un sait-il de quoi je parle ?

La classe resta silencieuse.

– Allons ! Ça n'a pas fait la une des journaux, mais c'est dans la deuxième section du *Wall Street Journal* depuis quelques jours.

Mace parcourut tous les visages du regard sans recueillir la moindre réaction.

– Si vous voulez devenir financier, et même si vous ne voulez que traiter des affaires, il est absolument indispensable de lire le *Journal* tous les jours, religieusement. Vous devez savoir ce qui se passe dans le...

— La SCPI en difficulté est l'East Orange Limited Partnership.

Mace leva les yeux, mais il avait déjà reconnu la voix. Il sourit à Rachel.

— On dirait que vous connaissez toutes les réponses, mademoiselle Sommers.

Rachel ne réagit pas.

— Vous ne vous êtes pas trompée : il s'agit bien d'Eastop, ajouta-t-il en utilisant le surnom donné dans les salles de marchés à la SCPI.

Il entendait bien leur montrer que s'il était dans le secret des dieux, eux ne l'étaient pas : ce nom-là, ni Rachel ni ses camarades ne pouvaient l'avoir lu dans le *Journal*.

— Il y a une importante SCPI de Cleveland qui va avoir des ennuis elle aussi. Et une fois que ça se saura, Eastop sera vite oubliée. La société de l'Ohio, elle, fera la une, ajouta Rachel de son propre chef.

Mace la regarda avec de grands yeux. Il n'y avait que deux grosses SCPI à Cleveland et, à sa connaissance, elles avaient l'une comme l'autre une solide assise financière. Du moins, se portaient-elles bien la dernière fois qu'il avait vérifié, quelques semaines plus tôt. Il lui sourit sans trahir la consternation qu'il ressentait en apprenant la nouvelle. Il avait récemment conseillé à un bon client de Walker Pryce d'investir dans les parts de l'une des deux.

— Et comment s'appelle cette société ?

Rachel lui renvoya son sourire rusé.

— Monsieur McLain, lui renvoya-t-elle, vous ne voudriez tout de même pas que je vous révèle ce genre de choses, n'est-ce pas ?

Un concert de sifflements et de cris emplit la salle. Les futurs MBA avaient soudain senti que le financier était peut-être compromis dans l'affaire de Cleveland et savouraient par procuration l'avantage pris par leur camarade.

McLain approuva la réponse de Rachel d'un signe de tête, puis lui sourit franchement. Et si Walker Pryce venait de dénicher le meilleur élément de l'année parmi les élèves de Columbia ?

Deux heures plus tard, il était assis dans le vaste bureau de Fenton, où, fragiles gratte-ciel dessinant des villes miniatures par terre et jusque sur les tables, s'empilaient des manuels de marketing. Au mur, s'étalaient les monuments à la gloire de l'occupant des lieux et de sa carrière. Diplômes, titres honorifiques et récompenses recouvraient les panneaux blancs. Sur le bureau, plusieurs photos placées stratégiquement face au visiteur, et sur lesquelles il serrait la main d'hommes d'affaires célèbres. Warren Buffett, PDG de Berkshire Hathaway ; Stanley Gault, PDG des pneus Goodyear ; Lewis Webster, associé principal de Walker Pryce.

Mace observait Fenton qui essayait de mettre fin à une conversation téléphonique. Sans doute un cadre de Wall Street. Ceux-ci lui demandaient souvent conseil.

Fenton raccrocha enfin.

– Ces longues soirées vont finir par avoir raison de moi, dit-il avec un clin d'œil.

– Allons, allons, Charlie, vous adorez voir ces types se précipiter pour solliciter votre avis, lui répondit Mace en souriant.

Fenton eut un geste de la main comme pour signifier que ces attentions l'ennuyaient.

– Alors, vos premières impressions ? demanda-t-il. Avez-vous repéré quelqu'un qui vous plaise ? Quelqu'un que Lewis Webster aurait envie de recruter pour Walker Pryce ?

Mace lorgna la photo de Fenton avec Webster.

– J'ai repéré quelqu'un, en effet, reconnut-il.

Fenton sourit.

– Laissez-moi deviner : Rachel Sommers.

A l'autre bout de la pièce, un feu brûlait dans la cheminée, envoyant des reflets sur le visage de Mace. Incapable de masquer le sourire qui lui tiraillait les commissures des lèvres, il dit :

– Peut-être.

– Il m'avait bien semblé vous voir regarder plusieurs fois dans sa direction pendant que je vous présentais, dit le doyen en riant.

Mace secoua la tête, mais son sourire refusait toujours de lâcher.

— Et, si je ne m'abuse, il me semble également qu'elle vous dévorait des yeux quand vous regardiez ailleurs.

Mace se força à réprimer son sourire.

— Je m'intéresse à Rachel Sommers d'un point de vue purement professionnel, Charlie.

— Bien sûr, bien sûr, dit Fenton, peu convaincu, et il se radossa à son fauteuil.

Mace laissa glisser.

— Vous m'aviez prévenu que tous les meilleurs espoirs de la finance se trouvaient dans cette classe. A mon avis, elle les dépasse tous de cent coudées. De plus, embaucher une femme chez Walker & Pryce arrangerait bien notre petit problème de quotas.

Fenton acquiesça d'un signe de tête.

— Parlez-moi un peu d'elle, Charlie. Ça peut paraître idiot, mais son nom me dit quelque chose.

— J'espère bien ! Elle a fait l'objet d'un article dans le *Wall Street Journal* il y a une quinzaine de jours. Vous savez, première page, colonne du milieu, celle où ils casent un portrait ou traitent un sujet d'intérêt général qui rompt un peu avec la sécheresse de la finance.

— Mais oui, bien sûr, ça me revient, dit Mace en se redressant. Elle s'occupe du club d'investissement de l'école, et elle a fait beaucoup mieux que toutes les vedettes de Fidelity et Vanguard.

— Exact. Parce qu'ils gèrent de grosses sommes, elle aurait moins de mal qu'eux à tirer de bons revenus de ses petits investissements. A mon avis, c'est du pipeau. Ils sont jaloux. Nous allouons dix mille dollars au club d'investissement au début de chaque année scolaire. Ça donne aux étudiants l'occasion de se frotter à la réalité, et c'est beaucoup mieux que de gérer un portefeuille sur papier avec de l'argent fictif dans un cours théorique. A la fin de l'année, les gains vont aux œuvres de charité. D'habitude, ça ne va pas bien loin. Mais ces deux dernières années, Rachel a fait preuve d'un véritable sens stratégique et les choses ont changé.

Mace était tout à fait intéressé maintenant. Il ne s'étonnait plus que Rachel ait eu des tuyaux sur la SCPI de Cleveland : elle était constamment en relation avec les marchés. Et ce faisant, elle avait dû prendre des contacts qui s'avéreraient précieux pour Walker Pryce.

– Vous me parlez de son parcours ?

Fenton eut un rire caustique.

– C'est là que le bât blesse. Elle n'est pas vraiment ce qu'on pourrait appeler une aristocrate, condition généralement requise pour entrer chez Walker Pryce.

– Ce n'est plus aussi important qu'autrefois. Vous connaissez mes origines, et ça n'a pas semblé les déranger.

– Vous étiez un cas à part.

– Elle aussi, j'ai l'impression. D'où sort-elle ?

– Du mauvais côté de l'East River. Brooklyn. Famille pauvre. Elle a fait ses études à Queens College après être passée par un bon lycée, et a pris un poste d'assistante au service des bons du Trésor de Merrill Lynch. Visiblement, elle y a fait son chemin et s'est formée au métier d'analyste financier. Nous l'avons embauchée sur la recommandation de ses supérieurs hiérarchiques. Je pense qu'ils espèrent la récupérer après son diplôme : ils ne sont pas aussi regardants que Walker Pryce sur les questions de lignée. Ils ont l'air de la trouver intelligente. Et vous savez les ravages que peut faire une femme belle et intelligente à Wall Street.

Mace leva les yeux au ciel. Il savait.

– On va se l'arracher, dit-il.

– Peut-être, dit Fenton en haussant les épaules. Toujours est-il que j'ai décidé de l'accepter à Columbia, même si je ne savais pas trop comment elle allait financer ses études.

– Comme tout le monde, lui renvoya Mace, en empruntant.

– Oui, mais les trois quarts des autres ont des parents fortunés qui peuvent cautionner les prêts. Les siens pourraient toujours se porter garants, ils ne possèdent rien. (Il marqua une pause.) Enfin... jusqu'ici, elle n'a pas eu de problème.

Il s'interrompit un instant, puis, prenant son menton dans sa main, il ajouta :

– Assez parlé de Rachel Sommers. Qu'est-ce que vous devenez, Mace ?

– Oh, je trime et je peine, Charlie, mais ce ne sont pas les gens malins qui manquent, vous savez.

Fenton ne réagit pas. C'était vrai. La liste était longue et Mace McLain en était le premier. Chez Walker Pryce depuis quatre ans maintenant, il rapportait suffisamment d'argent pour obliger Lewis Webster à lui donner le titre de directeur, dernière étape avant d'obtenir le statut d'associé. La règle tacite interdisait pourtant de devenir directeur avant au moins sept ans de boîte. Au train où il allait, il pourrait même passer associé avant les dix ans obligatoires.

– Vous êtes modeste.

– Vous trouvez ?

– Oui, dit Fenton en riant.

– Merci.

Mace avait parlé sincèrement, mais à contempler les flammes comme il le faisait, ce n'était pas à ce compliment qu'il s'attardait. Il pensait à Rachel Sommers. Il avait envie d'en savoir bien davantage sur elle.

Le téléphone sonna, interrompant sa rêverie. Fenton décrocha.

– Allô ? Oui, bien sûr.

Il passa le combiné à Mace par-dessus le bureau.

– C'est pour vous. La secrétaire de Webster.

Mace prit la communication en secouant la tête. L'associé principal de Walker Pryce allait hâter sa malheureuse secrétaire vers sa tombe. Il était dix heures passées et Sarah Clements devait être au bureau depuis huit heures du matin. Mais Webster était un fou de travail ; elle était bien obligée de suivre.

– Oui, Sarah ?

– Désolée de vous déranger, Mace, mais c'est important. M. Webster veut vous voir après-demain à la première heure. Huit heures précises. Et surtout, n'en parlez à personne. Absolument personne. Il vous recevra seul à seul.

– Il vous a dit pourquoi ? J'aimerais pouvoir me préparer.

– Non, je ne sais pas.

Mace hocha la tête. Evidemment, le vieil homme n'avait donné aucune précision. Il considérait que Mace devait pouvoir lui répondre au pied levé sur tous les sujets qu'il lui plairait d'aborder. C'était son style. Il attendait la même chose de tout le monde, d'ailleurs, et toujours à brûle-pourpoint.

– C'est noté.

– Je suis contente d'avoir réussi à vous joindre, ajouta Sarah de son ton maternel. Merci de toujours tenir votre agenda électronique à jour.

– C'est bien normal. Bonsoir, Sarah.

Il rendit le combiné à Fenton. Ainsi donc, l'associé principal de Walker Pryce voulait le voir. Seul. Il avait travaillé avec lui sur plusieurs transactions, mais toujours avec un autre associé. Jamais seul. « Et surtout, n'en parlez à personne », avait dit Sarah. Voilà qui s'annonçait intéressant.

Il était tard lorsque Rachel se glissa dans la bibliothèque de l'université, où elle trouva la salle de lecture vide. Les étudiants étaient déjà rentrés se coucher ou finissaient la soirée dans un bar de l'East Side. C'était complètement fou de venir à une heure pareille, se dit-elle en riant sous cape. Bah, et puis merde. Vis un peu, Dieu sait que tu le mérites.

– Nous fermons dans une demi-heure, hurla un homme âgé depuis le bureau des prêts, tandis qu'elle franchissait la porte.

Sans se démonter, elle lui fit un petit signe de la main et se dirigea vers le fond de la salle, derrière les rayonnages. Elle n'en avait pas pour longtemps, du moins l'espérait-elle.

– Salut, Chad, lança-t-elle en gagnant la salle des communications.

Petit espace à l'écart, celle-ci était exclusivement réservée aux systèmes d'information électronique : Lexis/Nexis, Telerate et Bloomberg, tout ce dont avait besoin un bon étudiant en MBA pour travailler. Malheureusement, Chad Maddux, lui aussi étudiant en deuxième année, et seul occupant des lieux à cette heure tardive, utilisait déjà le réseau qu'elle voulait consulter, le Bloomberg.

Chad se retourna sur son siège et son visage s'éclaira aussitôt.

– Salut, Rachel.

Il se renversa en arrière et passa ses longs doigts dans sa crinière noire. Il était étudiant, il n'avait pas besoin d'aller chez le coiffeur.

Rachel lui fit un signe de tête.

– Tu ferais bien de te faire tondre sans tarder. Les entretiens commencent dans quinze jours-trois semaines.

Chad s'étira en grognant, comme s'il avait passé toute la soirée devant son terminal. Ses biceps tendirent les manches courtes de son T-shirt de manière provocante.

Rachel se rendit compte qu'il lui faisait un numéro de charme. Ce que les hommes étaient prévisibles !

– Qu'est-ce que tu fais ici à une heure pareille ? lui demanda-t-il.

Il posa les mains sur ses cuisses et les yeux sur la poitrine de Rachel, essayant de deviner les formes que cachait son pull trop ample.

– Il faut que j'analyse le cours d'une action pour le portefeuille, lui répondit-elle en mentant. Et c'est le seul moment que j'ai de libre.

Elle remarqua la direction de son regard. Il poussa un grognement désabusé.

– Ah, toi et ton portefeuille ! dit-il en secouant la tête. Remarque, si j'avais fait l'objet d'un article à la une du *Wall Street Journal*, je crois que moi aussi j'y tiendrais comme à la prunelle de mes yeux.

– Ecoute, Chad, il faut absolument que je consulte le réseau Bloomberg avant la fermeture, dit-elle en s'impatientant. Ça te dérangerait vraiment beaucoup de me laisser la place ?

– A une condition.

– Laquelle ?

– Je te raccompagne chez toi.

– D'accord.

Elle lui sourit. L'idée d'avoir une escorte masculine à New York en pleine nuit n'était pas désagréable. Mais s'il espérait autre chose une fois arrivé chez elle, il en serait pour ses frais.

– C'est gentil, ajouta-t-elle.

Chad lui céda sa place.

– Tu veux être un vrai chou et aller me chercher un Coca light ? Je meurs de soif.

Les distributeurs de boissons se trouvant à l'extérieur de la bibliothèque, il lui faudrait quelques minutes pour lui rendre ce petit service.

– J'y cours.

Et il sortit aussitôt.

Rachel se tourna vers le terminal et ouvrit tout de suite la section *who's who*. Ses doigts couraient sur les touches. Elle ne voulait pas que Chad Maddux voie ce qu'elle cherchait. « Allez, quoi ! » Les connections semblaient plus lentes que d'habitude.

Enfin dans la bonne arborescence, elle tapa avec soin : M-C-L-A-I-N et appuya sur la touche entrée. L'écran se remplit d'une tripotée de McLain : Abigail, Adam... Elle descendit jusqu'à Mace William et cliqua dessus. Aussitôt, le visage de l'intéressé s'afficha. Il était très brun, comme Chad, mais infiniment plus mystérieux. Elle contempla ses yeux gris, ses joues un peu creuses et son demi-sourire. Elle rit en secouant la tête : la technologie moderne était vraiment incroyable. On avait tout ce qu'on voulait sur écran. Même Mace McLain.

Elle sauta plusieurs pages. Elle cherchait quelque chose de précis. Elle avala sa salive et sentit son estomac se nouer. C'était complètement idiot. Elle se conduisait comme une gamine, mais c'était plus fort qu'elle. Ah, voilà : la dernière mise à jour de sa biographie remontait à six semaines. Etat civil : célibataire.

– Tout à l'heure, pendant le cours, j'ai remarqué qu'il ne portait pas d'alliance, dit une voix derrière elle.

Rachel tourna comme une toupie sur sa chaise et se retrouva nez à nez avec Chad. Elle plissa les paupières, mais ne répondit rien. Chad lui tendit son Coca.

– Je suis sûr que ça ne t'a pas échappé.

4

Les yeux rivés sur un calepin où il avait griffonné quelques notes, Bob Whitman, président des Etats-Unis, hâta le pas derrière les membres de son cabinet. L'étroit couloir qu'ils longeaient menait à la salle de presse de la Maison Blanche. Il y lirait la déclaration qu'il venait de préparer en vitesse, répondrait à quelques questions des journalistes qu'il savait acquis à son gouvernement et filerait à Camp David dès que possible. Sa décision était controversée, cela ne faisait aucun doute. Mais après avoir passé pas loin de sept ans à la tête du pays, il savait que la meilleure stratégie, dans une situation pareille, était de lâcher la bombe sans avertissement, de s'échapper rapidement et de regarder retomber le nuage à distance respectueuse. Il inspira un bon coup et tourna le dernier angle avant d'entrer dans une salle qu'il savait bondée.

– Monsieur le président.

Whitman leva les yeux : le vice-président, Preston Andrews, s'était faufilé jusqu'à lui et lui barrait le chemin. Whitman plissa les paupières. Il avait espéré retarder cette confrontation jusqu'après sa petite retraite à Camp David, une fois que la poussière aurait commencé à retomber. Mais sa déclaration aurait un impact dramatique sur Andrews et il ne fut pas surpris de voir ce dernier tenter d'endiguer le raz de marée au moment même où il allait pénétrer dans la salle de presse. Il se donna une contenance.

– Oui, Preston ? dit-il sans cacher son irritation.

Andrews ne s'offusqua pas du ton peu aimable.

– Monsieur le président, est-il vrai que vous allez donner à la CIA les pleins pouvoirs pour lutter contre le terrorisme sur le territoire national ?

– Oui, répondit sèchement Whitman.

La décision était prise, il n'y avait pas à y revenir.

– Vous auriez pu au moins m'en avertir.

– Je n'en ai pas eu le temps, lui renvoya Whitman d'un ton détaché.

– Mais Malcolm Becker est leur meilleur candidat, insista Andrews en baissant la voix. Déjà qu'il est sûr d'obtenir l'investiture républicaine, avec toute l'attention que vous lui accordez il risque de remporter l'élection de novembre.

– Ne dites pas n'importe quoi.

Andrews préféra ne pas relever.

– Vous sonnez la mort du parti, dit-il néanmoins, sans parler de la mienne.

Le président leva les yeux au ciel.

– Mais ça n'a rien à voir avec le parti, Preston ! Ni avec vous non plus.

– Ça a tout à voir avec moi ! murmura le vice-président avec véhémence. Et c'est une erreur. Le terrorisme national doit rester sous la responsabilité du FBI.

Whitman jeta un coup d'œil à ses conseillers, qui commençaient à s'inquiéter de ce contretemps. Il reporta son attention sur Andrews.

– Vous avez vu ce que les Wolverines de Becker ont fait à ces cinglés de Los Angeles ?

Le vice-président accusa le coup, puis hocha la tête.

– La ville aurait pu être réduite en cendres et nous avons évité le désastre. Grâce à la valeur exceptionnelle de ce groupe d'intervention. (Whitman prit une mine sinistre.) Vous vous souvenez du petit problème que nous avons eu à Waco ? Et celui dans l'Idaho ? Vous n'avez quand même pas oublié combien nos responsables de la sécurité intérieure se sont montrés efficaces.

Andrew fit la grimace en se rappelant les deux fiascos. Whitman s'approcha de lui. Leurs visages se touchaient presque.

– Vous imaginez le FBI ou l'ATF dans cet entrepôt ? Face à des terroristes équipés d'armes ultra-sophistiquées alors qu'ils n'ont même pas été capables de prendre un bâtiment occupé par des civils armés de fusils de chasse sans tout faire sauter ?

Le président secoua la tête et serra les mâchoires.

– J'ai dit que j'allais donner une chance à Becker et à ses hommes de la CIA, je l'ai fait, et ils se sont admirablement bien acquittés de leur tâche. Le monde a changé, Preston. Nous avons besoin de Becker et de son expérience. Même s'il est républicain.

Whitman marqua une pause pour reprendre son souffle.

– Je n'ignore pas que ma décision va effarer certains de mes amis démocrates. Ils vont me reprocher mon manque de loyauté envers le parti en pleine année électorale. Ils vont m'accuser de donner un sérieux coup de fouet au meilleur espoir du camp adverse. De faire de la publicité gratuite pour Becker, de lui donner une tribune d'où lancer sa campagne. Tout le baratin habituel sur la victoire. Mais je m'en moque. Il faut que je prenne la meilleure décision possible au vu de la situation, et cette décision doit se garder d'être polluée par la politique pour assurer au mieux la sécurité des citoyens.

Whitman posa la main sur le bras d'Andrews, qui leva aussitôt les yeux. Le président sourit.

– Ne vous en faites pas, Preston. Vous remporterez les primaires et battrez Malcolm Becker à l'élection présidentielle de novembre. C'est vous qui me succéderez à la Maison Blanche.

Andrews hésita.

– Mais l'enquête, murmura-t-il. Votre déclaration signifie-t-elle que vous renoncez à votre enquête sur le détournement de fonds à la CIA ? Je...

Whitman l'interrompit d'un geste.

– Nous en reparlerons à mon retour de Camp David. Je vous le promets. Tout ira bien. Prêts ? ajouta-t-il en regardant son équipe.

Les autres hochèrent la tête, mal à l'aise. Le président avait déjà quatre minutes de retard. Pourvu que la presse n'y voie aucun signe.

– Allons-y.

Il écarta légèrement Andrews et s'avança avec assurance sous les feux de la rampe.

Le vice-président le suivit des yeux jusqu'au podium.

– J'aimerais bien pouvoir être aussi sûr de moi que vous l'êtes, dit-il dans sa barbe.

Whitman monta sur l'estrade, où l'accueillit Malcolm Becker, directeur de la CIA. Mitraillés par les photographes, les deux hommes se serrèrent la main devant le pupitre orné du sceau présidentiel. Tandis que Malcolm Becker souriait aux journalistes, Preston Andrews le dévorait des yeux. Il lui vouait une haine farouche.

Au trente-huitième et dernier étage du numéro 2 de Wall Street, siège de Walker Pryce & Company, la salle des associés abritait une longue table sous son plafond voûté. La puissante banque d'affaires, l'une des plus vieilles de Wall Street, datait de la guerre de Sécession, époque à laquelle elle avait souscrit des emprunts publics pour soutenir l'Union et l'aider à remporter la victoire. Autour de la table, de confortables fauteuils de cuir accueillaient les associés à la fin de tous les trimestres fiscaux depuis 1912, date à laquelle Walker Pryce avait acquis un immeuble considéré alors comme un gratte-ciel, à l'angle nord-est de Wall Street et de Broadway, en face de Trinity Church. Un épais tapis persan feutrait les bruits de la grande salle, dont les murs vert sombre étaient couverts de portraits à l'huile représentant des hommes à l'air sévère et florissant. Tout autour, une série de petites alcôves meublées de fauteuils tapissés offraient aux associés – et à eux seuls, aucun autre employé n'y étant admis sous peine de licenciement – un havre de paix à l'écart des sonneries du téléphone.

A la fin de l'année, lorsque étaient publiés les classements des meilleurs émetteurs d'obligations convertibles, Walker Pryce arrivait régulièrement dans les cinq premiers. La banque pouvait également se vanter de posséder un service de Conseil en fusions et acquisitions fort respecté, ainsi que plusieurs groupes de négociateurs qui opéraient à la vitesse de la lumière dès qu'ils repéraient une occasion à saisir ou, mieux encore, un arbitrage. Ces trois dernières années, ses prouesses financières avaient permis à la banque d'engranger plus d'un milliard de dollars de bénéfices avant distribution de la participation.

La plupart des grandes banques d'affaires ayant abordé le XXe siècle sous la forme de sociétés en nom collectif étaient maintenant cotées en Bourse, ou s'étaient fait racheter par des groupes financiers plus importants. Morgan Stanley, Salomon Brothers, First Boston, Kidder Peabody et Lehman Brothers, toutes avaient abandonné leur statut d'origine pour pouvoir accéder au niveau de capital des sociétés cotées. Jusqu'à Goldman Sachs qui avait vendu une grande part de son capital social aux Japonais. Mais si la cotation en Bourse leur permettait de diversifier l'origine de leurs capitaux propres et d'ainsi améliorer leur compétitivité, l'abandon du statut de SNC présentait un énorme désavantage : il fallait partager les bénéfices avec les actionnaires.

Walker Pryce étant parvenue à rester indépendante, ses associés s'étaient enrichis au-delà de toute espérance. Sur les sept mille employés de la banque, seule une centaine faisait partie de cette élite. Il fallait souvent quinze ans pour enfin pénétrer dans ce cénacle – dix ans étant un minimum –, mais une fois à l'intérieur, on avait sa sécurité financière et celle de sa famille assurée, et souvent pour plusieurs générations. Selon le poste qu'il occupait, un associé pouvait peser entre quinze et trois cents millions de dollars, revenu dont la rumeur créditait Lewis Webster.

Cependant, même une banque comme Walker Pryce avait de plus en plus de mal à préserver son indépendance. Le besoin de capitaux nécessaires à financer la croissance se faisait de plus en plus pressant. Tous les directeurs de la banque tapaient du poing sur la table pour obtenir de quoi alimenter leur secteur et, avec les premiers départs à la retraite des associés, les réserves de la société se vidaient. Suivre le mouvement et ouvrir le capital tenait de l'inévitable.

C'était Lewis Webster qui présidait. Ce rôle incombait traditionnellement à l'associé principal et il en était le dix-neuvième depuis les débuts de la banque. Lorsqu'il se retourna pour regarder, au-dessus de la cheminée monumentale, le portrait de Harley Walker, le fondateur, il n'eut aucun mal à se persuader qu'il était le premier confronté à une tâche aussi difficile que celle qui l'attendait. Alors que les associés étaient divisés sur l'opportunité de dire adieu à cent cinquante-deux ans d'indépendance, un individu avide du pouvoir suprême usait de son autorité pour obliger Walker Pryce à courir un risque énorme. Mais d'un naturel combatif, il saurait retourner la situation à son avantage. Il était prêt à tout sacrifier à cet objectif.

Polk et Marston entrèrent par la porte opposée. A eux trois, ces hommes composaient le comité exécutif de Walker Pryce. A eux seuls incombait la responsabilité de prendre les décisions capitales qui engageaient la société. Cela faisait peu d'épaules pour porter un aussi grand poids, mais leur nombre était spécifié dans les statuts, et les associés n'avaient guère envie de modifier des documents consacrés par les us et coutumes. De plus, la forme du comité restreint convenait parfaitement à l'esprit d'entreprise caractéristique de la société. Il fallait être en mesure de prendre les décisions importantes avec efficacité et discrétion.

Webster entendit grincer les gonds de la porte ancienne que l'on refermait. Délaissant Harley Walker, il regarda les deux hommes approcher. Directeur de la salle des marchés, Graham Polk avait la charge des transactions pour la clientèle, de la distribution des dividendes et des options sur certains titres spécifiques. Responsable des placements, Walter Marston déterminait les besoins de fonds et les augmentations de capital et chapeautait les activités de conseil. Petit et gros, Polk était du genre sanguin et souffrait d'ulcères à l'estomac. Ses vestons, qu'il portait rarement, juraient avec ses pantalons. Marston, lui, n'arborait que des costumes de luxe qui semblaient sortir du pressing et faisait dix ans de moins que son âge, savoir cinquante-deux ans. Les deux hommes se détestaient, et étaient par principe en désaccord constant. Chacun s'attribuait volontiers le mérite des énormes bénéfices réalisés par la banque, rejetant sur l'autre, qu'il accusait de vouloir marcher sur ses plates-bandes, la responsabilité de freiner les gains par ses activités. Cette discorde servait Webster de deux manières : l'un comme l'autre, Polk et Marston poussaient leurs services à se dépenser sans compter pour prouver leur valeur et, par défaut, il pouvait toujours compter sur l'un des deux comme allié. Les statuts stipulaient clairement que les décisions du comité se prenaient à la majorité absolue. Webster les observait attentivement. Ce soir, l'appui de l'un ou de l'autre lui serait indispensable.

– Bonsoir, Lewis, dit Marston en se laissant tomber dans le fauteuil à sa droite.

Il jeta un coup d'œil à l'immense pièce. A part la lueur douce diffusée par deux petites lampes aux abat-jour verts posées sur la table, elle était sombre et peuplée d'ombres étranges à la périphérie.

Polk grommela quelque chose d'incompréhensible en prenant place à sa gauche. Il posa un grand verre de lait sur le plateau patiné et commença à retrousser ses manches de chemise.

C'était un tel manquement aux bonnes manières que Marston poussa un grognement et secoua la tête.

Polk s'interrompit.

– T'as un problème, Marston ?

Il parlait comme un adjudant en manœuvres, vite, et avec détermination.

Marston se pencha en avant.

– Ouais. Et pas qu'un seul...

– Assez, messieurs !

Ils furent stoppés net par la voix de Webster, que certains avaient baptisé « le souffle mortel », car ses murmures inquiétants coupaient toujours les gens en pleine phrase. Dix ans plus tôt, Webster avait gagné la bataille contre un cancer de la gorge qui lui avait mutilé les cordes vocales mais, là encore, il avait retourné la situation à son avantage.

– Monsieur Polk, dit-il en désignant du menton le verre de lait, veuillez utiliser un sous-verre.

Polk en prit aussitôt un au centre de la table, qu'il eut du mal à atteindre. Il plaça le verre dessus, se rassit et se tourna vers Webster avec respect. Marston l'imita aussitôt.

Webster leur inspirait à tous deux, ainsi qu'à l'ensemble des associés, une crainte sans bornes. Physiquement pourtant, il n'en imposait guère. Mince, de taille moyenne, il avait un visage maigre et aux joues si profondément creusées sous des pommettes saillantes qu'il en donnait presque l'air de souffrir de malnutrition. A l'exception d'une couronne de cheveux gris, il était chauve. De tous les associés, il était le seul à porter une barbe, grise elle aussi et qu'il taillait court. Ses yeux sombres, presque noirs, semblaient se cacher sous ses sourcils bruns. Malgré cette apparence peu impressionnante, c'était au premier regard qu'il intimidait.

Il dirigeait Walker Pryce avec une poigne de fer. Au début des neuf années qu'il venait de passer en tant qu'associé principal, il y avait eu des tentatives d'insurrection de la part de ceux qui contestaient ses prises de décisions unilatérales. Les intéressés avaient été convoqués individuellement dans son bureau, et les critiques avaient cessé net. La rumeur courut que Webster fichait chacun des associés et avait contre chacun d'eux des preuves qu'il utilisait pour faire taire les insoumis. Mais rien n'avait filtré de ce qui s'était réellement passé derrière les portes closes.

— Je vous remercie d'être ici à une heure aussi tardive. (Il était onze heures passées.) J'ai en effet une question d'une extrême importance à vous soumettre, dit-il en pesant ses mots, quelque chose qui va avoir un impact immense sur la société.

Il marqua une pause et les fixa tour à tour. Tous deux baissèrent les yeux.

— Comme vous le savez, nos besoins en capitaux augmentent de jour en jour, poursuivit-il. Et vous êtes l'un et l'autre de plus en plus gourmands pour vos services respectifs. Je vous précise bien que je n'ai rien contre. Ces trois dernières années, vous avez tous les deux obtenu d'excellents résultats qui ont assuré le succès exceptionnel de la société.

Polk et Marston hochèrent la tête sans lever les yeux. Webster était plutôt avare de compliments et ils se montraient, eux, peu enclins à les accepter facilement.

— Mais à la fin de l'année, poursuivit Webster, sept associés de plus vont prendre leur retraite. Vu notre échéancement contractuel, cela portera le total des versements annuels aux ex-associés à près de deux cents millions de dollars. Les trois cent cinquante millions de participation des salariés, les provisions pour impôts des associés et les deux cents millions de rachat de parts nous laisseront très peu de liquidités sur notre milliard de bénéfices. Je n'y vois qu'une seule solution : mettre fin à cent cinquante ans de cooptation et ouvrir le capital au public.

La voix de Webster était devenue quasi inaudible. Polk et Marston n'avaient toujours pas levé les yeux. Ils n'ignoraient pas que Webster voulait préserver à tout prix l'indépendance de Walker Pryce. Mais il ne pèserait pas lourd dans la balance : comme une petite majorité d'associés, ils étaient pour l'autre solution et finiraient par l'imposer. L'occasion était trop alléchante. Ils réaliseraient une partie de leurs parts tout de suite, dès l'introduction en Bourse, les investisseurs extérieurs étant plus que prêts à payer une énorme prime d'acquisition pour pouvoir se vanter d'être actionnaires chez Walker Pryce. Lewis Webster lui-même serait incapable d'endiguer le raz de marée.

– Vous êtes tous les deux d'accord sur ce point ?

Polk et Marston se lancèrent un coup d'œil, paupières plissées, incapables de cacher leur mépris réciproque. Mais ils hochèrent la tête en silence. Leur cupidité éclipsait leur orgueil et leur désir de discorde. Les titres en Bourse se portaient bien. A condition que Walker Pryce soit capable d'expédier rapidement les formalités administratives, vu les résultats exceptionnels des trois derniers exercices, les associés pourraient toucher de fabuleuses plus-values.

– Oui, Lewis, dit tranquillement Marston.

Polk grommela son assentiment.

Webster se caressa la barbe. C'était bien ce qu'il avait craint. En temps normal, Polk et Marston se seraient opposés par principe. Il en aurait eu un avec lui et Walker Pryce serait resté indépendant. Mais cette fois-ci, la cupidité avait eu raison de leurs dissensions.

– Vous êtes bien conscients que je suis très attaché à préserver l'indépendance de notre banque ? murmura-t-il.

– Parfaitement, répondit Polk d'un ton respectueux mais ferme. Nous croyons néanmoins qu'à long terme, l'introduction en Bourse servira mieux les intérêts de Walker Pryce. C'est ce que souhaite la majorité des associés.

– Eh bien pas moi ! cria Webster en se levant et abattant sa main osseuse sur le plateau de la table.

Polk et Marston bondirent sur leur siège, comme électrisés.

Webster se mettant très rarement en colère, ils le dévisagèrent, éberlués.

Celui-ci pointa un doigt noueux sur Polk, qui avala sa salive.

– Si la société a réalisé des bénéfices records ces dernières années, c'est grâce aux décisions et aux risques que j'ai pris.

– Mais, Lewis, dit Marston sans élever le ton, c'est dans l'intérêt de la...

– Ne m'interrompez pas, Walter, lui aboya Webster à la figure.

Polk s'épongea le front, soulagé que Marston ait détourné l'attention de Webster. Il attrapa son verre de lait et le vida à grandes goulées.

– J'exige de pouvoir m'exprimer et proposer un plan qui nous permette d'éviter la cotation en Bourse. Je mérite d'être écouté.

Polk et Marston se consultèrent du regard. Ils avaient chacun une limousine qui les attendait devant la porte, mais Webster étant leur supérieur hiérarchique, ils lui obéiraient.

– D'accord, Lewis, dit Marston.

Webster se rassit en prenant tout son temps.

– Merci beaucoup, messieurs, lança-t-il, sarcastique. Comme je viens de vous le dire, j'ai une autre solution à vous soumettre. Je propose de constituer un fonds important, un milliard de dollars, voire deux. Walker Pryce l'initiera avec cinquante millions et en assurera la gestion, ce qui générera de confortables chargements sur dépôts. Plus important encore, nous nous servirons largement sur les bénéfices, dans une proportion bien supérieure à notre part dans l'investissement.

– Un peu comme les fonds mis en place par les sociétés spécialisées dans les LBO [1] à la fin des années quatre-vingt, dit Polk en regardant son verre vide.

Il avait parlé sans conviction. Manifestement, cela ne l'intéressait pas. Webster acquiesça de la tête.

– Exactement, dit-il.

– Et à quoi servirait ce fonds ? demanda Marston en se curant les ongles.

---

1. LBO : Leveraged buyout. Opération à effet de levier permettant de racheter une entreprise en n'engageant qu'une faible partie de sa valeur *(NdT)*.

L'idée ne le passionnait pas, lui non plus. Il laissait simplement Webster caresser une dernière fois ses chimères avant que Polk et lui ne lui ferment la porte au nez.

Marston lorgna le vieillard. Les associés pourraient peut-être profiter de cette introduction en Bourse pour le pousser tout doucement hors de son fauteuil de dirigeant et lui faire prendre une retraite anticipée. A près de soixante-trois ans, le patron commençait à montrer des signes de fatigue. Il jeta un coup d'œil à Polk. L'un ou l'autre devrait succéder à Webster et le combat serait titanesque. Il se mettrait à battre le rappel dès le lendemain.

– Le fonds investira dans l'immobilier et les actions classiques. Je suis convaincu que la pierre est largement surcotée à Manhattan et que le Dow Jones et le Sears & Poor 500 sont beaucoup trop élevés. Je suis également sûr qu'à très court terme, le marché de l'immobilier new-yorkais et le marché boursier vont subir une chute importante. Je veux pouvoir profiter de ces dévaluations. Une fois les anomalies corrigées et les prix stabilisés, le fonds nous servira à investir massivement. (Webster marqua une pause.) C'est pourquoi je propose que nous mobilisions neuf cent cinquante millions de dollars auprès d'investisseurs extérieurs, à ajouter aux cinquante engagés par nous, et que nous empruntions un milliard de dollars supplémentaire garanti sur les capitaux du fonds. Nous disposerons ainsi d'un total de deux milliards et pourrons attendre tranquillement que les prix trouvent leur valeur d'équilibre. Et alors nous foncerons. Nous devrions pouvoir récolter plusieurs milliards de dollars en très peu de temps et financer confortablement notre croissance pour l'entrée dans le XXIᵉ siècle. Sans ouvrir notre capital.

La tête penchée en avant, les yeux brûlants, Webster fit peser son regard sur chacun des deux hommes.

Marston le dévisagea à son tour.

– Vous plaisantez, Lewis.

– Absolument pas.

Marston secoua la tête.

– Récolter et gérer un fonds purement spéculatif de cette importance nous ferait courir des risques énormes. Si jamais nos retours sur investissements n'étaient pas à la hauteur de ce que vous escomptez, nous grèverions lourdement les activités principales de gestion d'actifs qui nous rapportent gros. Pire encore, commettre un faux pas dans ce genre de spéculation risquerait de nous fermer les portes de la Bourse. En mettant les choses au mieux, nous ne pourrions plus lancer l'offre publique au prix que nous souhaitons. Non, Lewis. Le plus sage est d'oublier cette histoire de fonds et d'entrer en Bourse dès que possible. Ma décision est prise, je ne reviendrai pas dessus.

Il se pencha sur la table d'un air triomphant, comme s'il venait d'arracher le contrôle de la société à l'associé principal. Webster se tourna vers Polk.

— C'est aussi votre avis ? susurra-t-il dans un silence de mort.

Polk avala sa salive. Ses yeux couraient de Webster à Marston. Webster exigerait que les votes soient inscrits aux minutes, et les associés auraient accès aux documents. S'il votait avec lui, les autres verraient qu'il les avait trahis. Le jour où Webster devrait céder son fauteuil – et ce jour n'était plus très lointain –, Marston saurait leur rappeler qui avait voté pour quoi. S'il désavouait Webster, Marston se retrouverait à la tête de la société : en cas d'élections, il gagnerait haut la main.

Polk remua sur son siège. Le feu qu'il voyait toujours allumé dans les prunelles de Webster ne lui disait rien qui vaille, mais il n'avait pas le choix. Il inspira un bon coup.

— Je suis d'accord avec Marston, dit-il calmement.

Webster hocha lentement la tête, puis se pencha vers lui.

— Votre décision est absolument irréversible ?

— Oui.

Cette fois-ci, Polk n'avait pas hésité. Il venait de mettre fin à la société en nom collectif. Il leva les yeux sur le portrait de Harley Walker. Désolé, mon vieux, songea-t-il. C'était inévitable.

— Bien, dit Webster d'une voix égale. J'aimerais que vous emportiez ceci et que vous y jetiez tranquillement un coup d'œil une fois chez vous.

Il prit par terre les deux grosses enveloppes que l'homme lui avait remises à l'hôtel et les répartit entre ses collègues avec le sourire éclatant de quelqu'un qui distribue des cadeaux de Noël.

– Mais je vous préviens : vous auriez peut-être intérêt à attendre d'être seuls avant de les ouvrir.

L'expression triomphante de Marston s'évanouit aussitôt. Il prit le paquet sur la table.

– Qu'est-ce que...

– Rien ne presse, Walter, murmura Webster d'un ton suave, presque apaisant. Je peux dès maintenant vous donner un petit aperçu de ce qu'il y a dedans. Voyons. Depuis des années, il semble que vous récoltiez des millions de dollars d'une entreprise dont vous êtes actionnaire majoritaire en Argentine. Mais vous n'avez jamais déclaré ces revenus au fisc. Le montage financier de la société étant assez opaque pour cela, il n'apparaît pas immédiatement que vous en êtes actionnaire, ni même que vous avez rapatrié aux Etats-Unis des fonds que vous auriez dû déclarer. (Webster parlait d'une voix de plus en plus inquiétante.) Or les documents réunis dans votre enveloppe prouvent de façon irréfutable que vous êtes propriétaire de quatre-vingt-quinze pour cent des parts et que vous avez fait rentrer pour vos besoins personnels un total de près de vingt millions de dollars. Ce genre de fraude va chercher dans les quinze à trente ans de prison. Les autorités argentines trouveraient sans doute très instructif d'apprendre que vous avez aussi triché avec elles.

Webster se tourna vers Polk qui serrait son paquet contre sa poitrine.

– Quant à vous, Graham, vous en avez fait défiler des petits garçons de dix ans dans votre maison de Staten Island, pas vrai ? Ça vous a coûté bonbon, mais c'est vous que ça regarde. Tout est sur la cassette vidéo que vous avez entre les mains. De bonnes petites scènes bien filmées. Mettez-la dans votre magnétoscope en rentrant chez vous et montrez-la à vos voisins de l'Upper East Side. Si ce n'est pas vous qui le faites, ce sera moi. Mais je ne me limiterai pas à vos seuls voisins, comptez sur moi. Chacun de nos associés aura droit à une petite projection. Comme la police municipale de New York.

C'était au tour de Webster de triompher. En trente secondes, il avait anéanti ses deux adversaires.

Marston voulut protester, mais se ravisa. Il n'y avait rien à ajouter.

– J'attends vos suffrages sur mon bureau demain matin à huit heures. Nous resterons en nom collectif encore deux ans, au moins ça, et vous allez me donner les pleins pouvoirs pour que je puisse tout de suite commencer à rassembler le fonds dont je vous ai parlé. Est-ce clair ?

Il sourit. Marston et Polk hochèrent la tête dans une sorte de transe.

– Très bien. Vous pouvez disposer.

Les deux hommes se levèrent en chancelant, les mains serrées sur les pièces qui allaient les faire chanter.

– Une dernière chose, Marston, ajouta Webster.

Les deux hommes se retournèrent.

– J'enlève Mace McLain à votre service de Conseil en placements immobiliers, reprit-il en souriant. C'est l'élément le plus brillant de toute la société et j'ai besoin de lui. Il ne sera plus sous vos ordres.

Marston acquiesça sans un mot. Webster aurait pu lui demander n'importe quoi, il n'était plus en position de refuser.

Les yeux de Webster s'arrêtèrent sur le verre de lait vide qui était resté sur la table d'acajou.

– Apprenez donc à ne pas laisser traîner vos affaires, voulez-vous, Polk ? Ah çà, on peut dire que vous avez de sales petites habitudes !

Polk s'empressa de reprendre son verre et s'éclipsa, suivi de Marston.

Lentement Webster fit pivoter son fauteuil face au portrait de Harley Walker et sourit de nouveau. Il n'était pas impossible que ça marche comme le lui avait assuré l'homme qui dirigeait tout. A long terme, ils en sortiraient tous beaucoup plus forts qu'auparavant. Et à Leavenworth, sa cellule infestée de poux pourrait toujours l'attendre.

A ses pieds, la cloche de Trinity Church sonna minuit.

5

Même s'il ne portait pas l'uniforme d'une armée régulière, il était soldat et suivait à la lettre les ordres de son supérieur : un soldat qui contestait l'autorité pouvait se retrouver mort d'un instant à l'autre. Une balle, ça part vite dans les moments d'insubordination. Ce n'était pas plus compliqué que ça. Mort ou vif, à lui de choisir.

Le visage ruisselant de sueur, Slade Conner attendait tapi dans la jungle, au bord de la piste d'atterrissage en terre battue. La nuit hondurienne était chaude et humide, et il n'avait pas encore récupéré après l'effort intense que venait de lui demander sa mission : hérisser l'étroite bande de terre de quarante-deux barres de fer à béton plantées à la masse sur six rangées, en les laissant dépasser du sol de cinquante centimètres.

D'une pichenette, il chassa un moustique qui s'était posé sur sa joue. Cet ordre, il ne l'avait jamais remis en question depuis son départ de Washington. Mais là, à trente kilomètres de la ville la plus proche – un amas informe de bicoques au bord d'un torrent de montagne, et rien de plus –, en scrutant le ciel nocturne entre les feuillages denses, il sentit le doute qu'il tentait d'écarter depuis quatre jours effleurer de nouveau son esprit.

– Et merde !

Il écrasa un autre moustique sur sa nuque, le roula en une petite boule qu'il pinça entre pouce et index, et l'examina. La nuit était si noire qu'à quelques centimètres seulement, il avait du mal à distinguer la forme de l'insecte. Parfait. Le pilote du petit avion ne verrait jamais le camion dissimulé sous les lianes et les feuilles, mais surtout, il n'apercevrait les barres de fer que lorsqu'il serait trop tard.

En fait, Slade se moquait bien du sort du pilote. Tuer un trafiquant de drogue ne lui donnait aucun état d'âme. Ces gens-là constituaient un vrai fléau. C'était son passager qui le préoccupait.

En provenance des jungles de Colombie, l'appareil se dirigeait vers un petit terrain à l'est de Lopeno, Texas. Il transportait une cargaison de cocaïne qui, revendue au détail, rapporterait plus de vingt-cinq millions de dollars. Même si les nababs de la drogue avaient diversifié leurs moyens de franchir les frontières, l'essentiel des stupéfiants transitait dans des avions de tourisme. Celui-là était un petit modèle à ailes hautes qui devrait faire le plein à l'un des deux terrains cachés au cœur du Honduras avant de poursuivre son vol vers les Etats-Unis. C'est du moins ce qu'indiquaient les renseignements qu'on lui avait fournis.

Au-dessus de sa tête, une grande branche d'arbre craqua et s'écrasa par terre à trois mètres de lui. Il fut aussitôt sur ses pieds et porta la main à la torche qui pendait à sa large ceinture de cuir. A la réflexion, il décida pourtant de ne pas l'allumer de peur de révéler sa présence au pilote. Il était sûr que la branche ne s'était pas cassée sous le poids d'un homme. Il avait passé les environs au peigne fin dans l'après-midi et la soirée et s'était assuré qu'il n'y avait personne. La seule route d'accès au terrain était un ancien chemin de débardage qu'il avait miné en plusieurs endroits. La branche avait dû céder sous son propre poids ou sous celui d'un animal.

L'oreille tendue, Slade scruta l'obscurité. Il crut déceler un bruissement qu'il n'avait pas remarqué auparavant. Un serpent ? Les boas, énormes, étaient assez lourds pour ébrancher les arbres en chassant. Il avait horreur de ces reptiles. Venimeux ou non, c'était pareil. Il avait tenté de se débarrasser de sa phobie : aidé de thérapeutes, il avait tenu plusieurs serpents dans ses mains au zoo de Washington, mais sans succès. Sa main droite glissa vers la crosse du 9 mm qu'il portait dans un holster à la cuisse.

Soudain, du coin de l'œil, il remarqua que les dix feux bordant l'entrée de piste s'étaient allumés. Leurs lumières bleues aidaient les pilotes à atterrir de nuit. Il avait pris soin de ne pas planter de fers à béton à leur hauteur. Son pouls s'accéléra. L'avion était tout près. Le pilote avait sans doute déjà allumé ses phares.

A travers lianes et broussailles, Slade s'écarta de la lisière de la forêt et de l'endroit où la branche était tombée. Il était inutile d'aller flirter avec les serpents.

Au début, le moteur ne fit entendre qu'un bourdonnement aigu, comme un moustique près de l'oreille. Mais peu à peu le bruit s'enfla, et l'avion ne fut bientôt plus qu'à une centaine de mètres du sol. Il survola la piste en vrombissant et s'éloigna. Ainsi donc, le pilote prenait ses précautions : il faisait un passage avant d'atterrir. Slade se demanda s'il ne s'était pas posé sur l'autre terrain, à vingt kilomètres de là, et s'il n'avait pas trouvé les cuves vides – celles dont il avait siphonné le carburant la veille. Dans ce cas, il aurait eu de bonnes raisons de se méfier.

Slade s'aplatit derrière un gros tronc tandis que l'appareil se présentait une deuxième fois et remettait les gaz. Il était peut-être équipé de thermo-capteurs et si la chaleur que Slade émettait pouvait effectivement provenir d'un animal, il ne fallait donner au pilote aucune raison de changer d'avis. Caché derrière son arbre, il regarda les feux orange disparaître au-dessus de la forêt. Son cœur battait à tout rompre sous sa chemise kaki trempée de sueur. Une fois encore, il effleura le 9 mm, mais pour une raison différente.

Le bruit du moteur s'estompa, puis s'intensifia de nouveau. Cette fois-ci, l'avion allait atterrir. Il le sentait. Les hommes devaient manquer de temps et de carburant et, même s'ils flairaient un danger, ils n'avaient plus le choix. Slade s'écarta du tronc, s'agrippa du bout des doigts à l'écorce rude et scruta la cime des arbres en s'attendant à voir réapparaître le petit appareil. La sueur dégouttait de son front et lui piquait les yeux. Il s'essuya du revers de la main et releva la tête. Il vit clignoter les feux de navigation qui descendaient rapidement vers les balises de piste.

Pourvu qu'ils ne voient pas les fers, se dit-il, le cœur battant. Pourvu qu'ils ne voient pas les fers !

Les pneus accrochèrent la deuxième rangée, arrachant le train principal d'un côté. L'avion piqua sans laisser au pilote le temps de le cabrer. L'hélice se planta dans le sol dans un nuage de mottes de terre et de cailloux, puis elle se brisa et vola en éclats. Les deux passagers furent projetés contre la verrière, puis contre le toit quand l'appareil se retourna. Les fers de la troisième rangée fendirent sa toile délicate comme autant de rasoirs.

Lorsque l'épave s'arrêta contre la cinquième rangée, Slade Conner était déjà arrivé à mi-piste et alluma sa torche, dont le faisceau se mit à tressauter à chacun de ses pas.

– N'explose pas, mon vieux, ne va pas me faire ça ! murmura-t-il. Il courait à toute vitesse derrière le halo de sa lampe en essayant d'éviter les pieux qui étaient restés debout et les débris qui jonchaient le sol. Un incendie risquait de rendre méconnaissable le corps du passager en effaçant les indices qu'on lui avait fournis pour l'identifier. Si le cadavre n'avait pas été éjecté dans l'impact, il lui faudrait rester à proximité de l'avion et attendre que les flammes s'éteignent d'elles-mêmes. Ce n'était pas sans danger. Le feu risquait d'attirer l'attention, même dans cet endroit perdu. Et si l'homme était gravement brûlé, il ne pourrait l'identifier sans l'autopsier, tâche qui ne le réjouissait guère.

Slade ralentit en approchant de l'appareil. Il renifla l'air, mais ne sentit aucune vapeur d'essence. Conclusion : les réservoirs étaient quasiment vides et le pilote avait fait un atterrissage forcé. Il éteignit sa lampe, se mit à genoux, rampa sur six ou sept mètres et tendit l'oreille. S'il y avait un survivant dans l'appareil, il n'avait aucune envie de lui servir de cible. Il se tint accroupi pendant deux bonnes minutes, aux aguets, mais ne décela aucun signe de vie.

Enfin il se faufila jusqu'à l'épave et repéra les sachets de drogue éparpillés un peu partout, certains encore pleins de leur contenu illicite. Le trafiquant serait sans doute un peu irrité par cette perte, mais ce n'étaient ni les avions, ni même les pilotes, ni, surtout, la cocaïne, qui manquaient. Ce qui le rendrait furieux, ce serait la mort du passager. Parce que ce passager, si c'était bien lui, lui avait permis de faire entrer la cocaïne par tonnes entières aux Etats-Unis : il l'avait renseigné sur l'identité des agents de la Drug Enforcement Agency, sur les dates des saisies, les lieux et heures des patrouilles aériennes de nuit. En échange de quoi, il avait réclamé une partie des bénéfices. Du moins était-ce ce qu'on lui avait dit.

L'avion avait perdu une aile ainsi que l'empennage arrière, mais le cockpit semblait intact. Slade prit une profonde inspiration, puis se remit sur ses genoux et jeta un coup d'œil par une vitre dont il ne restait qu'une frise d'éclats de verre autour du cadre. Il inspira une seconde fois et braqua sa torche à l'intérieur en priant le ciel que le passager n'ait pas été éjecté pendant le crash.

Ses craintes furent vaines. Carter Guilford, chef des opérations de terrain de la CIA pour toute l'Amérique du Sud, reposait sur le dos contre le toit de l'appareil. Son bras droit avait été arraché à l'épaule, il avait le visage couvert de sang, mais Slade le reconnut aussitôt. Un agent qui avait mal tourné, lui avait dit son supérieur, et apparemment, il ne s'était pas trompé. Ainsi avait fini Guilford : les yeux grands ouverts et pourtant aveugles, gisant au milieu des restes de la cocaïne qu'il avait aidé à transporter, à côté du pilote complice. « Obéir aux ordres », telle était la devise et Slade n'avait eu aucune raison de les discuter : Guilford était un renégat. La seule autre explication était qu'il travaillait incognito. Mais c'était impossible. Au niveau qui était le sien, personne ne travaillait incognito : on était trop connu, et s'exposer ainsi représentait un risque énorme pour la CIA. Dans la hiérarchie, Guilford n'était quand même que quelques échelons en dessous de Becker, le directeur.

Lentement, pour ne pas se blesser, Slade se faufila par la vitre brisée. Il s'approcha de Guilford sans le quitter des yeux. Comment pouvait-on trahir ainsi son pays ? Comment cet homme avait-il pu si insolemment abuser de la confiance des gens et se parjurer, lui qui avait prêté le serment de veiller à la sécurité de la nation ? Evitant le sang qui s'écoulait vers l'arrière du fuselage, Slade se glissa près du cadavre. Il fouilla les poches de la veste de daim, n'y trouva rien et passa aux poches intérieures.

De format neuf-quinze, le carnet était petit et relié de cuir noir, avec des coins renforcés de barrettes d'or. Slade posa sa lampe et le feuilleta rapidement dans le halo de lumière. En bon agent des services secrets, il était naturellement attiré par tout ce qui pouvait le renseigner sur cet homme. Il s'arrêta soudain, revint quelques pages en arrière et son regard se figea. C'était insensé. Son supérieur ne lui avait rien dit de cette seconde trahison. Il ne lui avait parlé que du trafic de drogue.

Slade plissa les paupières. A en croire ce qui était porté dans l'agenda, une rencontre avait eu lieu entre Guilford et Preston Andrews, le vice-président des Etats-Unis. Malcolm Becker et Preston Andrews se vouant un mépris mutuel, les agents ne devaient jamais rencontrer le vice-président seul à seul. Et pourtant le rendez-vous était bien noté dans le carnet qu'il avait sous les yeux. Les deux hommes s'étaient vus récemment, à Bogotá. Insensé. Etait-ce donc cela qui se cachait derrière tout cet incident ?

Slade secoua la tête. De nouveau, il fut tarabusté par le doute qui s'insinuait sans hâte, mais sans répit non plus, dans son esprit. Allons, se dit-il, cessons de nous poser des questions. Son supérieur était au-dessus de tout soupçon, forcément.

6

La décoration du bureau aurait mieux convenu au directeur d'une banque poussiéreuse du XIXᵉ siècle qu'à un homme sur le point de faire entrer l'un des établissements financiers les plus modernistes de Wall Street dans le XXIᵉ. La pièce était dépourvue de tout matériel informatique moderne : ni ordinateur, ni terminal de réseau financier, ni téléphonie et autres attributs de l'ère de la techno-information qui avaient envahi le monde de la finance.

Les murs, peints d'un gris terne, étaient recouverts de gravures représentant des scènes de chasse au renard et encadrées à l'ancienne. Le mobilier, qui comprenait un immense bureau à cylindre en bois sombre, n'aurait pas détonné dans un musée. Tout était vieux, jusqu'à la machine à écrire posée sur une crédence sous la fenêtre dominant Wall Street, et Wall Street commençait juste devant la porte. Mélange de moisi et de renfermé, il n'était pas jusqu'à l'odeur de la pièce qui ne fût vieillotte. J.P. Morgan n'y aurait pas été dépaysé.

N'ayant été reçu dans ce bureau que de rares fois en quatre ans de carrière chez Walker Pryce, Mace hésita sur le seuil et embrassa le tableau du regard. Certes, l'endroit semblait sortir d'un autre âge, mais n'en demeurait pas moins impressionnant. Il frappa sur le battant ouvert.

Lewis Webster leva les yeux de dessus ses dossiers.

– Vous avez fini de bayer aux corneilles ? lui souffla ce dernier de sa voix rocailleuse et désagréable.

La présence de Mace ne lui avait pas échappé. Le vieillard

n'en perdait pas une. Il avait peut-être l'air un peu diminué, mais il ne fallait pas se fier aux apparences. Mace ne réagit pas à son agressivité. Mieux valait laisser glisser.

— Marston m'a dit que vous vouliez me voir, lança-t-il.

— Oui, entrez. Fermez la porte.

Mace s'avança lentement et obéit.

— Comment va Marston ? lui demanda Webster.

En s'asseyant en face de lui, Mace crut déceler l'ombre d'un sourire sur ses lèvres minces. Mais Webster souriait rarement.

— Bien.

Il mentait. D'ordinaire énergique et concentré, Marston lui paraissait, depuis la veille, soucieux et léthargique, absolument incapable de gérer efficacement toutes les grosses transactions que les sous-directeurs du département essayaient de conclure. Mais les problèmes de Marston ne l'avaient gêné en rien, car il bouclait lui-même ses propres affaires.

— Content de l'apprendre, dit Webster.

Mace chassa un minuscule bout de papier accroché à sa jambe de pantalon.

— Vous vouliez me voir à quel sujet, Lewis ?

En affaires, il était abrupt et direct. Sa capacité à gagner de l'argent n'étant limitée que par le nombre d'heures que comptait une journée, il ne perdait jamais une minute.

Webster se raidit légèrement. Il n'avait pas l'habitude de se faire donner du Lewis en dehors du cercle des associés. Et encore, parmi ceux-ci, certains l'appelaient-ils M. Webster.

— J'ai besoin de vous comme assistant sur un projet que je suis en train de mettre sur pied.

Mace hocha la tête sans mot dire. S'il ne côtoyait pas son patron tous les jours, il l'avait suffisamment rencontré en réunion pour ne pas le sentir subitement mal à l'aise.

— Ce projet est d'une importance capitale pour Walker Pryce, reprit Webster. Il doit préserver l'indépendance de notre société, nous permettre de rester en nom collectif et nous éviter l'introduction en Bourse.

Mace inspira lentement, mais resta de marbre. Comme tout homme d'affaires qui se respecte, il avait l'art de recueillir des renseignements de ses clients comme de ses collègues et savait que la majorité des associés désirait ouvrir le capital dès que possible. Il fallait vraiment que ce projet soit de taille pour avoir permis à Webster de rallier le comité exécutif à sa cause.

— Je vous écoute, dit-il.

— J'ai l'intention de former un fonds que nous utiliserons pour investir dans des locaux commerciaux à Manhattan et dans des actions cotées à la Bourse de New York. Walker Pryce devra l'initier en puisant cinquante millions de dollars dans le capital des associés.

— Un fonds de quelle importance ?

— Un milliard minimum.

Mace le dévisagea. Un milliard de dollars. C'était gigantesque, même pour Walker Pryce.

— Et je veux doubler ce millard par effet de levier, en empruntant auprès de banques commerciales. Cela nous fera deux milliards à investir. Walter Marston, Graham Polk et moi-même sommes convaincus que les marchés sont largement surévalués et vont subir une baisse sévère, tant en ce qui concerne l'immobilier que le cours des actions. Nous voulons être prêts le moment venu. Quand les prix s'effondreront, nous attendrons qu'ils atteignent leur plancher pour acheter et n'aurons plus qu'à nous remplir les poches quand tout remontera, ce qui ne manquera pas d'arriver.

— Un fonds vautour classique, dit Mace.

— Oui, murmura Webster d'une voix presque inaudible.

Mace hocha la tête. Les prix étaient trop élevés, c'était un fait. Mais dans le monde de l'investissement, il était quasi impossible de prédire une dévaluation avec précision. Au moment même où les experts annonçaient une baisse, c'était tout le marché qui se mettait à grimper. Et vice versa. Et si jamais, une fois mis en place, ce fonds ne servait à rien parce que la chute attendue ne se produisait pas, ce ne serait pas bon pour sa carrière. Les investisseurs, qui auraient reçu de maigres dividendes au lieu des revenus exorbitants qu'ils attendaient, verraient rouge. On ferait savoir qu'il avait trempé dans l'affaire. Webster ne serait pas éclaboussé, aucun doute là-dessus. Bien sûr, songea Mace. On ne l'embauchait que comme fusible. En cas de pépin, ce serait lui qui sauterait.

Très jeune, Mace avait déjà une intelligence analytique et savait récolter les informations pertinentes pour prendre ses décisions en toute connaissance de cause. Mais il arrivait que les renseignements disponibles soient insuffisants pour trancher et qu'il faille se fier à ses tripes. Or à l'instant même, son instinct lui dictait de rejeter la proposition de Webster et de réintégrer le service de Conseil en immobilier. Mais aux yeux du vieillard, cela équivaudrait à une trahison et tant que Webster serait le numéro un de la banque, Mace pourrait dire adieu à sa promotion.

On n'aurait jamais dû en arriver là. Il était injuste de se faire prendre dans ce genre de tourbillon politique. Mace aurait dû pouvoir se tuer à la tâche et faire gagner beaucoup d'argent à la société en échange d'une rémunération adéquate. Mais la vie n'était pas toujours juste et il en était parfaitement conscient.

– Quel sera mon rôle ? demanda-t-il sans sourciller.

Les yeux de Webster s'allumèrent. Il avait fait mouche, comme prévu.

– Responsable des investissements. Je veux que vous repériez tout l'immobilier dans lequel le fonds serait susceptible d'investir. Il devra répondre à des critères simples : immeubles de bureaux vastes et bien situés, et en difficulté financière. Je suis sûr que vous en connaissez quelques-uns.

Mace hocha la tête. La moitié des investisseurs immobiliers était au bord de la faillite. Il en allait toujours ainsi, quelle que soit la santé de l'économie. C'était sans arrêt qu'ils essayaient de financer des achats dans la pierre avec un maximum d'emprunt, ce qui faisait peser une lourde charge sur l'opération pour payer les intérêts. Au moindre grain de sable dans les rentrées de loyer, ils se trouvaient dans l'incapacité de faire face à leurs engagements. Si la situation se prolongeait, ils se voyaient contraints de se mettre en cessation de paiements et de revendre rapidement pour tenter de sauver les meubles.

– Commencez par négocier avec les propriétaires et les créanciers hypothécaires. Contentez-vous d'ouvrir le dialogue, rien de plus pour l'instant. Allez les voir, ou invitez-les à déjeuner ici. Mais soumettez-moi vos choix d'abord.

– Bon.

Mace inspira lentement. Cela n'aurait rien de sorcier, les gens étant toujours ouverts au dialogue. Et, à condition d'en proposer le juste prix, tout était à vendre. Les investisseurs – du moins les bons – ne faisaient pas de sentiment.

– Et mettez dès maintenant votre nez dans les titres boursiers pour y dénicher les actions sous-cotées. Je suis bien conscient de vous laisser un peu dans le vague, mais vous êtes débrouillard. Vous saurez où pêcher les perles. Pour les tâches subalternes, vous pouvez vous faire aider par la branche Conseil en fusions et acquisitions. Je vais appeler Renenberg, le patron du département, pour le mettre au courant. Mais ne dites surtout pas au petit personnel de quoi il retourne.

– Bien sûr que non, lui renvoya Mace d'un ton condescendant que Webster ne releva pas.

– Enfin, et sur un plan strictement confidentiel, contactez vos relations dans les grandes banques commerciales de New York pour le financement. Adressez-vous aux organismes spécialisés dans les prêts aux fonds en valeurs mobilières et immobilières. Il pourrait être utile d'avoir quelques institutions avec nous pour rassembler un milliard de dollars à investir à l'aveuglette, et il ne sera pas forcément très facile de les ferrer.

Rien de plus vrai, songea Mace. Ouvrir les discussions ne présenterait aucune difficulté. Dans le domaine immobilier, il connaissait tous les décideurs des grandes banques commerciales de Manhattan. Mais leur soutirer un prêt serait une autre paire de manches.

– Où allez-vous trouver le capital, Lewis ? Le milliard de dollars au vu duquel vous comptez obtenir l'emprunt bancaire.

Mace croisa les bras sur sa poitrine d'un air de défi.

– Je vais solliciter les grandes fortunes du pays.

– Pourquoi ? Pourquoi ne pas vous adresser aux organismes spécialisés ? C'est là que nous avons nos meilleurs contacts.

– Je ne veux faire aucune publicité autour de ce fonds. Tout doit rester secret. Il ne faut pas qu'on sache ce que nous préparons. Ces organismes s'empresseraient d'aller le crier sur tous les toits de Wall Street.

– Combien de personnes ?

– Huit-dix maximum.

Mace grimaça comme s'il souffrait d'une douleur physique.

— L'argent des vieilles familles n'a jamais donné beaucoup de liquidités. Même s'ils étaient prêts à prendre des risques, croyez-vous vraiment que vous arriveriez à réunir un milliard sur dix têtes ? Ça fait cent millions par bonhomme. Je sais que vous n'allez pas frapper à n'importe quelle porte, mais tout de même...

Mace hésita, laissant à son silence le soin de lui signifier ses doutes.

— Et là, je ne peux rien pour vous, reprit-il. Je ne connais pas ces gens-là. Mes investisseurs n'ont rien à voir avec eux. Ce sont des organismes du genre compagnies d'assurances et fonds de pension.

— J'ai tout prévu de ce côté-là.

— Vraiment ? Je ne savais pas que vous étiez copain avec eux. Généralement, nous traitons avec les investisseurs institution-nels.

Webster toussa et redisposa les papiers sur son bureau.

— Moi non plus je ne suis pas introduit dans ces milieux, enfin, je veux dire... auprès des grosses fortunes. Mais vous vous ferez aider de quelqu'un qui l'est.

— Aider ?

Voilà qui semblait bien mystérieux.

Webster le regarda droit dans les yeux.

— Oui, aider. Ça vous pose problème ? ajouta-t-il d'un ton soudain plus agressif.

— Non, aucun, répondit Mace en faisant une petite moue.

— Parfait.

— Qui est cette personne ?

— Quelqu'un de l'extérieur.

— Oh.

Intéressant. Walker Pryce recrutait rarement à l'extérieur pour des projets de ce type. Pour aucun projet, d'ailleurs, sauf pour embaucher de jeunes cadres.

— Lui avez-vous déjà fait une proposition ?

— Pas officiellement. Je voulais d'abord votre avis.

Mace hocha la tête. Très bien. C'était une preuve de respect qu'il appéciait.

– Quand dois-je le rencontrer ?

Webster toussa de nouveau.

– Premièrement, c'est une femme. Ensuite, et pour répondre à votre question, vous la verrez demain après-midi.

Mace sourit de toutes ses dents.

– Je vois. Sachez que ça ne me dérange pas du tout d'avoir une femme comme adjoint. Je suis très ouvert, moi, vous savez.

– Vous ne l'aurez pas comme adjoint, Mace, mais comme supérieur hiérarchique, lui précisa Webster d'un ton détaché. Elle sera directement sous mes ordres, et vous sous les siens. Sous les siens uniquement. A partir de maintenant, vous ne faites plus partie du service de Conseil en immobilier. Marston est d'accord. (Il marqua une pause.) Bien entendu, vous pourrez me contacter directement. Mais je veux que cette femme soit tenue informée de tout ce que vous faites. Elle doit participer à toutes les réunions avec vous.

Mace se mit un doigt sur la lèvre. Il n'avait rien contre le fait de travailler sous les ordres d'une femme. Ce qui le chiffonnait, c'était d'avoir des comptes à lui rendre. Depuis deux ans, il jouissait d'une indépendance quasi totale et pouvait initier et clore toutes les opérations qu'il voulait sans la moindre entrave. Ce système avait très bien marché, et voilà qu'à nouveau on lui imposait la surveillance d'un patron. Qui sait si cette femme n'allait pas se montrer trop autoritaire. Il regarda le vieillard dans les yeux.

– N'est-ce pas un peu inhabituel de faire venir quelqu'un de l'extérieur ? lui demanda-t-il. Quelqu'un qui ne connaît pas Walker Pryce ?

– Tout d'abord, je vous rappelle qu'elle nous apporte ses excellents contacts avec les grandes fortunes. Ensuite, je vous précise que, mis à part le fait que vous et moi y travaillerons, ce fonds restera à l'écart des activités de la banque. Enfin, si elle a besoin de se familiariser avec notre style maison, je compte sur vous pour l'aider. Est-ce clair ?

– Parfaitement clair.

Il fallait reconnaître une qualité à Webster : avec lui, on savait toujours sur quel pied danser et ce qu'il attendait de vous.

– Bien. Je pense que nous en avons terminé pour l'instant.

Vous pouvez commencer votre liste de cibles immobilières potentielles. Attendez que j'aie appelé Renenberg pour contacter les employés de la branche Fusions et acquisitions. Dès demain, je vous fais passer les noms des intéressés par Sarah.

Mace se leva. La réunion était manifestement terminée. Il n'était que moyennement satisfait du tour qu'elle avait pris mais, face à Webster, la marge de manœuvre était étroite.

– Une dernière chose, monsieur McLain.

Il se retourna.

– Demain, je veux que vous quittiez votre bureau du trentième étage pour vous installer au septième. Nous y serons beaucoup plus tranquilles et à l'abri des regard indiscrets. Je m'assurerai que vous ayez tout l'équipement informatique connecté aux réseaux idoines. Je sais combien la technologie vous est précieuse.

Webster avait prononcé ces derniers mots comme s'ils lui laissaient un goût amer dans la bouche.

– Parfait.

Mace repartit vers la porte, mais s'arrêta et se retourna quand il fut juste devant.

– Lewis ?

Webster leva le nez.

– Oui ?

– Vous savez que j'enseigne le financement immobilier à Columbia ?

– Oui.

– Il y a dans ma classe une jeune femme qui, à mon avis, ferait un bon élément chez nous. Elle est d'une vive intelligence et...

– Rachel Sommers, le coupa Webster en pleine phrase. C'est bien d'elle que vous voulez parler ?

– Oui, mais...

– J'ai eu Charlie Fenton au téléphone. Il m'a dit que vous aviez évoqué le cas de Mlle Sommers ensemble. J'ai déjà demandé à Sarah de prévoir une journée d'entretiens pour elle lundi prochain. Invitez-la à déjeuner et assurez-vous qu'elle accepte l'honneur que nous lui faisons. Et donnez-lui envie de travailler pour nous.

Mace le regarda, abasourdi. Ce type-là avait toujours une longueur d'avance.

– Ça fait un bail, hein, Mace ? hurla Slade Conner pour couvrir la musique crachée par les haut-parleurs du Poor Richard, lieu de rendez-vous des financiers sur le port maritime de South Street. Le bar faisait partie des nombreux pubs, restaurants et boutiques abrités par un pavillon à trois étages surplombant l'East River, au nord du quartier de la Bourse.

Mace sourit, trinqua avec Slade et avala une grande gorgée du liquide ambré. Puis il reposa sa chope et approcha sa bouche de l'oreille de son ami.

– Allons dans un coin, il y aura moins de bruit !

Slade acquiesça d'un signe de tête.

Ils se frayèrent un chemin vers le fond de la salle, entre les gens qui s'agglutinaient autour du bar. Au moment où ils commençaient à se dégager de la foule, une blonde vêtue d'une courte robe rouge prit la main de Mace.

– Tu danses ? lui cria-t-elle.

– Désolé, pas maintenant, lui répondit-il en souriant aussitôt. Plus tard, peut-être.

Il lui serra doucement la main, puis la lâcha pour poursuivre son chemin vers un endroit moins bondé.

Les deux hommes finirent par trouver une place contre le mur, où il était plus facile de bavarder.

Mace avala une gorgée de bière et secoua la tête.

– Tu es sûr de vouloir rester ici ?

– Tout à fait sûr.

Slade regardait trois femmes qui dansaient ensemble sur la petite piste. Elles se mouvaient avec grâce et sensualité au rythme de la basse, et aucun homme ne les accompagnait.

– Oh, oui, je reste ici, répéta-t-il.

– Tout à l'heure au téléphone, tu m'as dit que tu voulais des femmes et de la musique. C'est le meilleur endroit de Manhattan où trouver les deux.

– C'est parfait, dit Slade sans cesser de contempler le spectacle.

Mace sourit. Son ami avait un appétit sexuel insatiable. Il l'avait toujours connu ainsi, depuis le jour où il était arrivé à l'orphelinat de Plymouth, Minnesota, à l'âge de treize ans, et doutait de le voir changer jamais. Dans leur groupe d'âge, Slade avait été le premier garçon à oser entrer à la supérette du coin et demander un numéro de *Playboy*. Ensuite, il avait réussi à l'introduire en douce dans le dortoir. Il avait aussi été le premier de la bande à « le faire », à quatorze ans, après une soirée où les filles d'un orphelinat voisin avaient été invitées. Du moins s'en était-il vanté.

Mace l'observa pendant qu'il regardait les femmes. Slade n'était pas grand – à peine plus d'un mètre soixante-quinze, bottes y compris – mais extrêmement musclé. Il avait un cou de taureau, des bras de forgeron et des jambes épaisses comme des troncs d'arbre. Et ce n'était pas qu'une apparence. Il avait toujours été fort. Alors qu'ils n'avaient que seize ans, Mace l'avait vu repêcher, seul, une vache qui se noyait dans la Minnesota River. En terminale, il l'avait aussi vu se battre. L'échange de coups n'avait duré qu'une vingtaine de secondes, mais l'adversaire, qui avait commis l'imprudence de le provoquer, était resté cinq bonnes minutes sur le carreau avant de pouvoir se relever, complètement groggy. Slade ne s'emportait pas facilement, mais une fois qu'il était en colère, lui tirer dessus aurait été le seul moyen de l'arrêter.

Après le lycée, ils s'étaient inscrits à l'université de l'Iowa pour pouvoir jouer au football ensemble, Mace en tant que quarterback et Slade en demi offensif, savoir celui qui fait tout le boulot et dont on ne parle jamais. Slade se moquait de la gloire. Pour lui la seule chose qui comptait était d'avoir pu passer ces quatre années dans la même équipe que Mace. Il l'avait protégé, lui permettant de briller en marquant des touchés pendant que lui restait en coulisse. Il comptait parmi les individus les plus loyaux et les plus dévoués à l'équipe que Mace ait jamais rencontrés.

Son diplôme en poche, Mace avait pris un emploi à la Chemical Bank de New York avant d'aller parfaire son cursus par un MBA à la Columbia Business School. Slade, lui, s'était engagé dans les Marines où il avait raflé des ribambelles de décorations. Maintenant, il travaillait dans les Services spéciaux, ou quelque chose de ce genre. Il n'était guère bavard sur le sujet.

Mace regarda les longs cheveux blonds qui retombaient sur le pull à col roulé bordeaux de son ami, et sourit. Ils se voyaient plus rarement maintenant, mais étaient restés si proches qu'il n'y avait pas entre eux ces moments de gêne où il faut rompre la glace avant de se retrouver.

– Superbes, hein ? dit-il en désignant les femmes.

– Et comment ! acquiesça Slade en hochant vigoureusement la tête.

– Alors, qu'est-ce que tu deviens ?

Slade laissa son regard s'attarder encore un instant sur les trois femmes, puis se tourna vers Mace avec un grand sourire qui lui découvrit deux rangées de dents qu'aucun appareil n'avait jamais tenté de redresser. A l'orphelinat, les appareils dentaires étaient un luxe inabordable.

– Si je te le disais, il faudrait que je te tue après.

Et, de nouveau, il regarda les femmes.

Mace rit. C'était la réponse militaire standard qu'il lui servait chaque fois qu'il essayait de soulever un tant soit peu le voile.

A première vue, Slade donnait l'impression d'un gros nounours blond. Effacé, il n'employait jamais de mots ayant plus de trois syllabes et ne semblait pas avoir d'opinion tranchée. Sympathique, mais du genre à ne pas retrouver la salle de bains le matin. Apparence trompeuse. Slade était d'une intelligence hors du commun. Il avait obtenu toutes ses UV de licence d'électricité avec mention très bien et, envoyé aux quatre coins du monde par le gouvernement américain, passait sa vie en missions dont il ne disait jamais ni la nature ni le lieu. C'était d'ailleurs là une autre de ses qualités : il ne révélait jamais aucun secret.

Slade se tourna vers son ami.

– Et toi, quoi de neuf dans ta sphère ? Ta vie est bien plus passionnante que la mienne.

Mace était loin d'en être convaincu.

– Eh bien, depuis cet après-midi, j'ai un nouveau boulot.

– Tu as changé de société ? lui demanda Slade, incrédule. Je te voyais parti pour rester chez Walker Pryce jusqu'à la fin de tes jours.

Mace secoua la tête et termina sa bière.

– Non, je suis toujours chez Walker Pryce, mais on m'a confié de nouvelles responsabilités.

– Oh, dit Slade qui parut soulagé. Quel genre ?

Mace hésita. Il n'était pas censé en parler. Mais Slade n'écoutait les potins de Wall Street que d'une oreille, et si on lui demandait de garder le secret, rien ne filtrerait.

– C'est strictement confidentiel.

– Tu dis ça à chaque fois, lui fit remarquer Slade en levant les yeux au ciel.

– Oui, mais cette fois-ci c'est sérieux.

– O.K. Compris. Je ne dirai rien. Alors, qu'est-ce qu'il t'arrive, frérot ?

Slade lui avait donné ce surnom dès le lycée. Mace regarda autour de lui pour s'assurer que personne n'écoutait.

– Nous allons essayer de récolter auprès de plusieurs grandes fortunes du pays un fonds qui nous servira à investir dans l'immobilier à Manhattan et dans des actions boursières. Nous nous attendons à une forte baisse de ces valeurs et achèterons quand les prix seront au plus bas. Ça s'appelle un fonds vautour.

– Un quoi ? s'écria Slade en faisant une drôle de grimace.

Mace sourit.

– Un fonds vautour. Si les prix de l'immobilier et des actions chutent sur une période très brève, ça va faire des paquets de malheureux. Des gens qui étaient pleins aux as vont se retrouver criblés de dettes du jour au lendemain. Ils se tireront une balle dans la tête ou se jetteront du haut des gratte-ciel parce qu'ils seront incapables de faire face à leurs échéances et aux appels de marge. Nous autres requins leur tournerons autour pendant un petit moment, puis, quand les choses iront vraiment mal, leur sauterons dessus pour les bouffer. Nous leur offrirons de leur racheter leurs propriétés au centième de leur valeur et ils accepteront parce qu'ils auront besoin de liquidités. Après, quand les prix remonteront, nous nous ferons des couilles en or.

Slade secoua la tête.

– Un fonds vautour. Ah, vous autres, financiers ! Vous me tuez. Vous faites de l'humour presque aussi facilement que vous mettez la main dans la poche du voisin.

– Il suffit de s'assurer que les marchés fonctionnent comme il faut et ça, c'est mon boulot. Il faut bien que quelqu'un s'en occupe, dit Mace avec un clin d'œil.

– C'est ça. La vie est dure, hein ? Tu mets en présence un vendeur et un acheteur et en profites pour te faire des millions. Je te plains, frérot. Excuse-moi, mais côté boulot pénible, j'en connais un rayon.

– Raconte, dit Mace en levant son verre à la santé de son ami.

Slade lui décocha son grand sourire plein de dents et trinqua. Mace avait soulevé un petit coin du voile. Slade vida son verre et s'essuya la bouche du revers de la manche.

– Alors, combien vas-tu essayer de réunir ?

– Un milliard de dollars, dit Mace en regardant furtivement à la ronde.

Les yeux de Slade s'agrandirent.

– Bon Dieu, mais c'est énorme !

Toujours souriant, Mace ne répondit rien. Slade rit en se tournant vers la foule.

– Mon pote, déclara-t-il. Monsieur Wall Street.

De la tête, il fit signe à la serveuse de leur apporter deux autres bières.

– Parle-moi de ta vie personnelle, reprit-il.

– D'accord, mais après je serai obligé de te tuer, lui renvoya Mace.

Slade sourit, puis se tourna de nouveau vers les trois danseuses, qui s'étaient fait rejoindre par deux autres et réclamaient manifestement une présence masculine.

Dans l'heure, se dit Mace, il serait en grande discussion avec l'une d'elles et trouverait tous les arguments pour la convaincre de le laisser monter dans un taxi avec elle avant la fin de la soirée. Il était temps de retourner chez Walker Pryce. Ce n'était pas le travail qui manquait si le fonds – « Broadway Ventures LP », comme il l'avait baptisé avec Webster – devait voir le jour. Tout en continuant d'observer les cinq femmes, Slade se demanda si l'ordre que lui avait donné Becker de contacter Mace avait un rapport quelconque avec le fonds vautour dont s'occupait son ami.

La sonnerie du téléphone déchira la sérénité de cette fin de soirée. C'était la ligne privée que Webster avait consenti à contrecœur à se faire installer au bureau. Le timbre strident déclencha en lui un flot d'émotions. Il sut aussitôt qui l'appelait. Une seule personne connaissait ce numéro : l'homme de Washington.

Webster plissa les paupières et baissa la tête. Il n'avait pas envie de répondre. Il aurait voulu pouvoir fermer les yeux et échapper à tout cela. Cet homme, le fonds, Mace McLain, le téléphone, si seulement tout pouvait disparaître. Maintenant que la conspiration se mettait en place, l'homme l'appelait de plus en plus souvent. Webster sentait le serpent resserrer ses anneaux autour de lui. Et la fréquence des coups de fil, leur urgence, commençaient à lui user les nerfs.

A la troisième sonnerie, il regarda par la fenêtre Wall Street plongée dans l'obscurité. Il n'existait pas un seul endroit où il aurait pu fuir ou se réfugier. Malgré sa fortune immense. A cause de cette fortune. L'homme le retrouverait n'importe où, c'était clair. Et alors... Webster frissonna en songeant à ce dont on l'avait menacé. Pour finir, il poussa un grand soupir et tendit la main vers le combiné.

7

L'ingénieur but une petite gorgée de café fumant en prenant soin de ne pas se brûler. Il regardait le vigile nettoyer son calibre 30. Retraité de la police municipale de New York, celui-ci arrondissait sa généreuse pension en travaillant à la centrale nucléaire de Nyack. Il n'avait probablement pas à se plaindre de sa vie, se dit l'ingénieur en voyant la bedaine de l'intéressé.

Le gardien s'interrompit un instant et prit sur le bureau métallique un immense chou danois dont il avait déjà mangé la moitié. Il mordit dedans, et fit aussitôt tomber de la crème et des fruits sur son uniforme bleu.

– Merde !

Le gros homme attrapa une poignée de serviettes en papier.

L'ingénieur sourit et détourna les yeux vers les eaux noires de l'Hudson River qui, tout en bas de la tour de contrôle, coulaient sans relâche vers le sud. Les premiers rayons du soleil perçant encore difficilement les nuages, il eut du mal à distinguer un remorqueur qui peinait contre le courant. De nouveau, il porta à ses lèvres la tasse qu'il tenait entre ses deux mains. L'embouchure du fleuve et le port de New York ne se trouvaient qu'à vingt kilomètres au sud, et encore.

Il prit une profonde inspiration. Les matins d'hiver, il aimait monter à la tour après avoir passé la nuit dans la salle de commande de la centrale de deux mille mégawatts. Il ferma les yeux et se renversa sur son siège. Il resterait bien encore un petit moment avant de redescendre le long escalier qui le ramènerait au rez-de-chaussée. On était au calme ici ; il pourrait même faire un petit somme avant de rentrer retrouver sa femme et ses enfants.

– La nuit s'est bien passée, monsieur Wilson ?

La jolie brune qui s'avançait vers lui en bikini sur une plage s'évapora instantanément. Il se frotta les yeux et regarda le vieux vigile qui s'était remis à fourbir son arme.

– Très bien, Liam.

– Pas de problème ?

– Non.

Wilson se redressa et reprit une gorgée de café. Manifestement, Liam n'allait pas le laisser retourner à son rêve. Il passait amoureusement un chiffon le long du canon noir et brillant de son arme.

– Je peux vous poser une petite question, monsieur Wilson ?

– Mais bien sûr, Liam. Bien sûr.

Wilson aimait bien le vigile. Cet homme simple venait travailler tous les jours et faisait ce qu'il avait à faire sans histoires. C'était d'ailleurs pour ça qu'on le payait.

– Ça me gêne un peu...

Il reposa son arme sur le bureau et eut un sourire penaud. Wilson l'observa.

– Bon sang, Liam, vous n'allez tout de même pas me demander comment on fait les enfants ? lui lança-t-il d'un ton badin.

– Non, bien sûr que non ! répondit le garde, gêné.

– Tant mieux. Eh bien, je devrais pouvoir répondre à n'importe quelle autre question. Allez-y, tirez !

Voyant l'arme sur le bureau, il regretta sa phrase. Liam marqua une pause.

– Eh bien voilà, dit-il. Je viens travailler dans une centrale nucléaire tous les jours, et je ne sais même pas comment ça marche. Je sais que nous produisons de l'électricité pour New York...

– A elle seule, la centrale de Nyack couvre tous les besoins de la ville, l'interrompit Wilson.

– Hmm hmm, dit Liam en hochant la tête comme s'il avait du mal à croire ce qu'il venait d'entendre : la population de New York approchait quand même des huit millions d'habitants.

– Euh, reprit-il. J'aimerais bien savoir comment ça marche.

Wilson lui sourit. Il trouvait très louable qu'un employé tente de se documenter sur son travail.

– D'accord, dit-il. Vous m'avez sans doute entendu parler avec les autres ingénieurs du cœur du réacteur ?

– Oui, bien sûr.

– Eh bien, c'est là que presque tout se passe. Le cœur est rempli d'eau. Quand nous mettons les crayons dans le...

– Les crayons ?

– Oui, les barres de combustible, si vous préférez. Ce sont de longs tubes remplis de pastilles d'oxyde d'uranium. Depuis la salle de commande, nous pouvons les placer dans le cœur automatiquement, ce qui déclenche la réaction nucléaire. Elle dégage de la chaleur. C'est le même principe que quand on frotte une allumette, mais à beaucoup plus grande échelle. La réaction génère des températures extrêmes, avoisinant les 1100 degrés. Presque aussitôt, l'eau se met à bouillir et s'évapore, la vapeur étant acheminée par des tuyaux jusqu'aux turbines qu'elle fait tourner en passant. C'est ça qui crée l'électricité. C'est tout simple, non ?

Le garde ne semblait guère convaincu.

– Si je comprends bien, la vapeur qui sort du cœur du réacteur est radioactive ?

– Oui, répondit Wilson en baissant la voix. Ça, oui. Si jamais vous étiez en contact avec elle, ça serait fini pour vous.

Le vigile regarda par la fenêtre la vapeur qui s'échappait des deux grosses tours de réfrigération.

L'ingénieur suivit son regard et se mit à rire.

– Non, non, Liam, dit-il en devinant ses pensées. La vapeur que vous voyez là provient de l'eau que nous pompons dans l'Hudson pour refroidir celle qui sort des turbines et la condenser. Une fois retournée à l'état liquide, elle repart au cœur et sert à une autre réaction. Ce qui sort des tours ne contient pas un seul atome radioactif.

Le regard de Liam s'attarda au-dehors quelques instants.

– Il doit faire sacrément chaud dans le cœur du réacteur, dit-il.

– Incroyablement chaud.

— Et comment fait-on pour le refroidir ?

— On y enfonce des tubes de bore ou de cadmium qui ralentissent la réaction nucléaire, ce qui a pour effet de refroidir le cœur. C'est ce qu'on appelle les barres de commande.

Le vigile regarda l'ingénieur dans les yeux.

— Et si jamais elles ne fonctionnaient pas ? Disons qu'elles n'arrivent plus à s'enfoncer dans le cœur...

Wilson soutint son regard.

— Dans ce cas, on vous demande d'aller voir ce qui se passe.

— Non, sérieusement, insista Liam que la plaisanterie ne faisait pas rire.

Wilson respira un bon coup. Il avait expliqué le fonctionnement de la centrale des centaines de fois à des centaines de gens. La conversation pouvait prendre toutes sortes de directions possibles, mais elle se terminait toujours par la même question : la fusion nucléaire. Pourtant, en vingt ans de service, la centrale de Nyack n'avait jamais connu d'accident majeur. Deux ou trois incidents prévisibles par-ci, par-là, mais rien de grave.

Les gens ne se rendaient pas compte de ce que l'énergie nucléaire leur faisait économiser. Sinon, ils ne poseraient pas tant de questions.

— L'énergie nucléaire est l'une des plus sûres que l'on connaisse. Elle est plus propre et infiniment plus efficace que le charbon ou le pétrole.

— Oui, mais si jamais les barres de commande ne fonctionnent pas, monsieur Wilson ? répéta Liam, qui voulait à tout prix sa réponse.

— On court aux abris, lui répondit l'ingénieur en le regardant par-dessus sa tasse de café.

— Hein ? s'écria Liam en avalant sa salive.

— On pourrait faire la comparaison avec un moteur de voiture, poursuivit Wilson. Si le système de refroidissement tombe en panne, le radiateur explose. Comme quand, par une chaude journée d'été, on voit de la vapeur qui sort de sous le capot d'une voiture. C'est exactement le même principe. La pression augmente tellement que quelque chose doit céder : le cœur est détruit.

— Détruit ? répéta Liam, inquiet.

– Soit le cœur explose, soit il fond tout simplement dans l'enceinte de confinement qui l'entoure. De toute façon, des radiations s'échappent dans l'atmosphère.

– Et c'est dangereux.

– Ça fait des gens avec dix doigts à une seule main, s'ils n'ont pas été tués avant. (Wilson avala une gorgée de café et jeta un coup d'œil en direction de New York.) Ça s'infiltre dans les immeubles, dans les nappes d'eau. A haute dose, ça peut rendre un endroit inhabitable pour longtemps.

Il avait terminé sa phrase calmement. Le vigile hocha la tête : il regrettait d'avoir posé cette question. Il ne lui serait jamais plus aussi facile de venir au boulot. C'était vrai, ce qu'on disait : l'ignorance faisait le bonheur.

Wilson se détourna et regarda par la fenêtre. Avec les centrales nucléaires, les gens se préparaient toujours au pire. Ils les voyaient toujours au bord de l'explosion, imaginaient des retombées radioactives à cent cinquante kilomètres à la ronde. C'était ridicule. Loin à l'horizon, il apercevait les tours jumelles du World Trade Center qui, à la pointe de Manhattan, grimpaient à la conquête du ciel.

Debout sur la corniche, le basané à la grosse moustache noire regardait ses hommes descendre rapidement en rappel le long de l'à-pic de l'ancienne carrière. Il faisait éclater entre ses dents des graines de tournesol qu'il dégageait ensuite avec la langue et mâchonnait après avoir craché les enveloppes grises dans la neige. Il sourit. Les troupes étaient prêtes. Tout à fait prêtes. L'entraînement avait été difficile. Ils avaient déjà perdu deux hommes au cours des exercices sur les falaises et dans les mines abandonnées, mais le sacrifice n'avait pas été vain. Maintenant qu'ils avaient écarté ceux qui risquaient de manquer à leur devoir au cours d'une attaque, ils formaient une véritable machine. Une force de frappe qu'aucune escouade mal ficelée d'ex-policiers ne pourrait jamais repousser ni même retenir.

Ils neutraliseraient toutes les défenses de leur cible comme les Panzer divisions avaient jadis neutralisé la Pologne. Ce ne serait pas plus difficile que ça. Il rit tout fort en pensant à ces pauvres crétins en train de boire du café et de manger des beignets à leur poste. Ils n'auraient même pas le temps de voir d'où le coup était parti. Les feux de l'enfer s'ouvriraient sous leurs pieds pendant quelques secondes et, tout de suite, la mort les empêcherait de souffrir. Ce serait terminé en un clin d'œil. Fusils conventionnels et ventres bedonnants contre armes de haute technologie et assassins bien entraînés. Ils ne feraient pas le poids. La bataille était gagnée d'avance. C'était ainsi qu'il le voulait, ainsi que l'homme de Washington l'avait exigé.

Vargus – c'était son nom de code pour cette mission – appela son second qui se trouvait au pied des falaises. Celui-ci lui fit un signe de tête, puis cria quelque chose à ses hommes qui remontèrent immédiatement en s'aidant des longues cordes de rappel. Vargus se fourra une poignée de graines dans la bouche. Triés sur le volet parmi les meilleurs talents recrutables en Syrie, en Libye et en Iraq, ses hommes s'étaient donnés à leur entraînement sans compter. Même s'ils ignoraient encore la cible de la mission, ils savaient que l'attaque viserait des installations américaines d'une grande importance stratégique. On leur avait assuré qu'il ne s'agissait pas d'une mission suicide et que les pouvoirs qui orchestraient l'affaire les tireraient de là dès que le but serait atteint. Ils étaient trop précieux pour qu'on puisse se permettre de les perdre.

Vargus rit. Ils avaient tout gobé sans piper. Lui s'en sortirait vivant, mais il serait le seul. Tous les autres seraient tués. Tous sauf lui. Ça faisait partie du plan magistral dont lui-même ne connaissait pas tous les détails.

Il leva la tête et contempla le haut des falaises. Plusieurs hommes, les meilleurs, y étaient déjà parvenus. Quand tout serait fini, il lui faudrait se soumettre à une opération de chirurgie plastique radicale. Les chirurgiens devraient littéralement lui découper le visage et lui en recoudre un tout neuf. Il serait hospitalisé juste après l'attaque car le temps presserait. Les Etats du Moyen-Orient comprendraient rapidement qu'ils s'étaient fait avoir. Même sans savoir comment, ils remonteraient sans problème jusqu'à lui. Et ils lui enverraient aussitôt des escadrons de la mort.

Dès qu'il sortirait de l'hôpital, l'homme de Washington

l'enverrait en convalescence quelque part. Il devrait sans doute déménager plusieurs fois pour plus de sécurité. Il souffrirait énormément pendant quelques semaines, mais, une fois remis, serait libre de disparaître sans avoir à craindre d'être jamais reconnu. Personne ne lui poserait de questions. Il pourrait jouir de son trésor de guerre – vingt-cinq millions de dollars – pour le restant de ses jours, qui seraient nombreux et heureux. Il s'achèterait plusieurs demeures, des bateaux, et pourrait avoir toutes les jolies femmes qu'il arriverait à attirer dans son lit. Vingt-cinq millions de dollars. Il en aurait mérité chaque *cent*.

Il se retourna et rebroussa chemin dans l'air froid et pur de Virginie-Occidentale. Il avançait difficilement dans les dix centimètres de poudreuse tombés pendant la nuit. Il plissa les paupières en passant devant un petit réduit situé à la périphérie des installations. Il s'arrêta et regarda la porte en bois. Ils ne s'étaient toujours pas débarrassés des corps des promeneurs égarés qu'il avait assassinés avec l'aide de son second. Il faillit aller voir dans quel état ils étaient, mais se ravisa et se remit en route. Il réglerait ce détail plus tard.

8

Assise à la mezzanine, Rachel regarda la jolie brune accompagner Mace jusqu'à sa table dans le restaurant bondé. Elle prit une gorgée de vin. Elle buvait rarement, et jamais en milieu de journée, mais l'occasion était exceptionnelle.

A travers son verre, elle observa l'hôtesse. Celle-ci passa devant le bar et le vestiaire et traversa toute la salle en rejetant ses longs cheveux par-dessus son épaule chaque fois qu'elle se retournait vers Mace : il fallait bien s'assurer qu'il appréciait sa démarche sensuelle. Elle bavardait en souriant avec lui, chose qu'elle n'avait jamais faite avec aucun autre client. Il lui rendait un sourire poli, mais Rachel se réjouit de constater qu'elle ne l'intéressait pas plus que ça.

Elle avala une autre gorgée et compta les femmes qui tournaient la tête sur le passage de Mace. Ah, cette démarche chaloupée qu'il avait ! se dit-elle. Et pourtant, ce n'était pas une impression d'arrogance ou d'insécurité qu'il donnait, mais bien plutôt celle de pouvoir conserver son calme en toute circonstance.

– Bonjour, Rachel, dit-il, et il sourit encore plus fort que d'habitude en la voyant.

Il baissa brièvement les yeux sur le verre de vin, mais ne cilla pas. Il lui serra la main avec douceur, mais elle sentit bien la force contenue qui emprisonnait ses doigts délicats.

L'hôtesse les regarda se saluer et reprit son air morose. Elle posa les menus sur la table tandis que Rachel lui lançait un coup d'œil méprisant.

– Le garçon arrive tout de suite, leur dit-elle.

– Merci, lui répondit Mace sans quitter Rachel des yeux.

Dieu, elle était encore plus belle de près.

– A votre service, lui renvoya l'hôtesse.

Elle lui adressa un dernier sourire désespéré qu'il ne remarqua même pas, et s'éloigna.

– Dites donc, mais ça me paraît très bien ici. Mes compliments pour votre choix ! s'exclama-t-il en désignant la salle d'un geste. J'en ai entendu dire beaucoup de bien par des collègues de chez Walker Pryce.

– Carmine est l'un des meilleurs restaurants italiens de la ville. Et les portions sont copieuses, dit Rachel en pointant un doigt sur le menu affiché au mur.

Ses lèvres se retroussèrent en un petit sourire.

– Et je me suis dit que vous préféreriez ça à un endroit guindé où on vous sert un steak lilliputien avec une pointe d'asperge en entrée.

Les yeux gris de Mace interceptèrent son regard.

– Vous me connaissez bien.

Non, pensa-t-elle, mais ça ne me déplairait pas. Elle rit en son for intérieur. D'habitude, les hommes ne lui faisaient pas tant d'effet. A Columbia, elle pouvait avoir tous ceux qu'elle voulait, mais ils ne l'intéressaient guère. Elle y allait pour apprendre, pas pour se faire distraire par des hommes à qui elle n'avait rien envie de prouver. Mace, lui, était différent.

– Eh bien, asseyez-vous et mettez-vous à l'aise.

Sans hésiter, Mace enleva son veston et le mit sur le dossier de sa chaise.

– J'aime bien vos bretelles, dit Rachel en désignant du menton les bandes colorées qui barraient sa chemise bleue à fines rayures.

– Merci, dit-il en les regardant. Ça fait un bail que je les ai. Elles viennent de l'orphelinat de Plymouth.

– Pardon ?

– Puis-je vous proposer nos plats du jour ?

Rachel et Mace levèrent la tête. Le garçon attendait, un petit calepin à la main. Rachel ne perdit pas de temps.

– Monsieur n'a rien à boire, dit-elle d'une voix ferme. Pour la commande, nous verrons plus tard.

– Donnez-moi la même chose, dit Mace en montrant le verre de vin de Rachel.

Le garçon acquiesça d'un signe de tête et fila aussitôt. Il sentait sa présence indésirable et avait suffisamment d'expérience pour comprendre que son pourboire serait inversement proportionnel au temps qu'il passerait près de leur table.

Rachel se pencha en avant.

– Que disiez-vous avant qu'il nous interrompe ?

Mace laissa son regard s'attarder sur elle avant de répondre. Elle était si fraîche. Ses cheveux encadraient avec douceur la peau douce et lisse de son visage. Quand elle souriait, une fossette se creusait à sa joue droite. Elle avait des lèvres pleines et parfaitement dessinées, et sa voix légèrement rocailleuse était terriblement sexy.

– Mace, que disiez-vous avant que le serveur arrive ? insista-t-elle.

Il revint sur terre.

– Je disais que je suis originaire du Minnesota. De Plymouth, exactement. C'est à une trentaine de kilomètres au nord-ouest de Minneapolis, où je suis né, mais j'ai été élevé à Plymouth.

– Ce n'est pas ce que je voulais dire. Vous avez parlé d'un orphelinat.

– Oh, dit Mace en allongeant la voyelle et feignant la surprise. Vous vous intéressez à mon séjour à la maison de redressement de Plymouth ?

– Oui.

Elle le regardait droit dans les yeux. Le garçon revint, posa le verre de cabernet sur la table et s'éloigna sans mot dire.

Mace prit son verre et fit tournoyer le vin dedans avant de le porter à ses lèvres.

– Pas mauvais, dit-il en hochant la tête. (Il inspira un grand coup.) Ma mère m'a eu à l'âge de seize ans. Comme elle était pauvre et ne pouvait pas m'élever, elle m'a mis en adoption, mais personne n'a voulu de moi. Heureusement, les bonnes âmes de la maison de Plymouth m'ont recueilli.

Il but une autre gorgée de vin. Il n'avait pas oublié ce que

Charlie Fenton lui avait appris sur la famille de Rachel. Il avait pris des risques en faisant aussi vite allusion à son séjour à l'orphelinat, mais, vu ce qu'il savait sur elle, il s'était dit qu'elle comprendrait tout de suite ce qu'il avait vécu. Walker Pryce ne pourrait s'attacher ses services qu'en lui offrant un petit plus, quelque chose de différent. Il faudrait qu'elle soit à l'aise avec ses futurs collègues. Toutes les autres firmes étaient prêtes à lui faire des ponts d'or.

Trois cours à la Columbia Business School l'avaient convaincu que Rachel était la vedette de sa promotion et il voulait mettre tout en œuvre pour l'attirer chez Walker Pryce. Avec son intelligence, qui était à la hauteur de son physique, elle pourrait récolter un bon paquet de portefeuilles à gérer très tôt dans sa carrière. Et lui, Mace, bénéficierait directement de ses talents.

Elle avait mesuré la portée de ses confidences, et il put constater dans ses yeux qu'elles avaient eu l'effet escompté. Pari gagné. Pour un financier, être fin psychologue n'était pas sans importance.

Elle plongea le regard dans ses yeux gris. Elle n'en avait jamais vu de cette couleur. Ils l'hypnotisaient. Elle chercha quelque chose à lui répondre, mais la seule présence de Mace la rendait nerveuse. Il y avait longtemps qu'elle n'avait pas éprouvé pareille impression, et c'était merveilleux.

— Assez parlé de moi, reprit-il. Passons à vous. Avez-vous des frères et sœurs ?

Rachel s'adossa à sa chaise, mais ne lui répondit pas.

Elle n'avait pas envie de parler de son enfance et le lui faisait comprendre par son attitude. Très bien. Il n'insisterait pas.

— Comment va le portefeuille de Columbia ? lui demanda-t-il. J'ai passé un petit moment sur le Bloomberg et j'ai consulté l'article que le *Wall Street Journal* vous avait consacré. Très impressionnant.

Elle le regarda en souriant.

— Merci, dit-elle en tripotant ses couverts. Nous tenons à réaliser de bonnes performances, et ça nous demande beaucoup de travail.

Il apprécia de l'entendre dire « nous » et en conclut qu'elle aimait travailler en équipe. Parfait. Elle s'adapterait bien à l'esprit de Walker Pryce. A condition de savoir s'imposer. Car dès qu'ils découvriraient son énorme potentiel, tous les jeunes loups auraient envie qu'elle se casse la figure. Qu'elle soit seulement capable d'acquérir une certaine confiance en elle et elle les doublerait tous : les associés préféreraient travailler avec elle plutôt qu'avec un jeune ambitieux aux bretelles voyantes.

– « Nous » ? répéta-t-il. Je croyais que c'était vous la responsable.

– La gestion du fonds repose sur plusieurs personnes, dit-elle en buvant une gorgée de vin.

– Mais c'est vous la vedette. J'en ai parlé avec Fenton. A l'entendre, les œuvres auxquelles iront les bénéfices seront très malheureuses de vous voir partir.

– Elles s'en remettront. (Elle eut un petit sourire, puis retrouva son sérieux.) J'ai eu la main heureuse et j'ai pu réaliser quelques bonnes opérations boursières, c'est tout, dit-elle d'un ton détaché.

Elle regarda le garçon qui apportait un plat de pâtes à la table voisine et, tandis qu'il servait ses clients, elle se demanda ce que Mace avait derrière la tête. Pourquoi l'avait-il conviée à ce déjeuner ? Pour s'offrir une petite partie de jambes en l'air vite fait au Marriott Marquis, à quelques rues de là, ou pour lui faire une véritable et honnête proposition d'embauche ?

– Vous êtes très douée, Rachel, reprit-il. Je vous vois très bien chez Walker Pryce. J'aimerais que vous preniez rendez-vous à notre siège de Wall Street.

Elle baissa aussitôt les yeux.

– Je ne suis pas sûre d'être faite pour Walker Pryce. Je songe à retourner chez Merrill Lynch. Ils me l'ont pratiquement proposé.

Ainsi donc, elle se laissait intimider par toutes les bêtises qu'on racontait sur le côté sang bleu de Walker Pryce.

– Ne soyez pas rebutée par la réputation collet monté de notre banque, Rachel. Ce n'est jamais qu'une opération de dénigrement montée par les autres firmes de Wall Street pour nous enlever des clients. Ecoutez, je sais que vous venez d'un quartier difficile de Brooklyn et vous croyez sans doute que vous ne serez pas acceptée chez nous...

Elle leva brusquement la tête et le regarda dans les yeux.

– ... mais je vous assure que vos origines ne poseront aucun problème.

Il jouait ses dernières cartes et ne pouvait plus reculer. Il sentait le temps lui échapper et ce n'était plus le moment de tourner autour du pot.

– La société a beaucoup changé ces dernières années, poursuivit-il. Regardez-moi donc, bon sang.

– Ah çà, oui, regardez-vous ! lui renvoya-t-elle.

Elle sourit en mettant une main devant sa bouche. Ça lui avait échappé.

Mace préféra ne pas relever.

– Merrill Lynch est une excellente société. J'y connais pas mal de monde dans le secteur immobilier. Mais ce n'est pas Walker Pryce. Vous gagnerez mieux votre vie, et plus vite, chez nous. En plus, votre travail y sera plus varié.

Rachel termina son verre. Ce déjeuner était donc purement professionnel. Il la respectait pour ses compétences et non pour ce qu'elle cachait sous ses vêtements. Cela aurait dû lui faire plaisir, non ? N'était-ce pas du respect qu'elle devait attendre de lui ?

– Rachel, compte tenu de ce que j'ai perçu de vous en cours et de ce que Fenton a dit de vous à Lewis Webster, notre associé principal, nous avons déjà prévu une journée entière d'entretiens pour vous chez Walker Pryce. Nous vous attendons lundi. Il vous faudra sans doute sécher quelques cours à Columbia, mais croyez-moi, ce ne sera pas du temps perdu.

Elle l'avait entendu, mais pas écouté. Son esprit vagabondait à des milliers de kilomètres de là. Mace devait gagner dans les sept cent mille dollars par an, si ce n'était pas plus, et sortir avec un mannequin différent tous les soirs de la semaine – hormis ceux où il dirigeait une réunion importante. Elle était, elle, d'origine très modeste. Comment avait-elle pu penser qu'il s'intéresserait à elle autrement que d'un point de vue professionnel ?

Mace lui jeta un coup d'œil, puis détourna le regard. Il

devinait en elle beaucoup de force intérieure et de l'ambition. La motivation brûlait dans ses yeux d'un bleu étincelant, son regard n'en disant pas moins une certaine vulnérabilité.

– Je peux dire à Webster que vous acceptez de nous rencontrer ?

Elle hésita.

– Euh, oui. Oui. Pourquoi pas, après tout ?

Elle avait répondu sans le regarder.

9

Debout en tenue d'Eve dans la salle de bains du Doha Marriott, Robin Carruthers n'appréciait guère l'image que lui renvoyait le miroir en pied. Ce voyage éclair en Arabie Saoudite, Jordanie, Koweït, Bahreïn et maintenant au Qatar commençait à beaucoup lui peser. Elle avait des cernes sous les yeux et des taches rouges sur le visage, et son corps s'avachissait partout où il ne fallait pas. Sommeil à rattraper, nourriture mal équilibrée, manque d'exercice, le régime qu'elle avait à supporter n'était pas du meilleur effet sur une femme de quarante-trois ans qui essayait de rester séduisante quelques années encore.

Les visites officielles que le vice-président effectuait à l'étranger – hormis lorsqu'il allait en Europe – tenaient du supplice. Mais directeur de son cabinet et conseillère de longue date comme elle l'était, elle n'avait pu se soustraire à l'obligation de l'accompagner pendant ce déplacement d'une importance capitale. On était maintenant à moins d'un an de l'élection présidentielle. La campagne entrait dans sa phase critique et, pour Preston Andrews, ce voyage au Moyen-Orient était l'occasion rêvée non seulement d'avoir sa photo dans tous les journaux américains, mais aussi de distancer son seul véritable adversaire, Malcolm Becker, même s'il jugeait le directeur de la CIA indigne d'entrer à la Maison Blanche.

Robin mit ses mains sous ses seins et les remonta dans une position qui leur était autrefois naturelle. Elle n'avait jamais eu d'enfants, mais le temps et l'attraction terrestre avaient concouru au même résultat. Elle libéra ses seins et les regarda retomber. Etait-elle restée séduisante ? De la main, elle fit gonfler ses cheveux auburn. Les rumeurs de rendez-vous nocturnes entre elle et le vice-président – elles étaient infondées, mais n'en avaient pas moins couru au début du mandat d'Andrews – s'étaient tues depuis deux ans. Peut-être était-ce révélateur : son physique s'était-il donc tellement détérioré que plus personne ne croyait possible que le vice-président veuille encore d'elle comme maîtresse ? Elle jeta un dernier coup d'œil au miroir. Elle n'était quand même pas si mal, après tout.

D'un geste vif, elle décrocha le long peignoir de coton de la patère et l'enfila. Elle sortit de la salle de bains et traversa, pieds nus sur la moquette épaisse, le séjour de la superbe suite qu'elle occupait. Elle ouvrit sans mal la baie coulissante qui donnait sur le balcon et s'avança dans l'obscurité jusqu'à la rambarde, où elle s'appuya pour contempler la nuit. De son vingt-cinquième étage, elle aperçut au loin des lumières vertes et rouges scintillantes : les feux des camions-citernes qui faisaient la noria jusqu'au golfe Persique pour acheminer jusqu'aux pétroliers l'or noir destiné à l'exportation.

Elle rit en allumant une cigarette et en tira une longue bouffée. Les racontars les plus fous avaient circulé sur leur compte. On les avait accusés de planifier leurs voyages sur plusieurs semaines dans le seul but d'éloigner Preston de sa femme, Sandra. On leur avait reproché de toujours prendre des suites contiguës dans les hôtels. On s'était même vanté de les avoir plusieurs fois surpris au lit ensemble. Robin prit une autre bouffée de sa cigarette. Rien de vrai là-dedans ; tout cela faisait seulement partie des tactiques d'intimidation courantes à Washington. La première fois que ces ragots lui étaient parvenus aux oreilles, elle s'était fait un sang d'encre et aurait voulu pouvoir les faire taire. Aujourd'hui, elle les regrettait.

Elle consulta sa montre : cinq heures du matin. Elle ferait mieux d'aller vérifier que Preston n'avait besoin de rien avant de voler quelques heures de sommeil. Elle était sûre qu'il ne dormait pas. Comme tous les hommes politiques de haut niveau, il ne fermait pratiquement jamais l'œil. A deux heures, il l'avait assurée qu'il pourrait se passer d'elle jusqu'au lendemain, mais cela ne voulait rien dire. Elle devait toujours tout vérifier, et il comptait sur elle.

Elle rentra et verrouilla la baie derrière elle. La précaution était inutile, une bonne cinquantaine d'agents secrets montant la garde sur le toit, dans le couloir et à l'étage inférieur. Puis elle s'engagea sur la pointe des pieds dans le petit passage qui reliait sa suite à celle du vice-président. Elle frappa discrètement à sa porte et, sans attendre de réponse, la poussa et passa la tête à l'intérieur de la pièce.

Assis à l'autre bout du living, Preston Andrews lui tournait le dos. Se tenant de profil à côté de lui se trouvait un homme à la peau sombre et aux cheveux noirs broussailleux. Elle remarqua qu'il portait une grosse moustache. Penchés l'un vers l'autre, les deux hommes parlaient sur un ton de conspirateurs. Etrange, songea-t-elle. Elle connaissait l'emploi du temps de Preston comme sa poche, et il n'avait rien de prévu avant midi, heure à laquelle il devait se taper un déjeuner assommant avec un émir. Que faisait cet homme dans la chambre du vice-président à une heure pareille ?

– Preston ? lança-t-elle en s'avançant vers lui sans refermer la porte derrière elle.

Manifestement surpris, le vice-président fut aussitôt sur ses pieds et se tourna vers elle avec un sourire nerveux. L'inconnu sembla se tasser sur son siège pour se faire oublier. Ou alors ? Etait-ce elle qui délirait ?

– Robin, Robin, je croyais vous avoir dit d'aller vous coucher, lui répondit-il en écartant les bras pour lui donner une accolade amicale.

Elle se sentit entraînée doucement mais fermement vers la porte.

– Qui est cet homme, Preston ? lui glissa-t-elle à l'oreille.

Preston lui déposa un petit baiser sur la joue.

– Savez-vous que ce peignoir vous va à ravir ?

– Pour un peu, on dirait Miss Amérique, hein ? lui renvoyat-elle en essayant de regarder l'homme une dernière fois à la dérobée. Qui est-ce ? insista-t-elle tandis que Preston ouvrait la porte et la poussait dans le passage.

– Ne vous étonnez pas si je viens vous rejoindre dans votre

lit ce soir, chérie. Il faudra bien qu'un de ces jours, on se décide
à ne pas faire mentir la rumeur.

– Preston ! s'écria-t-elle, choquée.

– A tout à l'heure.

Il lui referma la porte au nez en souriant, puis resta quelques
instants derrière, les yeux dans le vague. Il se retourna enfin vers
l'homme basané qui l'attendait. Bientôt, il ferait jour. Il fallait
clore cet entretien au plus vite.

10

Des rafales de vent faisaient tournoyer dans l'air glacial de février des gobelets en carton, des emballages de chewing-gum et des serviettes en papier usagées. Ce ballet furieux n'était pas sans rappeler les secousses économiques qui, de temps à autre, plongeaient dans le chaos les négociateurs de la Bourse de New York, là, à quelques pas seulement du siège de Walker Pryce. Mace baissa la tête pour éviter les projectiles et se glissa sur le siège arrière de la limousine en adressant un signe de tête au chauffeur qui, raide dans sa longue redingote, lui tenait la porte dans le vent polaire. Cet homme d'un certain âge déjà attendait Mace depuis une demi-heure et n'était pas de bonne humeur : à deux reprises, il avait dû déplacer l'énorme voiture à la demande d'un contractuel. La portière claqua tandis que son client s'abandonnait au confort des coussins de cuir.

Mace se frotta vigoureusement les mains, puis se les passa dans les cheveux.

– Vous êtes très bien comme ça.

Il se tourna lentement et fit face à la femme qui partageait la banquette avec lui. Malgré l'obscurité totale qui régnait déjà sur Manhattan depuis une heure, il la voyait parfaitement dans la lumière tamisée de la voiture.

– Et mieux encore, ajouta-t-elle d'une voix douce.

– Mace McLain, dit-il.

Elle ne réagit pas tout de suite, puis elle lui fit un sourire sage avant de poser sa main dans celle qu'il lui tendait.

– Kathleen Hunt, dit-elle.

Il lui trouva la paume chaude et comme légèrement enfiévrée. Il baissa rapidement les yeux : ses doigts longs et fins étaient dépourvus de bijoux et ses ongles impeccables couverts d'un vernis rouge sombre. Il la regarda dans les yeux.

– Monsieur McLain ? L'adresse est bien la Columbia Business School ? demanda le chauffeur dans un micro placé au-dessus du mini poste de télévision.

– C'est exact, répondit Mace en tentant de dégager sa main que la femme retenait dans la sienne. Prenez la voie sur berge du West Side.

Il jeta un coup d'œil à la femme. Elle lui sourit, puis regarda par la vitre teintée l'entrée de la Bank of New York. Celle-ci se trouvait juste en face de Walker Pryce, au numéro 1 de Wall Street.

– Merci.

Un petit clic se fit entendre dans le haut-parleur et le bruit de friture disparut.

Ça ne va pas être facile, songea Mace.

– Mace, reprit la femme. Intéressant, comme nom.

Il se tourna vers elle tandis que la limousine démarrait.

– Mais c'est que je suis un type intéressant, lui renvoya-t-il en le regrettant aussitôt.

Après tout, elle n'y était pour rien. Elle saisissait simplement la chance qui lui était offerte. Il n'empêche : il trouvait son intervention inutile et ne voyait qu'un gaspillage de temps à subir sa présence hiérarchique.

– C'est ce qu'on m'a dit.

Il inspira un bon coup.

– Ecoutez, je suis désolé de vous avoir fait attendre, mais j'ai été retenu par une réunion qui a duré plus longtemps que prévu.

– Pas de problème, lui répondit-elle en lui désignant le petit téléviseur d'un mouvement du menton. Peter Jennings[1] m'a tenu compagnie. Lui aussi est un type plutôt intéressant.

Mace ne releva pas.

– Désolé que nous devions faire connaissance en voiture, mais j'ai un emploi du temps très serré. C'est le premier créneau que

1. Célèbre présentateur du bulletin d'information de la chaîne ABC *(NdT)*.

j'ai pu trouver. Je voulais absolument conclure deux transactions avant de me lancer dans ce fonds auquel Webster semble beaucoup tenir.

– Ça ne me déplaît pas pour une première rencontre. De la voie rapide, nous aurons une jolie vue sur l'Hudson et ses bateaux éclairés.

Elle renversa la tête en arrière et joua avec ses boucles d'oreilles.

Mace la regarda en ajuster les minuscules chaînettes d'or et se demanda si elle jouait la comédie pour s'attacher sa bonne volonté, ou si elle tentait sincèrement d'établir une solide relation de travail. Il se frotta le menton. Un peu plus âgée que lui, elle devait approcher de la quarantaine, se dit-il en remarquant les petites rides qu'elle avait au coin de la bouche, mais qui ne déparaient pas sa beauté. Attirante – il fallait le reconnaître –, elle n'avait rien de la femme d'affaires new-yorkaise avec ses habituels collier de perles, collants et souliers plats. De longs cheveux blonds lui retombaient librement sur sa nuque, la règle voulant pourtant qu'à Wall Street les femmes ne portent jamais les cheveux sur les épaules. Sa jupe s'arrêtait à ses genoux et moulait assez joliment des jambes longues, bien conservées – elle devait fréquenter un club de gym –, et qui, Dieu merci, n'étaient pas emprisonnées dans des bas. Les traits de son visage étroit étaient rehaussés par des lunettes originales à monture presque invisible. Bien que ce fût difficile à déterminer vu leurs positions, il la devinait grande, un mètre soixante-dix, voire davantage. Etant grand lui-même, cela lui plaisait.

– Ainsi donc, vous allez rassembler un milliard de dollars pour le petit fonds de Lewis Webster ? Pour sa téméraire incursion dans le monde des vautours ? lui demanda-t-il en croisant ses mains sur ses genoux.

Il n'avait pas l'intention de se montrer trop vite amical. Avant tout, il fallait savoir se faire respecter.

– D'après ce que je comprends, lui répondit-elle sans s'irriter de son petit ton sarcastique, vous n'approuvez pas son idée à cent pour cent. Lewis m'a dit que vous n'êtes pas tout à fait convaincu du bien-fondé de cette opération.

Sa voix, naturellement apaisante, lui faisait l'effet d'une

douche chaude, ou d'une tasse de café brûlant après une longue balade sous la neige en hiver. Il se promit de ne pas se laisser bercer par ses intonations.

La limousine entra dans le tunnel de Battery Park. Mace regarda les lumières défiler de plus en plus vite au fur et à mesure que la voiture accélérait. Il s'imposa la prudence. Les premières impressions étaient souvent les bonnes. Malgré les réserves qu'il avait sur ce fonds, il fallait bien se plier à la réalité qui lui imposait cette femme comme supérieur. Toute insubordination de sa part serait sans doute rapportée directement à Webster.

– Je trouve seulement que c'est faire courir un gros risque à la banque. Disons les choses ainsi.

– Qui ne risque rien n'a rien.

– Mmmouais, dit-il comme la limousine débouchait dans le Lower West Side. Ecoutez, je suis sûr que vous avez toutes les références qu'il faut et que vous croyez en notre succès immense et total. Mais à mon avis, les associés étaient fermement décidés à entrer en Bourse et à empocher de gros bénéfices dès maintenant. Ce qui veut dire que vous, et moi aussi par conséquent, allons avoir du fil à retordre. Si ça marche, nous serons des héros. Sinon, nous pourrons aller chercher du boulot ailleurs.

– Mmm.

Elle semblait méditer ce qu'il venait de dire. Soudain, elle montra quelque chose du doigt.

– Mais... ce n'est pas l'Athletic Club de Manhattan ?

Il se pencha de son côté et jeta un coup d'œil dehors.

– Si.

– C'est bien là qu'on décerne le Heisman Trophy au meilleur joueur de football, n'est-ce pas ?

Il hocha la tête en se demandant quel enchaînement d'idées l'avait conduite à cette remarque.

– En 1982, c'est Herschel Walker qui l'a remporté, ajouta-t-elle.

– Exact. Comment le savez-vous ? dit-il en souriant malgré lui.

– Il était arrière dans l'équipe de l'université de Géorgie et c'est de là que je viens. J'adorais le voir percer les lignes adverses le ballon à la main. J'allais aux matchs du samedi après-midi avec mon petit ami et un groupe de copains. On collait au cul des voitures, on buvait un peu et après, on allait au stade et on regardait le match à travers les buissons. C'était le bon temps, dit-elle d'un ton mélancolique. Vous-même étiez un excellent joueur.

Elle avait dit cela l'air de ne pas y toucher, et sur le même ton un peu absent. Mace lui jeta un coup d'œil surpris, mais garda le silence.

– Pendant votre année de licence, vous avez passé sur plus de deux mille yards et marqué quatorze touchés, poursuivit-elle. Pas tout à fait suffisant pour prétendre au trophée, mais certainement plus que respectable. Vous avez essayé d'intégrer les *Minnesota Vikings* comme joueur libre, mais il n'est pas facile d'entrer dans une équipe professionnelle quand on n'y a pas été drafté, termina-t-elle sur un ton de sympathie.

Ainsi donc, Kathleen Hunt savait-elle exploiter les réseaux de recherche elle aussi. Toutes choses qui étaient bien jolies, mais n'allaient pas leur apporter leur milliard de dollars. Il dut néanmoins reconnaître que c'était sympa de s'être renseigné sur ses performances au football.

– Vous êtes de Géorgie ?

– Oui, dit-elle en riant et en se tournant vers lui.

– Mais vous n'avez pas l'accent.

– Parce que vous croyez que j'irais loin à Wall Street avec un accent bien marqué ? lui renvoya-t-elle en prenant le ton traînard typique du Sud.

– Non, en effet, reconnut-il.

Sans jamais le prendre de front, elle avait réponse à tout. Elle était « engageante », comme on dit. Mais tout doux. Il ne fallait pas céder si vite.

La limousine passa devant l'*Intrépide*. Amarré à la jetée de la 46ᵉ Ouest, le porte-avions de la Seconde Guerre mondiale avait été transformé en musée naval.

– Auprès de qui allez-vous solliciter les capitaux ? lui demanda-t-il.

Il lui fallait quelques réponses avant d'arriver à Columbia. Elle inclina la tête et se passa lentement la main dans les cheveux.

– Auprès de très grandes fortunes américaines.

— Mais encore ?

— Vous êtes tenace.

— Et moi qui me croyais « intéressant ».

Elle lui sourit. Webster l'avait prévenue : il ne fallait pas le sous-estimer, ni compter le manipuler. Elle redevint sérieuse.

— J'irai voir les Rockefeller, les Mellon, les Bass, les Stillman, la famille de Sam Welton, les Koch et Bill Gates... pour n'en citer que quelques-uns.

Mace siffla, sarcastique.

— Eh bien ça ! On peut dire que vous côtoyez du beau monde. Mais... vous les connaissez vraiment ? ajouta-t-il, dubitatif.

— Dans la plupart des cas, je connais au moins un membre de la famille, ou leur conseiller.

— Comment ?

— Au milieu et à la fin des années quatre-vingt, je travaillais chez Kohlberg, Kravis & Roberts. Certaines de ces familles étaient les plus gros investisseurs de KKR et c'est là que je les ai rencontrées. En 1989, je suis passée chez LeClair & Foster, à San Francisco, où j'ai complété mon carnet d'adresses. Les gens très riches aiment acheter les sociétés dans le calme et la sérénité.

KKR. LeClair & Foster. Voilà ce qui s'appelait jouer dans la cour des grands. Mace s'appuya contre la portière. Le chauffeur avait quitté la voie rapide et s'engageait dans l'Upper West Side. Ils n'étaient plus très loin de Columbia.

— Et vous croyez avoir des relations suffisamment solides avec eux pour les amener à jouer un milliard de dollars sur l'immobilier et les titres boursiers ?

Elle se pencha en avant et lui mit une main sur le genou.

— J'en suis certaine.

Mace sourit de toutes ses dents.

— Et... peut-on savoir ce qui vous rend si confiante ?

— Que dites-vous de ceci : j'ai déjà des promesses d'engagement pour deux cents millions. Vous comprenez, il y a deux mois que je travaille là-dessus. Lewis ne vous a pas tout dit, il me semble.

Il avala sa salive. Deux mois seulement et déjà deux cents millions de dollars ?

— Non, apparemment pas.

Webster lui avait donc raconté des salades en lui disant qu'il n'embaucherait cette femme qu'avec son accord. En fait, il l'avait recrutée tout seul. D'un autre côté, si elle avait réellement reçu les promesses d'engagement qu'elle disait, ils iraient loin, parce que cela ferait boule de neige. Et une fois une certaine somme amassée, le processus continuerait et la boule grossirait d'elle-même.

La voiture s'arrêta en douceur devant Columbia, mais il n'en descendit pas tout de suite. Il ne connaissait pas ces gens riches. Ses investisseurs à lui étaient de simples gestionnaires de patrimoine et parfaitement incapables de garder un secret. C'était sans aucun doute comme ça que Schmidt, de chez Morgan Stanley, avait eu vent de la transaction WestPenn et avait presque réussi à la faire capoter. Mais avec les familles, c'était différent. Elles travaillaient dans l'ombre. Elles n'aimaient pas faire connaître leurs magouilles sur les marchés financiers. Et elles semblaient pouvoir disposer de tonnes de liquide rapidement, sans avoir à en passer par une prise de décision en comité. Mace dévisagea Kathleen en s'efforçant de la trouver sympathique. N'allaient-ils pas travailler en très étroite collaboration, du moins dans un avenir proche ? Mais ce n'était pas si facile. Elle avait été parachutée sur l'opération sans avoir, comme lui, payé de sa personne chez Walker Pryce. Si Webster lui avait promis deux millions de dollars et le titre de directeur, c'était qu'il avait dû lui promettre à elle cinq millions et le statut d'associée. Et si elle se montrait à la hauteur, c'était la première femme associée de toute l'histoire de Walker Pryce qu'il avait devant lui.

— Bien. Ravi de vous avoir rencontrée, dit-il en tendant la main pour ouvrir la portière sans attendre l'aide du chauffeur. Je suis sûr que nous allons faire des choses intéressantes ensemble. La voiture vous déposera où vous voulez.

— Je vous accompagne.

— Pardon ? dit-il en tournant vivement la tête.

Elle lui adressa un sourire séducteur.

— Je veux vous voir travailler. Après votre cours, nous irons dîner. Il faut que nous commencions à ébaucher une stratégie. Je vais bientôt avoir un milliard de dollars à vous confier, vous feriez peut-être bien de préparer vos investissements dès maintenant.

Le chauffeur lui ouvrit sa portière, mais au lieu de descendre du véhicule, elle se pencha vers Mace et ajouta :

– Mes amis m'appellent Leeny. Diminutif de Kathleen.

– Leeny ?... Leeny, répéta-t-il comme pour s'y habituer. Intéressant.

– Mais c'est que je suis une femme intéressante, lui renvoyat-elle avec un clin d'œil.

Elle prit la main que lui tendait le chauffeur et sortit de la voiture.

Rachel s'adossa à son siège et consulta sa montre. Sept heures cinq. Mace McLain était en retard. C'était la première fois depuis le début des cours, et elle s'en sentit vaguement froissée, comme lorsque, au lycée, les garçons ne l'appelaient pas à l'heure promise.

Dans le petit amphithéâtre, les étudiants discutaient bruyamment de leurs offres d'emploi, de leurs cours, du froid glacial qui s'était abattu sur New York depuis quelques jours. Tous, à l'exception de Rachel, étaient ravis du manque de ponctualité de Mace, chaque minute prise sur les deux heures de cours étant autant de moins à passer devant le financier, qu'ils trouvaient d'une exigence tyrannique. Il posait des questions difficiles et attendait des réponses précises et bien documentées. Et il ne laissait personne s'endormir en classe : impossible d'échapper à son œil de lynx.

– La récréation est terminée ! lança Mace en entrant dans la salle d'un pas vif.

Parfaitement conscient de la déception qu'il infligeait à ses étudiants, il arborait un large sourire.

Un grognement parcourut la classe.

Rachel se redressa en souriant, sa mauvaise humeur aussitôt dissipée. Elle avait très soigneusement préparé son travail et attendait le débat avec impatience : elle comptait bien le dominer à mesure que les problèmes examinés croîtraient en complexité, et larguer le reste de la classe qui n'oserait la suivre en terrain inconnu, de peur de dire une bêtise.

– Bon. Sortez vos notes, au travail.

La voix de Mace résonna dans la salle. Il profita de ce que les étudiants baissaient le nez une seconde pour adresser un signe imperceptible à Rachel, qui lui répondit.

Elle se sentait immensément soulagée par sa présence. Elle avait craint de voir le doyen venir leur annoncer qu'il avait été appelé à l'autre bout du monde pour négocier une transaction. Tous auraient accueilli la nouvelle avec un cri de joie, sauf elle. Maintenant, au contraire, elle était la seule à être contente. Tant pis pour eux, se dit-elle.

Elle regarda Mace. Peut-être commençait-elle à prendre un peu trop de plaisir à ses cours. Elle avala sa salive. Non, ses sentiments n'avaient rien de répréhensible. Pour la première fois, elle se rendit compte qu'elle attendait avec impatience ses entretiens chez Walker Pryce, et surtout sa rencontre avec Lewis Webster. Mace avait raison. Elle avait l'envergure nécessaire pour entrer chez Walker Pryce. Chez n'importe qui, d'ailleurs. Dans le monde actuel, ses origines n'avaient aucune importance. Elle rit. Il lui avait donné confiance en elle.

Puis son sourire s'évanouissant brusquement, elle se raidit. La grande femme blonde qui venait d'entrer n'était ni une étudiante ni un professeur. A la Columbia Business School, il n'y avait en tout et pour tout que cinq cents personnes au maximum, et tout le monde se connaissait plus ou moins.

Leeny Hunt s'approcha de Mace, lui mit une main sur l'épaule et lui murmura quelque chose à l'oreille pendant qu'il disposait des papiers sur le bureau. Les garçons sifflèrent.

Mace regarda dans leur direction, puis du côté de Rachel. Aussitôt, cette dernière baissa les yeux vers le bureau, en territoire neutre.

– Silence, silence, s'il vous plaît, dit Mace en levant les deux mains en l'air.

Au moment où le calme semblait se rétablir, l'un des étudiants en option marketing, un ancien joueur de base-ball universitaire qui aimait se faire remarquer et avait tout de l'armoire à glace, poussa encore un cri. Les autres éclatèrent de rire. Mace lui-même ne put s'empêcher de sourire. Le bruit se dissipa enfin.

Mace regarda Jake Levin en secouant la tête.

— Bon sang, Jake ! s'écria-t-il. Il y a donc si longtemps que vous n'avez pas vu de femme ?

Jake hésita un instant, ne sachant pas jusqu'où il pouvait se permettre d'aller. Finalement, il eut un sourire malicieux.

— En tout cas, il y a longtemps que je n'ai pas vu une femme pareille, lui renvoya-t-il.

Dans un tonnerre d'applaudissements, ses voisins le poussèrent du coude.

Le calme revint peu à peu, et Leeny s'approcha de Jake. Quand enfin elle se planta devant lui, les mains sur les hanches, le silence fut total. Elle le regardait à travers ses paupières plissées. Lentement, elle se mit un doigt dans la bouche, puis elle le posa sur la poitrine de Levin. Tous les yeux étaient fixés sur son doigt qui lentement glissa sur la chemise du jeune homme en y laissant une trace.

Un sourire se dessina sur les lèvres de Leeny.

— Oh, mais qu'est-ce que j'ai fait ? dit-elle d'une voix enrouée. Il va falloir que je vous ramène chez vous. Vous ne pouvez pas garder des vêtements mouillés.

Bouche bée, Jake la dévisagea un instant. Puis il porta les deux mains à sa poitrine et s'affaissa sur son siège. Dans un éclat de rire général, Leeny revint vers Mace en quelques pas sensuels et le prit par la main. Il secoua la tête en souriant sous les hourras de la classe. Rachel Sommers, elle, était restée de marbre.

11

Sous les tirs incessants des Wolverines, les deux terroristes essayaient désespérément de fixer la charge d'explosif à l'énorme citerne de gaz naturel. Lorsque le capitaine de l'équipe d'intervention d'élite s'agenouilla, l'un d'eux pivota sur ses talons et vida le chargeur de son fusil automatique. Quatre balles se logèrent dans le corps du capitaine, qui tomba, entièrement paralysé, mais parvint à relever la tête et vit les terroristes se faire abattre par un tir groupé. Sa joue heurta enfin l'asphalte ; il vivait ses dernières secondes.

– Coupez, dit Malcolm Becker d'une voix calme et, d'un petit mouvement du menton, il indiqua l'écran qui occupait le fond du vaste bureau.

– Bien, mon général.

Willard Ferris pointa la télécommande sur le magnétoscope et l'écran s'éteignit. Les cris cessèrent.

– Si vous me permettez, mon général, fixer cette caméra sur le casque du capitaine était une idée de génie, ajouta Ferris, tout frétillant et content de lui. J'adore cette vidéo !

Becker le regarda avec de grands yeux. A la CIA, on appelait Ferris « le Rat » à cause de son nez pointu, de sa moustache rare qui rappelait celle d'un rongeur et des grandes incisives que découvrait sa lèvre supérieure fine et tendue. Becker savait que Ferris n'était pas particulièrement aimé de ses collègues : celui-ci n'arrêtait pas de se plaindre et de les harceler. Mais le Rat était un excellent administrateur, et d'une loyauté à toute épreuve. A l'Agence, les ordres du directeur faisaient loi, et la loi voulait que Ferris fût obéi à défaut d'être respecté. Les deux hommes étaient ensemble depuis le Viêt-nam, et le resteraient jusqu'à la fin des temps.

– Quel exploit ! poursuivit Ferris. Ils ont neutralisé les terroristes en quelques minutes et sans aucun problème.

– Des incompétents, murmura Becker.

– Quoi ?

Becker se frotta les yeux.

– Ils avaient tout le temps de faire sauter le réservoir. Ils ont fait preuve d'incompétence. Nous avons eu de la chance, expliqua-t-il.

Ferris poussa un grognement.

– Et c'est aussi un coup de chance que vous ayez eu un contingent de Wolverines stationné à Los Angeles ? Certainement pas. Tout avait été soigneusement préparé. Il y a des Wolverines à Los Angeles, New York et Chicago parce que ce sont des villes sensibles, et ils ont riposté dans l'heure. S'il avait fallu les faire venir de loin, les terroristes auraient peut-être eu le temps de miner la zone et de faire exploser la bombe. La rapidité de la réaction est une des clefs du succès. La victoire de vos hommes n'est pas due au hasard.

– Mmmm.

Becker était flatté.

– J'adore cette vidéo, répéta Ferris. Elle donne une image réconfortante de l'Amérique. Vous devriez la montrer à votre bal d'inauguration, je vous assure.

– Ah oui ?

Becker eut un petit sourire. Ferris croyait dur comme fer qu'il serait le prochain président des Etats-Unis. Pareil enthousiasme ne lui déplaisait pas. Il appréciait les gens qui respiraient la confiance en soi et ne doutaient d'aucune entreprise pourvu que soient mobilisées les ressources et les bonnes volontés nécessaires. Il savait que la seule manière de gagner une bataille difficile était d'avoir un mental de battant. Les choses positives n'arrivaient qu'aux gens positifs. Evangile selon Becker.

– Absolument, dit Ferris d'une voix forte.

– Et vous, qu'en pensez-vous, major Conner ? demanda

Becker en se tournant vers Slade, qui était assis, bras croisés sur la poitrine, près du téléviseur.

Slade déplia un bras en regardant le directeur dont la tête imposante évoquait celle d'un taureau. Sous ses cheveux noirs coupés ras, les veines du crâne saillaient. Son nez, ses yeux, ses oreilles, tout était énorme chez lui, même pour un homme avec une tête aussi grosse. Ces appendices monstrueux l'avantageaient sur le petit écran, car ils le faisaient paraître très grand alors qu'il ne l'était guère. Pour impressionner encore davantage, il portait tous les jours son uniforme de l'armée américaine, où il avait commandé un service avant d'être nommé directeur de la CIA par le président Whitman dès son premier mandat, cinq ans auparavant.

Becker était un homme de convictions et d'action. Il décidait vite et agissait en conséquence, après avoir consulté ses conseillers les plus fiables. Parfois son opinion rejoignait le consensus, parfois non. Mais dès que le plan d'action était fixé, il ne revenait jamais dessus et n'en déviait jamais. Il était fidèle à ses fidèles et intraitable avec les traîtres. Il savait écouter les opinions divergentes lors de la prise de décisions, pourvu qu'on les dise en face et pas dans son dos, et toujours avec respect. La stratégie arrêtée, il exigeait un dévouement total. Ni tergiversations, ni peaux de bananes. S'il découvrait la moindre manœuvre dans ce sens, on était fini. Pas de quartier.

Il n'hésitait pas non plus à sacrifier de bons éléments aux besoins de la cause. Il y avait longtemps que son entraînement militaire lui avait ôté tout remords d'envoyer de jeunes hommes au combat. A ses yeux, mourir pour la patrie était un honneur insigne, surtout quand cette patrie s'appelait les Etats-Unis d'Amérique.

Malgré son tempérament fougueux et son abord rébarbatif, Slade lui connaissait un côté humain : très attaché aux hommes qui servaient sous ses ordres ainsi qu'à leurs familles, il s'engageait aussi envers les moins favorisés par le biais d'œuvres caritatives. Ceux qui le connaissaient mal parlaient de lui comme d'un être méchant, dur et superficiel. Malcolm Becker était agressif, direct et aussi exigeant que doit l'être le directeur de la CIA – par définition ou presque. La protection des Etats-Unis d'Amérique n'est pas un jeu d'enfant. Mais depuis six mois qu'il faisait partie de son état-major, Slade avait pu découvrir les côtés sensibles de son supérieur. S'ils n'affleuraient pas souvent à la surface, ils étaient bien là pour qui voulait prendre le temps de les voir. En l'occurrence, cela ne lui facilitait pas les choses.

Slade sourit.

– Je suis d'accord avec M. Ferris, mon général. Vous devriez montrer cette vidéo à votre soirée d'intronisation. Il y aura beaucoup plus de faucons que de colombes autour de vous ce jour-là.

– J'aime qu'on soit de mon avis, s'exclama Becker en lui rendant son sourire et en tapant un grand coup sur la table.

– Analysons la situation, Chef, dit Ferris.

Il était le seul à avoir le droit d'utiliser ce surnom, dont il avait affublé son supérieur. Pour tous les autres, Becker était « le général Becker », ou « mon général ».

Becker s'adossa à son fauteuil.

– Allez-y, Willard, vous me plaisez bien quand vous analysez.

– Euh, oui, bon... Voici comment ça se présente, Chef... Vous êtes assuré de l'investiture républicaine. La convention de cet été ne sera qu'une formalité. Vous aurez contre vous Morgan, le sénateur du Texas, et Cain, le gouverneur du Connecticut. Mais ce ne sont pas de véritables adversaires. Ils n'ont pas de rayonnement national. Rien à voir avec vous. Et à part eux deux, il n'y a personne.

Becker hocha la tête et sortit un de ses chers Monte Cristo de son tiroir.

– Il faut donc regarder du côté des Démocrates, poursuivit Ferris.

Slade l'observa. Ferris s'animait de plus en plus en parlant, échauffé par la perspective de diriger l'entourage proche d'un président des Etats-Unis. Puis Conner regarda Becker, qui tirait déjà la première bouffée de son cigare cubain. Il se demanda si, en admettant qu'il parvienne lui-même à la fonction qu'il briguait, le patron hisserait Ferris à ce poste ou si, à une époque où l'image était toute-puissante, il lui préférerait un personnage un peu plus charismatique. Même pour Malcolm Becker, la loyauté avait sans doute ses limites.

– Il est pratiquement acquis que les Démocrates vont prendre le vice-président, Preston Andrews, comme candidat. Les sondages le placent en tête loin devant ses concurrents. Et aux législatives, vous l'écraserez.

Becker inhala une grande bouffée qu'il recracha en se vidant les poumons. Il tint le cigare devant ses yeux et l'examina soigneusement.

– Le Churchill Monte Cristo, dit-il. Le cigare le plus apprécié au monde. (Il se tourna vers Slade.) Saviez-vous qu'avant de mettre l'embargo sur Cuba, John Kennedy a attendu d'en avoir importé de quoi fumer, lui et ses amis, pour le restant de ses jours ?

– Non, mon général, je l'ignorais.

C'était la première fois qu'il en respirait l'arôme. Bien que non-fumeur lui-même, il ne trouva pas l'odeur désagréable.

– Eh oui, dit Becker qui hocha la tête en riant. C'est comme ça que ça marche, la politique. Willard ? ajouta-t-il en se tournant vers Ferris.

– Oui, Chef.

– Si possible, je ne veux plus entendre prononcer ce nom ici. Andrews est notre ennemi.

– Bien, mon général, lui répondit Ferris qui baissa les yeux aussitôt.

Becker fumait tranquillement.

– Comprenez bien que je déteste cet homme. Depuis que je suis en poste, c'est-à-dire cinq ans, il harcèle le président pour lui faire réduire le budget de la CIA, et il est clair qu'il n'a jamais soutenu les Wolverines, dit-il en désignant le téléviseur du menton.

– C'est un euphémisme, ricana Ferris. Il a dû avaler son chapeau quand les Wolverines ont réagi avec l'efficacité que l'on sait à l'attaque de l'entrepôt de Los Angeles.

– Oui, et c'est au major Conner que nous devons le succès de l'opération, ajouta Becker avec un petit hochement de tête à l'adresse de Slade, qui lui rendit la politesse.

Cinq ans plus tôt, à la requête du nouveau directeur de la CIA, il avait quitté les Marines pour prendre la tête d'une force antiterroriste que Becker avait à cœur de créer. Pour contrer des attaques terroristes de plus en plus violentes sur le territoire américain – la bombe du World Trade Center, l'attentat d'Oklahoma City, la voiture piégée de Pennsylvania Avenue, juste devant la Maison Blanche, et l'attaque d'un hôtel de Chicago où logeaient plusieurs sénateurs –, le président Whitman lui avait demandé en secret de former ce corps d'intervention, les événements l'obligeant à reconnaître la totale inaptitude du ministère de l'Intérieur et autres forces de sécurité à régler ces problèmes. A son tour, Becker avait chargé Conner de sélectionner, d'entraîner et de diriger cette unité d'élite, bientôt connue sous le nom de Wolverines.

Au début, le président Whitman avait voulu laisser au FBI l'entière responsabilité de la sécurité intérieure. Mais Becker avait su imposer ses idées : le FBI n'était ni équipé ni entraîné pour riposter aux armes de pointe utilisées par les commandos terroristes. En tant qu'ancien commandant de l'armée américaine, lui-même – et donc la CIA – était beaucoup mieux placé pour diriger les Wolverines. Autre détail important, lui avait fait remarquer Becker, la plupart des attaques terroristes lancées en territoire américain étaient fomentées dans des pays hostiles aux Etats-Unis, mais où, déjà implantée, la CIA était à même d'obtenir des renseignements sur l'origine, l'identité et les moyens utilisés par ces groupes armés. Là encore, avantage à la CIA. Whitman avait fini par lui accorder une période d'essai. L'attaque de Los Angeles avait achevé de le convaincre.

A ce projet extraordinairement coûteux, c'était Preston Andrews qui, chiffres à l'appui, avait opposé les critiques les plus virulentes.

De fait, pendant plusieurs années, l'opération n'avait guère paru fructueuse. Des milliards de dollars y disparaissaient, comme engloutis dans une sorte de trou noir administratif. En l'absence d'attaques terroristes commises sur le sol américain, fustiger Becker pour avoir soutenu les Wolverines devint le sport favori de ses ennemis. Jusqu'au jour où, trois mois plus tôt, des groupes extrémistes avaient tenté de prendre simultanément d'assaut les tours de contrôle des trois grands aéroports new-yorkais, savoir Kennedy, La Guardia et Newark. Pour obtenir ce qu'ils voulaient, ils s'étaient montrés prêts à laisser les avions en circuit d'attente jusqu'à ce que, à court de carburant, ils tombent comme des mouches sur la ville. Après, il y avait eu l'attaque sur Los Angeles. Dans les deux cas, les Wolverines avaient fait preuve de la bravoure habituelle aux soldats des Etats-Unis et, grâce à des armes technologiques ultramodernes et à un entraînement hors pair, étaient venus rapidement à bout des terroristes en épargnant les civils.

Aujourd'hui, Malcolm Becker était la mascotte de Washington et de toutes les villes, grandes ou petites, de l'Atlantique au Pacifique. On voyait son portrait à la une des plus grands journaux et magazines du monde entier, et les Américains le trouvaient sympathique. C'était un type comme on n'en fait plus, un dur à la John Wayne, quelqu'un qui n'avait aucune intention de laisser des étrangers armés venir dans son pays et attenter à son mode de vie. Il dégageait une impression de pragmatisme et de radicalisme qui plaisait. Négociateur obstiné, il savait garder la tête froide dans la bagarre. Il était absolument convaincu d'avoir raison et commençait à inspirer confiance pour diriger non plus seulement la CIA, mais le pays tout entier. Becker se sentait investi d'une mission ; il ne pouvait se satisfaire que de la seule présidence et ferait tout pour y arriver. Slade en était parfaitement conscient.

C'était le succès des Wolverines qui lui avait valu de faire partie de l'état-major du général Becker. L'homme n'oubliait pas ses amis, c'était indéniable.

— Merci, mon général, dit-il.

— Non, merci à vous, fiston.

Slade lui jeta un coup d'œil. Becker ne l'avait jamais appelé ainsi. Il se sentit aussitôt entièrement dévoué à son supérieur. Mais il fallait enfouir ce sentiment en lui. Il se rappela à l'ordre : le boulot, rien que le boulot. Il sourit.

— Vous savez, mon général, ce qu'il vous faudrait, c'est une autre attaque terroriste sur le sol américain, un peu comme à Los Angeles. Avec ça, vous seriez sûr de passer.

Slade crut deviner un subtil échange entre lui et Ferris, mais il n'en fut pas certain.

— Et vous pouvez nous arranger ça ? demanda Ferris dont le sourire découvrit la gencive supérieure.

Slade eut un petit rire et leva les mains devant lui.

– Je dis seulement qu'une situation analogue à celle de Los Angeles donnerait un bon coup de pouce à la campagne. De là à en conclure que cela me plairait, non, et j'espère que vous ne le ferez pas. J'ai encore beaucoup d'amis parmi les Wolverines et je ne leur souhaite certainement pas d'aller au casse-pipe. (Il marqua une pause.) Je me sens toujours coupable de ne pas être intervenu à leurs côtés à Los Angeles.

– Ne dites pas de sottises ! tonna le général. Vous nous êtes beaucoup trop précieux pour ça. Nous ne pouvons nous permettre de perdre des chefs au combat. C'est une règle militaire élémentaire.

Il suçota son cigare quelques instants, puis le pointa vers Slade.

– Une situation analogue à celle de Los Angeles, dites-vous ? Pas mal du tout, en effet. Slade, vous vous mettez à penser comme un politicien.

– Ça fait un peu froid dans le dos.

Les trois hommes rirent un brin trop fort, puis il y eut un silence gêné.

Enfin le général Becker inspira profondément, et toussa.

– Malheureusement, je suis bien incapable de déclencher une attaque terroriste et je ne peux pas me tourner les pouces en attendant d'avoir à me battre. Cette bataille, il faut que j'aille la livrer moi-même à M. Andrews. (Il marqua une pause.) A ce propos, Slade... Willard et moi avons du travail.

– Oui, mon général.

Slade se leva, salua et se dirigea vers la porte. Juste avant de la refermer, il se retourna et passa la tête dans la pièce.

– Mon général ?

– Oui, major ? lui répondit Becker en levant les yeux de dessus ses papiers.

– Vous disiez avoir quelque chose à voir avec moi, je crois ?

– Ah, oui ! Je vous contacterai dans la journée. Vous serez dans votre bureau ?

– Oui, mon général.

Slade salua une dernière fois et disparut.

– De quoi s'agit-il, Chef ? s'enquit Ferris.

Becker ne réagit pas tout de suite. Il regardait une batterie de petits écrans alignés sur une table adjacente à son bureau, et s'attarda sur l'un d'eux jusqu'à ce que Slade Conner ait fini d'échanger quelques mots avec la secrétaire. Enfin il répondit à Ferris.

– Rien, Willard.

Ferris sentit qu'on lui cachait quelque chose et préféra ne pas insister. Il arrivait que le général s'occupe seul de certaines affaires, et dans ce cas mieux valait ne pas poser de questions. Même lorsqu'on était chef d'état-major.

Becker écrasa son cigare dans un grand cendrier de verre. Il n'en avait fumé que la moitié.

– Il ne faut jamais fumer un cigare plus qu'à moitié, Willard. Même un Monte Cristo. La deuxième moitié est mortelle. C'est là que se trouvent tous les trucs dangereux.

Becker en prit un second dans son tiroir, se le mit dans la bouche, mais, cette fois, ne l'alluma pas.

– Le président a-t-il envoyé le nouveau budget ? demanda-t-il.

Ferris hésita. Soudain, l'exaltation qu'il avait ressentie en regardant la vidéo et en parlant de la campagne présidentielle le quitta. Il avait redouté cet instant. Mais son grade lui interdisait de reculer, même si la question était sensible.

– Willard ? dit le général en haussant le ton.

– Oui, nous avons reçu les chiffres, dit le Rat en gardant son calme.

– Mais encore ?

– Les nouvelles sont mauvaises.

– Qu'est-ce que vous appelez « mauvaises » ?

Ferris perçut la tension grandissante dans la voix de Becker.

– La note vient du président lui-même. Elle annonce une réduction de budget sur trois ans : deux milliards la première année, puis trois et cinq les deux suivantes. Elle précise que ces chiffres ne sont pas définitifs et pourront être revus à la hausse.

– Quoi ? s'écria le général en bondissant sur ses pieds.

– Le président cite une étude prévoyant que les intérêts annuels à verser sur la dette publique excéderont quatre cents milliards de dollars d'ici l'an 2000 si les dépenses publiques ne

sont pas jugulées. Whitman aurait décidé de ne pas augmenter
les impôts, et là-dessus il n'y a pas de porte ouverte à la négociation. Il compte donc restreindre les dépenses. Apparemment,
Wall Street lui a fait clairement entendre qu'il fallait s'attaquer
aux déficits, sans quoi la catastrophe lui serait imputée même
s'il n'était plus en fonctions. C'est du moins ce qu'a fait savoir
son cabinet. Visiblement, il ne tient pas du tout à être tenu
pour responsable du fiasco, même après son mandat. Il veut
s'assurer sa place dans l'histoire.

– Dix milliards de dollars ?

Le général abattit son poing sur le bureau. Le cendrier valsa
en l'air et retomba à l'envers, répandant son contenu partout.
Becker ne le remarqua même pas.

– Et il y a pire.

– Pire ? Mais comment voulez-vous que ce soit pire ! cria
Becker en dardant des yeux furieux sur Ferris.

Celui-ci regarda l'énorme tête de son supérieur. Les veines de
son crâne commençaient à gonfler et battre sous la coupe militaire, ses yeux semblant vouloir le percer de part en part. En
trente ans de collaboration, il avait eu droit à plusieurs de ses
éruptions volcaniques et n'avait aucune envie d'en faire à nouveau les frais. Il arrivait souvent que le porteur de mauvaises
nouvelles, n'en fût-il que le simple messager, s'expose à un
châtiment aussi sévère que l'individu responsable. Ferris inspira
un bon coup.

– Dans sa note, Whitman précise qu'il veut le détail de toutes
les dépenses liées aux Wolverines depuis le début du programme.
Il rappelle le budget maximum que vous aviez fixé d'un commun accord.

Ferris marqua une pause et leva lentement les yeux sur son
supérieur.

– Mon général, ajouta-t-il, nous l'avons dépassé depuis longtemps.

– Je le sais bien !

En se penchant sur son bureau, Becker avait posé la main
sur une braise mal éteinte. Lentement, il baissa les yeux sur sa
paume en grinçant des dents.

– Andrews, murmura-t-il. C'est lui qui est derrière tout ça.

– Probable.

– Il essaie de dénoncer ou même de fabriquer de toutes pièces des irrégularités comptables à la CIA pour compenser les problèmes financiers de son entreprise.

Les regards des deux hommes se croisèrent.

– Quels problèmes, Chef ? demanda Ferris, étonné de ne pas être au courant.

Le général hésita. Il n'avait pas prévu de tuyauter Ferris aussi tôt, mais il n'était plus temps de reculer. Cela ne ferait que rendre Willard suspicieux et il l'était déjà bien assez naturellement.

– Mon attention a été attirée sur la situation financière catastrophique d'Andrews Industries, la grosse société à caractère familial qui fabrique des composants automobiles pour les Trois Grands de Detroit.

– Je lis le *Journal* et le *New York Times* tous les jours, et je n'y ai rien vu là-dessus.

– La société n'est pas cotée en Bourse, et les titres sont répartis sur quelques membres de la famille. Bref, il n'y a ni actionnaires extérieurs, ni examen des états comptables par la SEC[1]. Ils ne mettent même pas leurs banques au courant de ce qu'ils font.

– Vous plaisantez ?

– Absolument pas.

– Comment avez-vous eu ce renseignement, Chef ?

Ferris jeta un coup d'œil vers la porte. Il se demandait si Slade Conner y était pour quelque chose. En entrant dans la pièce, il avait eu l'impression que Becker et Conner se taisaient un peu trop vite, mais il s'était dit qu'il se faisait des idées. A présent il n'en était plus aussi sûr.

Le général plissa les paupières.

– Je ne révèle jamais mes sources, pas même à vous. Depuis le temps, vous devriez le savoir.

Ferris acquiesça de la tête. C'était vrai.

– Je vais vous raconter une petite anecdote qui vous surprendra encore davantage, Willard.

Ferris leva la tête. Becker eut un petit sourire.

---

1. Security Exchange Commission, équivalent américain de la COB *(NdT)*.

— Carter Guilford, l'agent que nous avons perdu au Honduras il y a quelques semaines...

— Oui, dit Ferris qui se pencha en avant et secoua la tête. Celui qui travaillait avec le cartel Ortega. Une honte. Heureusement que personne ne l'a su. Ç'aurait été terrible pour sa famille.

— Je crois savoir où allait sa part des bénéfices, poursuivit Becker.

Le visage du Rat s'assombrit.

— Vous ne voulez tout de même pas dire...

Le général hocha la tête d'un air grave.

— Si. D'après mes renseignements, il travaillait avec le vice-président Andrews. Il n'est pas impossible qu'une partie de l'argent du cartel soit allée à Andrews Industries, après que Guilford se serait servi au passage, bien entendu.

Ferris en resta tout abasourdi.

— Quoi ?

— Preston panique, reprit Becker en plissant les paupières. Juste avant le début de la campagne, il ne peut pas se permettre d'étaler au grand jour la crise financière que traverse son entreprise. La presse en ferait des gorges chaudes. Alors, pour sauver sa peau, il ponctionne les bénéfices d'un cartel de la drogue. Il est prêt à tout pour financer sa campagne et étouffer les problèmes de sa société. Y compris avoir recours à l'argent sale.

Ferris avala sa salive. Ces révélations dépassaient l'entendement, mais le général n'accusait jamais à la légère, même un ennemi mortel. C'était un homme d'honneur.

12

— Avez-vous passé une bonne journée, mademoiselle Sommers ?

Rachel regarda Lewis Webster. Avachi derrière son vieux bureau, celui-ci dardait sur elle ses yeux perçants enfoncés sous ses sourcils noirs. Elle était exténuée. Dès neuf heures du matin, elle avait été reçue par un associé pompeux, un certain Sherman Stevens, qui devait être l'homme le plus égocentrique qu'elle avait jamais rencontré. Il avait passé les dix premières minutes de l'entretien à lui débiter tout ce qu'il avait fait pour Walker Pryce, à lui vanter le style agressif du brillant financier qu'il était, et à lui parler de sa femme, une reine de beauté qui, à en juger par le grand portrait qui trônait sur la crédence, aurait eu déjà bien de la chance d'être admise à participer au concours canin des jardins de Madison Square. Vite lassée de son charabia inepte, Rachel avait croisé les jambes — elle avait mis pour l'occasion un vieux tailleur bleu dont la jupe était légèrement plus courte que la longueur tolérée d'habitude — et, assise en face de lui sur le canapé de son bureau, avait passé la jambe gauche très lentement par-dessus la droite, en la levant un peu plus haut que nécessaire. Une fraction de seconde, Sherman avait baissé les yeux. Le mouvement avait été à peine perceptible, mais à partir de ce moment-là le vieux barbon avait voulu tout savoir sur elle. Rachel n'était pas particulièrement fière de ce subterfuge, mais ce n'était quand même pas pour l'écouter parler de lui qu'elle était venue.

En sortant de chez Stevens, elle avait ensuite rencontré deux cadres du service Conseil en fusions et acquisitions, et un sous-directeur du service des bons du Trésor avec qui elle s'était très bien entendue. Ils avaient surtout parlé de son expérience à la salle des marchés de chez Merrill Lynch, chose qui avait semblé beaucoup l'intéresser. Après, c'étaient Mace et le directeur des ressources humaines qui l'avaient invitée à déjeuner dans une petite salle à manger pourvue de tous les accessoires nécessaires à un repas chic, et Rachel s'était montrée tout à fait capable d'utiliser, et sans se tromper, les quatre fourchettes placées à gauche de son assiette. Le DRH avait remarqué. Elle avait encore rencontré trois associés et deux chefs de département.

Toute la journée durant, elle avait essuyé un feu nourri de questions sur son milieu familial et sa formation, ses études à la Columbia Business School – y compris son classement tri-mestriel –, sa capacité à travailler en équipe et à innover, les transactions auxquelles elle avait collaboré chez Merrill Lynch et, pour finir, ce qu'elle était prête à faire pour remporter une affaire : était-elle capable de passer trois nuits blanches de suite, ou de rentrer de Seattle par le vol de nuit pour sauter aussitôt dans le Concorde à destination de Paris, sans même avoir le temps de prendre une douche entre les deux ? Elle avait eu droit aux techniques d'entretien les plus classiques : le bon flic contre le mauvais flic, l'associé qui reçoit des coups de fil jusqu'à ce qu'elle ose lui dire de faire filtrer les appels tant qu'ils n'auraient pas terminé leur entretien, et jusqu'au geste discret mais équi-voque d'un associé beau comme une vedette de cinéma. Il était maintenant sept heures du soir et elle tombait de fatigue, mais elle aurait préféré mourir plutôt que d'en rien montrer à Lewis Webster.

– Très bonne, je vous remercie. Dommage que toutes mes journées ne soient pas aussi agréables, lui répondit-elle, sou-riante.

Webster se frotta la barbe et lui décocha un sourire qui ressemblait à une grimace. Il la regarda de la tête aux pieds, puis des pieds à la tête, en s'arrêtant à l'ourlet de sa jupe. Mais elle sentit qu'il le faisait sans plaisir. Il notait simplement que sa jupe était trop courte, en tissu synthétique et un peu usée à un endroit.

– Walker Pryce exige beaucoup de ses employés, mademoiselle Sommers, murmura-t-il.

– Je me sens tout à fait capa...

– Je n'ai pas terminé, l'interrompit-il, une main levée en l'air. Le ton qu'il avait pris la fit frissonner.

– La plupart de vos futurs collègues, et vous les côtoierez quotidiennement, viennent de milieux très favorisés. Ce n'est pas votre cas. Cela risque de créer des tensions. (Il marqua une pause et sourit.) Certains ne manqueront pas de vous rebattre les oreilles avec leur fortune.

– Je peux parler ? lui demanda Rachel poliment.

Le sourire de Webster s'évanouit.

– Oui.

– Je ne crains personne, dit-elle posément, mais les yeux brillants. La plupart des étudiants de Columbia viennent de familles bourgeoises. Je les trouve aussi mous que le ventre de Sherman Stevens. (Elle marqua une pause pour ménager son effet.) L'envie rend agressif. J'en possède assez pour avaler un Rockefeller. Je veux ce que vous et tant d'autres possédez déjà : la sécurité financière. Une enfance pauvre, ce n'est pas drôle, et je serai très franche là-dessus. Je travaillerai dur, très dur, pour assurer mon avenir financier. Et vous en tirerez profit.

Webster porta une main à sa bouche, puis la reposa sur ses genoux.

– Il n'y a pas d'associé femme chez Walker Pryce, et seulement deux au niveau de la direction générale : une aux ressources humaines, et l'autre à la salle des marchés, dit-il. Vous postulez pour entrer au service des investissements industriels, où aucune femme n'a dépassé le niveau de sous-directeur.

– Ça m'est égal, dit-elle calmement. J'aime relever les défis.

L'interphone bourdonna. Webster appuya sur la touche avec raideur.

– Oui, Sarah ?

– Mlle Hunt est arrivée.

Webster croisa le regard de Rachel.

– Faites-la entrer, murmura-t-il, penché sur l'appareil. Désolé, mademoiselle Sommers, mais je dois écourter. Il faut que je voie cette dame tout de suite.

Il se leva et lui montra la porte sans lui tendre la main.

– Nous vous contacterons dans les semaines qui viennent, ajouta-t-il.

La gorge nouée, Rachel hocha la tête. On ne pouvait pas dire qu'il mourait d'envie de l'embaucher. Elle se leva, lui fit un petit signe de remerciement et s'éloigna. Au moment de franchir la porte, elle tomba nez à nez avec Leeny Hunt.

– Bonsoir. Kathleen Hunt, dit Leeny.

Rachel prit la main qu'elle lui tendait. Donc, Mace et elle travaillaient ensemble. Il ne manquait plus que ça !

– Rachel Sommers, lui répondit-elle.

Les yeux de Leeny s'éclairèrent.

– Ah, vous êtes le petit génie de Columbia ! C'est vous qui gérez le portefeuille de l'école et qui dérangez tant les investisseurs professionnels. Laissez-les dire, Rachel. Ils sont jaloux, c'est tout.

Elle lui lâcha la main et regarda Webster.

– Vous feriez mieux de lui signer un contrat tout de suite, Lewis. Sinon Goldman ou Morgan vont vous couper l'herbe sous le pied, et en moins de trois ans vous vous en mordrez les doigts.

Webster se rassit en grommelant tandis que Leeny se tournait vers Rachel en souriant.

– Ne faites pas attention, lui dit-elle doucement. C'est un vieux grincheux. Il fait le dur parce qu'il est bien obligé. Mais Mace vous adore. Il ne parle que de vous. D'après ce que je comprends, vous êtes une perle rare comme on les aime tant chez Walker Pryce.

– Merci, dit Rachel.

– Non, non, c'est sincère. Désolée de vous avoir interrompus.

– Je vous en prie.

Rachel lui sourit et quitta la pièce aussitôt.

– Fermez la porte, ordonna Webster en pointant un doigt sur Leeny.

Elle obéit et s'avança vers lui.

– Alors, ces capitaux, ça se draine ? lui demanda-t-il d'un ton qui n'avait rien d'amical.

– Mais oui.

– Comment ça, « mais oui » ? répéta-t-il d'un ton exaspéré.

– J'aurai vite fait d'obtenir cinquante millions de dollars auprès des familles que j'ai contactées. On ne peut plus vite fait, même, siffla-t-elle entre ses dents.

Elle fut soudain en colère : le harcèlement constant auquel il la soumettait la hérissait. Et elle avait besoin d'évacuer la culpabilité qu'elle commençait à éprouver.

– Ne le prenez pas mal, mademoiselle Hunt.

Il la sentait tendue et voulait la rassurer. Non qu'il eût un petit faible pour elle, non. Il fallait seulement qu'elle garde la tête froide pour pouvoir mener à bien la tâche critique qui lui avait été confiée.

– Parce que avec les neuf cent cinquante millions rassemblés au départ, dit-elle sans se radoucir – cinquante apportés par Walker Pryce et neuf cents par Washington –, je n'ai plus grand-chose à faire. Il suffit que je cite ce que j'ai déjà pour qu'on se rue sur ce fichu fonds. Tout le monde croit qu'avec un capital aussi important et la caution de Walker Pryce, l'affaire ne peut être que saine et juteuse.

– Tant mieux, lui renvoya Webster en acquiesçant d'un hochement de tête.

– N'importe quel imbécile pourrait faire ce que je fais.

– Faux.

– Oh que non.

Elle l'observa un instant. Il faisait peur, se dit-elle. On aurait dit un mort vivant.

– Est-il absolument indispensable de faire appel à des capitaux extérieurs ? reprit-elle. Aux grandes fortunes, s'entend. Pourquoi ne nous contentons-nous pas du financement de Washington ?

– Pas question, dit Webster en secouant la tête. Il nous faut des capitaux indépendants si nous voulons être crédibles. Il pourrait être crucial de prouver que Broadway Ventures a effectivement attiré des investisseurs extérieurs. J'espère que nous n'en viendrons jamais là, mais si c'était le cas, le travail que vous effectuez en ce moment pourrait nous être très précieux.

Bien qu'avare de compliments, où il trouvait moins de satisfaction que d'autres, il sentait nécessaire de flatter Leeny pour lui redonner confiance.

– Ça peut aussi nous faire courir des risques, dit-elle.

– Quand aurez-vous l'engagement définitif de ces familles ? lui demanda-t-il en plissant les paupières. Et l'argent sur le compte du fonds ?

– Je peux vous assurer cinquante millions prêts à investir d'ici demain, lui répondit-elle, mais elle exagérait.

– Bien.

– Mais si je faisais rentrer ces fonds aussi vite, notre cher Mace trouverait ça louche et il ne faut surtout pas qu'il flaire l'embrouille. Vous jouez votre rôle, et vous me laissez jouer le mien. Et cessez de vous biler comme ça, merde !

– Mace ne flairera rien du tout, lui rétorqua froidement Webster qui n'appréciait guère l'impudence et les grossièretés de la jeune femme. Sauf votre parfum, peut-être. Il sait que cette affaire va lui rapporter son titre de directeur et beaucoup d'argent.

– Vous croyez vraiment qu'il est si facile à berner ? insista-t-elle en sortant un paquet de cigarettes de la poche de sa robe.

– On ne fume pas dans ce bureau, dit-il.

– Ah, c'est vrai. J'oubliais votre gorge.

Elle faillit passer outre, mais finit par remettre le paquet dans sa poche. Webster était beaucoup plus proche qu'elle de l'homme de Washington. Si celui-ci prenait le risque de prêter neuf cents millions de dollars prélevés sur les fonds publics – ne serait-ce que pour quelques semaines –, il n'hésiterait certainement pas à faire supprimer quelqu'un que Webster jugerait encombrant. Même pour une cigarette.

Webster lui agita un doigt noueux sous le nez.

– Non, je ne le crois pas facile à berner. Mais on peut le tenir à l'écart des choses importantes, ce qui évite précisément d'avoir à le berner. Et c'est là que vous intervenez.

– C'est ça. La baby-sitter, dit-elle avec un sourire sinistre. Je dois être la jeune fille au pair la mieux payée de Manhattan. Et légalement. Si l'on veut. (Elle rit.)

– Vous ne croyez pas si bien dire, lui renvoya-t-il du tac au tac. Vous êtes une baby-sitter, parfaitement. Mace McLain ne doit plus faire un pas sans vous, sauf pour aller aux toilettes. Même que si vous pouviez l'y accompagner, j'en serais soulagé, dit-il en haussant le sourcil.

– Sans jeu de mots ?

Leeny crut discerner un sourire méchant sur les lèvres du vieillard.

Webster haussa les épaules ; son sourire s'évanouit. Il ne brillait pas par son sens de l'humour.

– Vous savez que Mace a beaucoup de charme, reprit-elle. Et pas seulement physique.

Il la regarda dans les yeux. Voilà qui ne lui plaisait guère.

– Mademoiselle Hunt, si vous vous êtes mis en tête de vous enticher de Mace McLain, il vaudrait mieux arrêter tout de suite. Il ne restera pas très longtemps parmi nous.

– Vous voulez dire chez Walker Pryce ou... en général ?

– Vous trouverez bien toute seule. Vous avez réponse à tout.

Elle détourna les yeux : Webster la dégoûtait. Mais ils étaient associés pour le meilleur et pour le pire et unis par leurs crimes passés – ces derniers restant à prouver pour qui voudrait les poursuivre, du moins en justice.

Webster se radossa à son fauteuil.

– Alors, mademoiselle Hunt, reprit-il, comment notre ami de Washington s'y prend-il pour vous faire chanter ? Qu'est-ce qui vous amène si docilement dans notre panier de crabes ?

Un sourire sinistre était revenu sur ses lèvres. Leeny ne répondit pas, mais repensa aussitôt aux nombreux LBO auxquels elle avait participé chez LeClair & Foster. Elle avait toujours su avec certitude quand le cours d'une action allait doubler le lendemain, une fois l'offre d'achat annoncée dans le *Journal* et dans le *Times*, et avait presque toujours profité de ces renseignements à la source. Elle rit tristement. Et dire qu'elle avait cru protéger ses arrières !

– Il faut que j'y aille, dit-elle.

Webster ne réagit pas, mais, en partant, elle sentit son regard braqué dans son dos.

Dans le couloir, l'air semblait frais et revigorant. Elle s'appuya contre la porte close et respira. Ses paumes étaient moites de sueur. Ce que ce type pouvait lui donner la nausée. Impossible

pourtant de l'éviter tant que cette opération ne serait pas terminée. Elle devrait même le voir davantage encore. Elle plongea
la main dans son sac. Où était passée sa fichue fiole ? C'était
maintenant la seule chose qui lui donnait un peu de cœur à
l'ouvrage. Ah, là ! Dieu merci, elle était là. Elle se demanda si
les autres étaient au courant. Avec tout ce qu'ils semblaient déjà
savoir sur elle !

Mace leva les yeux de dessus son bureau et sourit à Rachel
qui se tenait dans l'encadrement de la porte.

— Comment ça s'est passé avec Webster ?

Rachel entra, jeta son sac et son dossier sur une chaise et se
laissa tomber dans le grand canapé.

— Je ne sais pas, Mace. Il est vraiment... vraiment...

— Con, dit-il.

— En cherchant bien, je devrais pouvoir trouver deux ou trois
adjectifs un peu plus imagés.

Il sourit.

— Il le reconnaît lui-même : il a toujours séché les cours de
jovialité.

— Je ne crois pas. Il les a suivis, mais a raté l'examen.

— Qu'est-ce qu'il vous a dit ? lui demanda-t-il en refermant
le dossier qu'il étudiait.

— Qu'on me contacterait dans les semaines qui viennent.

Rachel prit le dernier numéro de *Business Week* sur la table
basse, le feuilleta rapidement et le reposa.

— Je ne sais pas ce qu'il faut en penser, ajouta-t-elle.

— Il ne vous a pas dit que Walker Pryce n'était pas pour vous.
C'est comme ça qu'il conclut neuf fois sur dix ses entretiens
avec les étudiants en MBA. Et il reçoit environ un candidat sur
vingt dans son bureau. Les autres personnes que vous avez
rencontrées avant lui ont dû faire votre éloge. Vous devriez être
contente.

— Oh, c'est fou ce que je le suis ! Dix heures d'entretien
d'affilée. Dix heures à écouter des égocentriques se passer la
brosse à reluire, à me faire reluquer les jambes et observer à table
parce que le directeur des ressources humaines veut savoir si je

sais me servir de mes fourchettes et si je suis sortable. (Elle jeta un coup d'œil à Mace.) Je ne me suis jamais sentie aussi bien.

– Ah ! Vous avez remarqué que Fred Forsythe vous avait à l'œil pendant le déjeuner ? dit-il en souriant plus fort.

– Il n'était pas le seul, il me semble, lui renvoya-t-elle d'un ton indigné, mais sans pouvoir retenir un sourire. De toute façon, tout est joué d'avance. Si les gens sont si gentils avec moi, c'est parce que vous avez le bras long.

Il secoua la tête.

– A dire vrai, Rachel, vous me surestimez. J'aimerais pouvoir vous laisser croire le contraire, mais, malheureusement, c'est faux. Je peux vous ouvrir la porte, mais mon influence s'arrête là. Le reste dépend de vous. Si vous avez terminé la journée dans le bureau de Webster, c'est que vous avez plu à tout le monde et avez su donner l'impression que vous pouviez apporter quelque chose à Walker Pryce. C'est comme ça que ça marche. C'est pour ça que Forsythe vous a fait attendre devant son bureau après votre dernier entretien. Avant de vous envoyer chez Webster, il a demandé leur avis aux gens que vous avez vus aujourd'hui. Ils sont tous associés. Toutes les voix se valent.

– Je suis bien sûre que certaines sont plus égales que d'autres.

Mace laissa glisser sa remarque.

– Vous avez été reçue par des gens qui ne sont pas commodes. Ils savent que vous ne venez pas d'une famille privilégiée, et ils s'en moquent.

– Pas Webster. Il m'a prévenue qu'en venant ici, j'allais me faire traiter de haut.

– Il essayait de vous avoir aux nerfs. C'est son boulot.

Rachel chassa un fil noir accroché à ses bas blancs.

– J'ai rencontré Kathleen Hunt, reprit-elle d'un ton faussement détaché.

– Oh ? dit-il en croisant les bras sur sa large poitrine.

– Oui. C'est d'ailleurs elle qui a mis fin à mon entretien avec Webster. Dès qu'elle s'est fait annoncer, il s'est empressé de me mettre dehors. Il est presque aussi minable que vous.

– Que voulez-vous dire ? lui demanda-t-il en prenant un air étrange.

– Mlle Hunt et vous ne vous êtes pas gênés pour flirter l'autre soir, à Columbia. Et je n'ai pas eu l'impression que son petit numéro avec Levin vous déplaisait, dit-elle d'un ton léger et nonchalant.

– Détecterais-je une pointe de jalousie dans vos propos ?

– Quoi ?

Rachel le regarda, incrédule. Il lui sourit.

– Seriez-vous jalouse ?

– Bien sûr que je le suis ! Je suis dévorée de jalousie. (Elle marqua une pause.) Eh bien, vous alors, vous ne manquez pas d'air !

– Tiens donc ! C'est vrai, ça. Je me demande bien ce qui m'autorise à penser que vous pourriez être jalouse.

Après dix heures d'entretien, ce qui avait de quoi venir à bout de toutes les défenses, elle devait être particulièrement vulnérable. Qui sait si en la poussant ainsi, il ne pourrait pas apprendre des choses utiles ? Ce qu'elle éprouvait vraiment à son endroit, par exemple. L'autre soir, après le petit numéro de Leeny, il avait cru lui voir une expression de biche égarée. Mais il avait pu se tromper. Il avait certes conscience de mal se conduire avec elle, mais il voulait savoir. Il se renversa dans son fauteuil.

– Leeny est charmante, lâcha-t-il en s'étirant.

– Ah, dit-elle, ce n'est déjà plus Kathleen, mais Leeny.

– Elle préfère Leeny. Elle a du charme, je dois le reconnaître. Et on ne peut pas nier qu'elle soit jolie.

Il poussait un peu loin. Rachel secoua la tête, refusant de jouer le jeu de la rivalité.

– En effet, dit-elle d'un ton neutre.

Il pouvait toujours l'asticoter et tenter de la faire sortir de ses gonds, jamais elle ne lui accorderait le plaisir d'en paraître affectée.

– Je regrette seulement d'être obligé de collaborer si étroitement avec elle, poursuivit-il.

Elle renifla et reprit le *Business Week*. Voilà qui ne lui plaisait guère.

– Mais encore ? demanda-t-elle.

– Webster m'a mis sur un nouveau projet avec elle. C'est pour ça qu'elle m'accompagnait l'autre soir. Nous en avions parlé en venant à Columbia, et après nous avons dîné ensemble pour élaborer une stratégie. Quand je lui ai proposé de garder la limousine qui m'avait déposé à l'école, elle m'a répondu qu'elle venait au cours avec moi pour voir comment je travaillais. (Il lui fit un grand sourire et ajouta :) Je ne sais pas trop ce qu'elle voulait dire par là. Je comprendrai peut-être un jour.

– Quel projet ? lui demanda-t-elle, le pouls soudain rapide.

La question lui avait échappé, mais si Leeny et Mace devaient passer toutes leurs journées ensemble, elle voulait le savoir.

Il ne répondit pas tout de suite.

– Je vous le dirai si vous acceptez de dîner avec moi.

– Ce soir ?

– Oui.

Mace consulta sa montre. Il était près de huit heures.

– Tout de suite, en fait. Il faut que je me lève tôt demain. J'ai un petit déjeuner à sept heures, et après je prends l'avion pour La Nouvelle-Orléans.

Il avait prononcé cette dernière phrase sans s'adresser à elle en particulier, comme s'il ne voulait pas oublier cette obligation.

– Vous voyagez seul ?

– Humm. Non.

– Votre nouvelle collaboratrice vous accompagne ? lui demanda-t-elle, sarcastique.

Il confirma d'un signe de tête.

– Dans ce cas, amusez-vous bien. J'ai entendu dire que La Nouvelle-Orléans est une ville sombre et mystérieuse, et très romantique.

Elle s'extirpa du canapé moelleux.

– Hé ! Où allez-vous comme ça ?

– A Columbia, dit-elle en reprenant son sac et ses documents.

– Et notre dîner ?

– J'ai du travail.

– Ah, non, je ne vous lâche pas comme ça ! s'exclama-t-il en contournant son bureau. Vous venez avec moi.

– Vous croyez ça ?

Elle s'arrêta sur le seuil de la porte, se retourna et le regarda venir vers elle.

– Oui. Ce soir, Rachel Sommers oublie ses livres. Je vous kidnappe.

– C'est magnifique, vous ne trouvez pas ? murmura-t-elle.

Mace hocha la tête en silence.

De Brooklyn Heights – large promenade pavée de briques qui s'étendait sur près de huit cents mètres en contrebas des immeubles du front de fleuve –, l'extrême pointe ouest de Long Island offrait une vue exceptionnelle sur le quartier financier de Manhattan, de l'autre côté de l'East River. Toutes lumières allumées, les gratte-ciel s'élevaient dans la nuit new-yorkaise tels d'énormes paquebots ancrés au port. Par une chaude nuit d'été, la promenade aurait été pleine de monde, mais ce soir-là elle était quasiment déserte.

– Vous n'avez pas froid, Rachel ? lui demanda-t-il en se tournant vers elle et s'appuyant à la rambarde.

– Non, ça va.

Depuis qu'ils avaient quitté Wall Street, elle n'avait même pas remarqué la température glaciale. Un vent léger lui plaqua les cheveux sur le visage et elle sortit une main de la poche de son manteau pour les en écarter. Elle baissa les yeux sur les eaux noires qui clapotaient à ses pieds.

– Pourvu que les entretiens se soient bien passés, dit-elle doucement.

Il lui sourit.

– J'en suis sûr, dit-il fermement. Je vous fais entièrement confiance. Je parie que vous les avez mis sur le cul.

– Vous êtes gentil, Mace, lui répondit-elle en détournant la tête.

C'était un peu direct et, malgré l'envie qu'elle en avait, elle ne put se résoudre à le regarder dans les yeux pour juger de sa réaction.

– Merci. Mais, autant vous le dire tout de suite, je connais une ou deux femmes qui ne seraient sans doute pas de cet avis.

Cet avertissement subtil lui avait échappé presque inconsciemment.

– Non, je suis sincère, insista-t-elle d'une voix lointaine. C'est vraiment bien de votre part d'aider quelqu'un comme moi.

La franchise et la simplicité lui venaient plus facilement maintenant qu'ils avaient quitté son bureau.

Il se redressa et prit un air faussement moqueur.

— Qu'est-ce que ça veut dire, ça, « quelqu'un comme vous » ?

Il savait parfaitement ce qu'elle avait voulu dire, mais tenait à lui ôter ces idées de la tête. Il ne fallait surtout pas qu'elle se sente handicapée dans la ruée vers l'Ouest qu'était le monde de Wall Street, mais que tout au contraire elle s'arme d'une assurance qui frisait l'arrogance. Si elle doutait un tant soit peu d'elle-même, les autres en feraient autant et se jetteraient sur elle comme une meute de chiens. Ce serait la curée.

Rachel leva de nouveau les yeux sur Manhattan et secoua la tête.

— J'ai fait à Webster la seule réponse possible : je lui ai dit que je n'avais peur de rien. En fait, je ne sais pas. Peut-être que je me trompe. Peut-être ne suis-je pas faite pour l'univers de Walker Pryce.

— Oubliez ça, c'est ridicule, lui renvoya-t-il doucement, mais fermement.

— Vous devriez voir où j'habite, dit-elle avec un petit rire. Ce n'est pas le ghetto, non... mon père a travaillé dur toute sa vie pour donner un toit décent à sa famille, mais on est loin du luxe, très très loin. Si les associés venaient chez moi ou rencontraient mes parents, ça les ferait rire. Et vous aussi probablement, ajouta-t-elle en baissant les yeux.

Soufflés par le vent, ses longs cheveux bruns lui balayèrent le visage. Instinctivement, Mace les en écarta. Son geste le surprit lui-même.

Elle se tourna vers lui en sentant ses doigts sur sa joue. Ils étaient tout proches.

— Ce n'est pas mon genre, Rachel. Non, je ne rirais pas, et vous le savez, lui répondit-il d'une voix pleine de compassion car il comprenait ce qu'elle ressentait. Mais je ne veux pas vous mentir. Chez Walker Pryce, il y a en effet des gens extrêmement imbus de leur famille et de leur généalogie, des gens qui ne manqueront pas une occasion de vous rappeler que vous n'êtes pas de leur monde. J'en ai fait les frais moi-même à mes débuts, croyez-moi.

Il plongea son regard dans ses yeux brillants et ajouta en souriant à moitié :

— Mais personne ne vous a jamais demandé d'aimer vos collègues, surtout à Wall Street. Ce qu'il faut, c'est les utiliser et leur laisser croire qu'ils sont les meilleurs pendant qu'on fait de son mieux pour gagner un million de dollars par an. Et n'hésitez pas à vous servir de leurs contacts professionnels. Ce n'est pas parce que vous travaillez avec eux que vous êtes obligée de les fréquenter.

— Oui, mais quand j'y pense, parfois, leur richesse m'intimide. Toutes ces fortunes familiales ! Les trente-six fourchettes à table... Il viendra forcément un jour où je ferai honte à quelqu'un. Je le sais.

— Jamais de la vie, dit-il en lui prenant la main.

Elle se détourna.

— Vous vous êtes mis en quatre pour moi, Mace. Je ne voudrais surtout pas vous le faire regretter un jour.

— Eh, mais je viens de vous le dire, vous ne mettrez jamais personne mal à l'aise.

Elle leva les yeux. Il respirait la confiance en soi. Elle scruta son regard en espérant que, derrière toute cette sollicitude, se cachait une autre raison. Elle se rapprocha de lui imperceptiblement. Peut-être devrait-elle profiter du moment pour essayer de soulever le voile.

C'est peut-être elle, se dit Mace. Il lui arrivait d'avoir ce genre d'intuition au tout début d'un projet, d'une négociation – d'une relation. Or il n'avait pas besoin de se poser beaucoup de questions pour savoir que celle qui était en train de se nouer pouvait être très importante pour lui. Et il sentait cette attirance partagée.

Il détourna les yeux. Non. L'heure n'était pas venue de montrer ses sentiments. Il ne fallait pas la déconcentrer. Elle était à la veille de récolter les fruits du travail acharné qu'elle avait fourni ces dernières années, à la veille de s'extraire enfin d'un milieu peu glorieux, tout comme lui-même avait échappé à l'orphelinat en entrant à l'université d'Iowa.

Si Walker Pryce lui faisait une offre d'embauche, et qu'elle l'acceptait, il faudrait qu'elle redouble d'efforts. Pendant plusieurs années encore, elle n'aurait pas une minute à elle. Elle devrait obéir à une multitude de patrons qui tous la réclameraient car ils seraient persuadés de lui confier des tâches prioritaires. Associés, chefs de département, sous-directeurs et cadres supérieurs, tous seraient matin, midi et soir dans son bureau, la harcelant jusqu'à vingt heures par jour. Elle subirait une pression phénoménale : toujours plus, toujours mieux. Mais ce jeu-là pouvait lui rapporter très gros. Ce n'était vraiment pas le moment de la distraire.

Malgré toutes ses bonnes résolutions, il ne put résister. Il la regarda encore, et se pencha doucement vers elle.

Comprenant qu'il allait l'embrasser, Rachel sentit son cœur battre la chamade et ses jambes se dérober. Elle lui serra les mains. Comme leurs lèvres se rapprochaient, elle ferma les yeux.

Mais au dernier moment, il déposa sur sa joue un baiser léger, puis s'écarta. Elle battit des cils et le dévisagea en essayant de cacher la profonde déception qui l'envahissait.

Mace inspira profondément.

– Il faut y aller, maintenant. Ne pas oublier mon petit rendez-vous de demain matin, juste avant de prendre l'avion. Et je suis sûr que vous avez du pain sur la planche.

Elle hocha lentement la tête. Ce n'était effectivement pas le travail qui manquait. Elle avait une étude de cas à préparer, et voulait revoir entièrement les titres du club d'investissement. Mais elle savait bien qu'elle serait incapable de se concentrer.

13

Lorsqu'on n'est pas n'importe qui et que l'on travaille dans le monde de la finance new-yorkaise, on habite dans le Connecticut ou le comté de Westchester et on fait quotidiennement la navette par le réseau Metro North. Tous les trains arrivent à Grand Central Station, au cœur de Manhattan, ce qui fait du Grand Hyatt, l'hôtel situé au-dessus de la gare, un lieu de rendez-vous idéal. Lorsqu'on n'est pas n'importe qui, c'est là qu'on prend le petit déjeuner au moins une fois par mois.

Chaque matin, la direction du Hyatt s'efforce d'accueillir toutes ces éminences grises dans un décor assez superbe pour les mettre en valeur. Le buffet généreux est décoré d'énormes bouquets et d'une sculpture sur glace représentant un immeuble particulièrement connu de Manhattan. Les couverts sont en argent massif, les nappes en lin et les serveurs gantés de blanc. Et on y paie huit dollars un petit bol de *Special K* que l'on vide en quelques cuillerées.

De sa place, Mace repéra les PDG de trois des plus grosses sociétés du pays ; ils écoutaient des hommes qui devaient être leurs banquiers personnels en se gavant d'œufs Benedict ou d'œufs au bacon payés par leurs actionnaires. Les capitaines d'industrie qu'ils étaient mettaient dans leur poche autant d'argent en frais qu'en salaire, primes et stock options.

— Votre ami est en retard, lui souffla Leeny de sa voix douce.

— Il va arriver.

Mace consulta sa montre : sept heures dix.

– Les banquiers aiment se faire attendre, ajouta-t-il. Ça leur donne de l'importance.

Il étouffa de la main un bâillement léger.

– Désolée que ma compagnie vous ennuie tant, lui dit-elle d'un ton léger.

– Excusez-moi, Leeny. Je ne sais pas pourquoi, mais je n'ai pas très bien dormi la nuit dernière.

En fait, il n'avait cessé de penser à Rachel Sommers.

– J'espère que vous n'êtes pas trop fatigué. La journée va être longue.

– Je sais. A quelle heure est notre avion ?

– Nous décollons à neuf heures de La Guardia, lui répondit-elle en sirotant un verre de jus d'orange frais.

Mace regarda de nouveau sa montre.

– Il faut qu'on y soit à huit heures au plus tard, dit-il.

– Et avec qui avons-nous rendez-vous ? Attendez, je regarde.

Elle sortit un agenda de la sacoche en cuir qu'elle avait appuyée contre un pied de la table et le feuilleta jusqu'à la date du jour.

– Ah, oui. Bobby Maxwell. Parlez-moi de lui puisque nous avons quelques minutes devant nous.

– Bobby Maxwell, une figure pittoresque de l'immobilier comme vous n'en avez jamais rencontré. Et comme vous n'aurez plus jamais envie d'en voir, d'ailleurs, dit-il en souriant. Il parle fort, il est odieux et se prend pour un homme à femmes. Vous allez faire les frais de sa galanterie, je vous le garantis.

– Vous me protégerez, lui renvoya-t-elle en haussant le ton d'une voix mal assurée. Je compte sur vous. N'oubliez pas que je viens de Géorgie. Je les connais, moi, ces soi-disant gentlemen du Sud.

Mace haussa un sourcil en percevant le sarcasme.

– Exact, dit-il.

Elle termina son jus de fruit.

– Et qu'a-t-il de si intéressant, ce M. Maxwell ? Pourquoi avons-nous rendez-vous avec lui ?

– Oh, il possède seulement un petit immeuble à Manhattan, la Trump Tower, et onze immeubles de bureaux très bien situés.

– Comment ? s'étonna Leeny en se penchant en avant. Je

croyais que Donald Trump était toujours propriétaire de la tour qui porte son nom.

– Hé non. Maxwell lui en a offert trois cents millions de dollars l'année dernière, au moment où il avait besoin d'argent pour construire un nouveau casino à Las Vegas. Naturellement, le contrat de vente stipulait que la tour devrait garder son nom. Comme ça, tout le monde le croit encore propriétaire. On dira tout ce qu'on veut, mais Trump est assez bon en affaires. Mais comme Maxwell se fichait pas mal de cette clause... Dans la jet set, on sait très bien que c'est lui qui a acheté la tour et ça lui suffit. Ce qu'on sait moins, c'est que Bobby n'y a investi qu'environ trois pour cent de sa valeur d'achat. Le reste a été apporté par de grosses compagnies d'assurances sous la forme d'obligations à taux élevé. Lewis Webster m'a demandé de cibler de belles propriétés immobilières en mauvaise situation financière. Celle-ci répond parfaitement aux critères. Maxwell ne voudra certainement pas parler de la Trump Tower aujourd'hui. Il est toujours bien trop fier d'en être propriétaire, donc on la raye de la liste. Mais ses autres immeubles ne se portent pas très bien non plus et là, il ne se fera pas prier pour en parler. Nos prix ne lui plairont pas, mais il est prêt à discuter. Et si Webster ne se trompe pas et que l'immobilier se dévalue prochainement, nous aurons Maxwell au téléphone dans la minute : ce jour-là, il nous proposera tous ses immeubles, y compris la Trump Tower. Ses malheureux trois pour cent de fonds propres s'évaporeront en un clin d'œil dans un marché en pleine panique.

– Vous connaissez un peu trop bien la transaction de la Trump Tower pour ne pas la lui avoir négociée, on dirait.

– Hé, mais dites donc, jolie petite madame, vous comprenez sacrément vite, vous, lui renvoya-t-il en imitant de son mieux l'accent du Sud.

– Parfaitement. (Elle marqua une pause en inspectant son agenda.) Une dernière question, monsieur McLain.

Mace observait depuis un moment l'un des PDG assis à la table voisine. En s'entendant appeler par son nom de famille, il se tourna vers Leeny.

– Pardon ?

– D'après mon agenda, nous rentrons ce soir par l'avion de dix heures. Pourquoi si tard ?

– Nous ne voyons Maxwell qu'à trois heures cet après-midi, et nous aurons de la chance si nous le quittons à six. Il n'y avait pas de vol pour New York avant dix heures du soir.

– Mais si notre rendez-vous n'est qu'à trois heures, pourquoi devons-nous quitter New York si tôt ce matin ?

– Après celui de neuf heures, le prochain vol est à treize heures. Nous ne serions jamais dans le bureau de Maxwell à temps.

– Le vol que nous avons prévu de prendre au retour ne nous fera pas arriver à New York avant deux heures du matin, heure locale.

– Et alors ? dit Mace en s'intéressant de nouveau à son PDG.

– Pourquoi ne pas passer la nuit à La Nouvelle-Orléans au lieu de nous tuer à rentrer tout de suite ? Nous pourrions manger acadien et aller écouter de la musique dans un petit club de jazz que je connais. Et après un petit déjeuner chez Brennan, nous repartirions à une heure chrétienne, en fin de matinée. Ça nous ferait arriver à New York en début d'après-midi et nous aurions encore le temps de travailler. Qu'en dites-vous ? Ce serait l'occasion de faire plus amplement connaissance, conclut-elle en lui adressant un clin d'œil.

Il rit. C'était drôle, mais il n'avait jamais pensé à passer la nuit là-bas. On arrive et on repart au plus vite, ainsi était-il conditionné à voir les choses. Sitôt une affaire traitée, on court à la suivante. Il n'avait jamais vécu autrement depuis qu'il avait quitté Columbia. Quelques heures passées dans un club de jazz et c'était peut-être une négociation qui vous passait sous le nez – et avec elle de gros honoraires. Il sourit à Leeny. Evidemment, les clubs de jazz avaient aussi leur charme. Il ne les avait pas beaucoup fréquentés dernièrement. Il resta un instant les yeux dans le vague. Chemisier en soie et jupe noire qui lui arrivait aux chevilles, Leeny était particulièrement jolie ce matin-là.

– Eh bien, mais...

– Mace ! Ah, désolé d'être en retard.

John Schuler s'avançait vers eux en agitant une main. Plutôt petit et presque chauve, comme beaucoup d'hommes de son âge, il commençait à prendre de la bedaine et se mouvait difficilement entre les tables et les chaises qui encombraient la salle pleine de monde.

Mace et Leeny se levèrent pour le saluer.

– Bonjour, John, dit Mace en lui serrant la main. Je vous présente Kathleen Hunt, ajouta-t-il en se tournant vers Leeny. Elle vient de passer directeur général chez Walker Pryce.

Il s'était forcé à décliner le titre de son supérieur pour ne pas déroger au protocole en vigueur dans la société.

Aussitôt impressionné, Schuler serra la main de la jeune femme.

– C'est un plaisir de faire votre connaissance, mademoiselle Hunt.

– Le plaisir est partagé, John, lui répondit Leeny avec un sourire coquet.

Mace remarqua qu'elle retenait la main du banquier dans la sienne, comme elle l'avait fait avec lui dans la limousine. Elle était vraiment bonne. Cette petite manœuvre lui rapporterait sans doute quelques centaines de millions, et le soupçon d'accent du Sud qui s'était soudain glissé dans sa voix quelques millions supplémentaires. Mais elle n'avait pas demandé à John de l'appeler Leeny. Intéressant.

Schuler toussa pour se donner une contenance.

– Je vous prie de m'excuser. Mon train a eu du retard.

– Aucune importance, dit Leeny avec un sourire chaleureux. Asseyez-vous.

Dès qu'ils eurent pris place, de jeunes serveurs vinrent leur apporter du café et du jus d'orange.

– John, nous avons un avion à neuf heures ce matin, j'irai donc droit au but, dit Mace.

Il regarda le banquier prendre un énorme cracker dans un panier en osier, le beurrer et couvrir le tout de confiture à la framboise.

– D'accord, dit Schuler en mordant à belles dents dans sa tartine.

Mace l'observait toujours. Il avait à peine fini de mâcher qu'il s'enfourna un deuxième morceau dans la bouche. Ses joues s'emplirent, lui donnant l'allure d'un lérot. Si cet homme n'en imposait guère à première vue, c'était un solide banquier qui connaissait les tenants et aboutissants du métier et savait négocier un contrat. Mace se tourna vers Leeny.

— Comme je vous l'ai dit, John est fondé de pouvoir à la Chase Manhattan. Il s'occupe de tous les prêts nationaux, ce qui comprend les prêts immobiliers et les prêts aux organismes financiers, tel le fonds dont nous nous occupons. Il est à la Chase depuis bientôt vingt-cinq ans et s'il y a quelqu'un qui soit capable de faire aboutir notre projet, c'est bien lui.

Schuler hocha la tête et se resservit dans le panier garni d'une serviette en lin.

— Depuis que je suis chez Walker Pryce, poursuivit Mace, j'ai fait plusieurs transactions avec lui et son équipe. Si certaines pouvaient sembler risquées à première vue, John a toujours su en déjouer tous les pièges, et nous n'avons jamais eu de mauvaises surprises avec lui.

— Mace me présente comme une vraie vedette, dit Schuler, la bouche pleine.

— Il s'y entend, dit Leeny en lui décochant un regard séducteur par-dessus sa tasse de café.

— Quoi qu'il en soit, reprit Mace, voici ce dont il s'agit : Walker Pryce veut rassembler un fonds qui s'appellera Broadway Ventures Limited.

— De quel montant ? demanda Schuler en reposant ce qu'il restait de sa deuxième tartine et en s'essuyant la bouche.

— Nous tablons sur une souscription totale d'un milliard de dollars.

Schuler siffla.

— C'est beaucoup, même pour Walker Pryce, dit-il. Et qu'allez-vous faire de tout cet argent ?

— Investir dans des valeurs mobilières et immobilières à New York. Ceci est strictement confidentiel.

— Naturellement, mais... (Il agita une main.) Ces valeurs sont déjà cotées assez haut, vous ne trouvez pas, Mace ?

Il mit les coudes sur la table et croisa les mains devant son visage.

Mace jeta un coup d'œil à Leeny.

— Nous pensons savoir où il y a de l'argent à gagner.

Il n'avait pas envie d'être plus précis et de lui révéler la théorie de Webster sur les corrections à attendre. L'autre flairerait instantanément la spéculation et ça, les banquiers, même les bons comme Schuler, en avaient une peur bleue.

Schuler rit en se tournant vers Leeny.

– Si n'importe qui d'autre m'avait dit ça, je l'aurais aussitôt traité de cinglé. (Il inspira lentement.) Mais Mace m'a souvent damé le pion. Et je sais que Walker Pryce ne s'engage pas sans s'entourer de précautions. (Il joua avec son cracker dans son assiette.) Et où comptez-vous trouver ce milliard de capitaux propres ?

– C'est Mlle Hunt qui s'en occupe.

Leeny posa elle aussi un coude sur la table et appuya le menton dans sa main en se penchant vers Schuler.

– Walker Pryce va initier l'opération avec cinquante millions, mais nous compléterons auprès des grandes fortunes américaines. D'ailleurs, nous avons déjà recueilli des engagements pour près de trois cents millions.

Mace lui jeta un coup d'œil. Voilà qui était nouveau. Elle n'en avait que deux cents quelques jours plus tôt. Comment faisait-elle pour trouver des sommes pareilles aussi vite ?

– Je commence à comprendre pourquoi Walker Pryce vous a recrutée au niveau de directeur, mademoiselle Hunt. Vous m'épatez.

Schuler but quelques gorgées de café, puis se tourna vers Mace.

– Et bien entendu, vous voulez que je persuade la Chase de vous prêter de l'argent au vu de votre milliard de capital, à un taux d'intérêt ridiculement bas qui vous permettra de faire effet de levier, d'acheter davantage d'actions et d'immobilier et de vous remplir d'autant mieux les poches que leur valeur augmentera.

– Ce que j'aime chez vous, lui renvoya Mace en lui tapant dans le dos, c'est que vous ne tournez pas autour du pot.

Schuler eut un sourire ironique et désabusé.

– Evidemment, si la valeur totale de vos investissements chute au-dessous du montant de mon prêt, c'est moi qui suis refait.

(Il redevint sérieux.) Combien voulez-vous pour votre effet de levier ?

– Un pour un, dit Mace du tac au tac. Nous voulons un milliard de dollars de prêt bancaire en plus de notre capital. Ça nous fera un total de deux milliards.

Schuler s'étrangla et écarta sa tasse de sa bouche.

– Un pour un ? Les années quatre-vingt sont terminées, Mace, dit-il en ouvrant de grands yeux. Vous voulez que je vous trouve un milliard de prêt pour un fonds de deux milliards en tout ? Et, bien sûr, nous nous engagerons à l'aveuglette. Vous allez exiger le minimum de restrictions bancaires sur vos investissements.

Mace acquiesça d'un hochement de tête solennel.

– Vous allez avoir du mal dans le marché actuel. Même vous et Walker Pryce. Je pourrais sans doute vous mettre cinq cents millions sur la table rapidement, mais uniquement parce que le commanditaire est Walker Pryce et que je vous connais personnellement. Mais un milliard... A la Chase, j'aurai du mal à convaincre les pouvoirs en place.

– Mais justement ! s'écria-t-elle. Mace me dit que les pouvoirs en place, c'est vous.

Elle fit glisser sa main sur la nappe et serra les doigts boudinés de Schuler entre les siens. Puis elle reprit sa pose.

Schuler lui sourit nerveusement. S'il avait envie de lui en mettre plein la vue, il voulait aussi éviter que sa carrière s'arrête net au niveau de simple fondé de pouvoir. Il visait de plus hautes fonctions. D'un autre côté, en s'engageant sur ce projet, il verrait souvent cette créature de rêve pendant les semaines à venir et même, qui sait, au-delà. Il pensa soudain à sa femme qui avalait les cartes de crédit aussi gloutonnement que les pâtisseries. Une pareille chance ne se représenterait peut-être jamais, et il lisait dans les yeux de la jolie blonde qu'elle était prête à faire une petite entorse à la morale pour avoir son argent.

– Alors, vous pouvez faire quelque chose pour moi ? lui demanda-t-elle en penchant doucement la tête de côté.

Dans le mouvement, ses boucles blondes s'éparpillèrent sur ses épaules. C'en fut assez pour faire basculer Schuler dans l'abîme.

Mace gloussa intérieurement. Il était admiratif.

– En admettant que j'arrive à obtenir de la Chase un engagement d'un milliard de dollars en prêt bancaire, qu'est-ce que
ça me rapporte ? dit Schuler en tripotant ses couverts.

Un engagement pour une souscription d'un milliard ! C'était
proprement incroyable. Mace n'en espérait pas tant. En bon
négociateur qu'il était, il s'était donné un ratio de départ de un
pour un comme base de discussion et pour pouvoir fixer le haut
de la fourchette, mais il savait que c'était un objectif hors de
portée et qu'il devrait s'estimer heureux d'en obtenir la moitié.
Au lieu de quoi, Schuler répondait de la Chase pour la totalité
de la somme, et cela après un petit déjeuner de rien du tout.
Comme il l'avait dit lui-même, c'était sur la solide réputation
de Walker Pryce et sur la compétence de Mace qu'il s'appuyait.
Sauf que Mace savait aussi que le petit mouvement de cheveux
de Leeny y était pour beaucoup. La réalité dépasse vraiment la
fiction, se dit-il.

– Le taux de rémunération sur tous les montants tirés sera
égal au coût de la ressource de la Chase plus trois pour cent,
dit Mace d'une voix égale. Pour tous les montants engagés mais
non tirés, la banque recevra soixante-quinze points de base, soit
zéro soixante-quinze pour cent. Et si, comme vous le dites, la
Chase s'engage à investir un milliard de dollars, vous toucherez
une commission de deux pour cent à la signature.

Schuler haussa les sourcils.

– C'est beaucoup.

– Oui, mais vous le méritez. Et nous voulons que les choses
se fassent vite, dit Mace fermement.

Webster avait déjà donné son accord pour la rémunération
deux jours plus tôt. C'était même lui qui en avait suggéré le
taux, au grand dam de Mace. D'habitude, il se montrait plutôt
pingre quand il s'agissait de payer les banques.

Le garçon s'approcha, son carnet à la main.

– Puis-je prendre vos commandes ?

Mace consulta sa montre. Il était huit heures passées.

– Non, désolé, dit-il en se levant. Il faut nous excuser, John,
ajouta-t-il en serrant la main du banquier, mais nous ne voulons
pas rater l'avion. Vous comprenez.

– Mais bien sûr.

Schuler se leva en même temps que Leeny, qu'il regarda à la dérobée. Il était manifestement déçu et regrettait d'avoir eu l'impudence de les faire attendre.

– Désolé de mon retard, répéta-t-il. C'était vraiment grossier de ma part.

Leeny lui serra la main en souriant.

– Ne vous en faites pas. Quelque chose me dit que nous aurons très bientôt l'occasion de faire plus ample connaissance. Je suis impatiente de travailler avec vous, John.

– Moi de même, lui répondit Schuler après une brève hésitation.

Il jeta un coup d'œil à Mace. Il était pris telle une mouche dans une toile d'araignée. Si Leeny lui avait présenté les papiers tout de suite, il les aurait signés.

Mace se tourna vers le garçon et lui glissa un billet de cent dollars dans la main.

– Soyez gentil d'apporter à Monsieur tout ce qu'il désirera. Et, pendant qu'il attend, vous devez bien avoir le *New York Times*? Je parie qu'il a déjà lu le *Journal*.

– Bien vu, monsieur McLain, lui répondit Schuler en riant.

– Je vous contacte dès demain, John, dit Leeny en s'éloignant avec un petit signe de la main. Il nous faut votre réponse le plus tôt possible.

Schuler hocha vigoureusement la tête.

– Je m'y mets dès que j'arrive à la banque. Quand vous atterrirez à La Nouvelle-Orléans, il y aura déjà toute une équipe sur votre affaire.

Et il la suivit d'un œil langoureux.

– Parfait, lui lança-t-elle en se retournant une dernière fois.

En arrivant à l'accueil, Mace se pencha vers elle.

– On devrait vous appeler le barracuda, dit-il.

– C'est déjà fait, répondit-elle en partant d'un rire léger.

Mais en son for intérieur, elle ne riait pas. Schuler la dégoûtait, presque autant qu'elle-même se dégoûtait d'avoir accepté de prendre part à cette magouille. Ce petit homme était absolument répugnant. Mais Webster avait été clair : faites ce qui s'impose. Elle se détourna, pleine d'amertume.

Tout ce qu'il aurait pu lui dire de Bobby Maxwell aurait été en dessous de la vérité. Cet homme était une caricature de contrastes. Ramassés en queue de cheval, ses cheveux poil de carotte lui descendaient jusqu'aux omoplates par-dessus son costume Armani. Sa carte de membre du Sierra Club était accrochée au mur, à côté d'une photo joliment encadrée où on le voyait écarter les mâchoires d'un énorme alligator qu'il avait tué au fin fond du bayou louisianais. Sur un coin de son bureau trônait le drapeau confédéré. De l'autre côté se trouvait une deuxième photo de lui en train de serrer la main des leaders du chapitre local de la NAACP, l'Association nationale pour l'avancement des gens de couleur. Et Leeny fut certaine d'entendre, sous son fort accent du Sud, quelques intonations de Brooklyn.

– Vous voulez faire quoi, Mace ?

Maxwell parlait d'une voix extraordinairement forte, même en temps normal.

Debout devant l'immense fenêtre du bureau qui dominait de cinquante étages la ville surnommée « le Croissant », Mace regardait le Mississippi couler vers le golfe du Mexique dans la lumière déclinante du jour.

– Je veux acheter votre propriété de Manhattan pour cent millions de dollars. L'immeuble situé au coin de Lexington Avenue et de la 47e Est.

– Redites-moi ça, Mace McLain, que je rigole encore une fois. Allez ! Ça fait un bail que je ne me suis pas fendu la gueule en entendant une bonne blague. Là, vous avez vraiment fait fort.

Mace se détourna de la fenêtre et fit face à Maxwell.

– Je ne plaisante pas, Bobby, lui renvoya-t-il d'un ton égal. Cent millions de dollars.

Maxwell se tapa les cuisses en hurlant de rire.

– Et moi qui vous prenais pour un type sérieux !

Soudain, il ôta ses pieds chaussés de bottes de reptile de dessus son bureau, se pencha en avant, prit, à côté du drapeau, une grenade de la Seconde Guerre mondiale et la lança de toutes ses forces sur le mur opposé.

Leeny, qui lorgnait la grenade du coin de l'œil depuis qu'elle était entrée dans la pièce, se tassa sur elle-même lorsque le projectile s'écrasa sur le mur à grand bruit. Ses lunettes en tombèrent sur la moquette.

— T'as cru que c'était une vraie, hein, chérie ? Mace, elle croyait qu'elle était amorcée ! hurla Maxwell en partant d'un grand rire tandis que Leeny ramassait ses lunettes.

Mace ne s'amusait guère. La conversation ne menait nulle part. Hormis la Trump Tower, ils avaient passé en revue tous les immeubles que Maxwell possédait à Manhattan et, comme prévu, l'investisseur louisianais avait poussé des cris d'orfraie en entendant le prix qu'il lui en proposait. C'est vrai qu'à peine au-dessus de la valeur du nantissement, ses offres étaient peu alléchantes ; mais c'était Webster qui en avait fixé le montant. Mace avait essayé de convaincre son patron qu'il perdrait son temps, mais celui-ci n'en avait eu cure. Laissez-le rire, avait-il dit. Ses protestations, c'est du vent. Parce que au moment du krach, il ne rira plus. Ce qui était bien beau pour un Webster qui pouvait rester à l'abri dans sa tour d'ivoire avec ses trois cents millions de dollars et y vivre comme un roi jusqu'à la fin de ses jours même si le krach ne se produisait jamais et que Broadway Ventures foirait.

Pour Mace, les choses étaient différentes. En cas d'échec, il devrait réintégrer la branche Conseil des services financiers. Et ses contacts, savoir des gens du genre Bobby Maxwell, auraient perdu confiance en lui.

Maxwell secoua la tête.

— Oh, Mace, je vous adore, vous savez. Depuis que vous m'avez admirablement négocié la Trump... Non, vraiment. Et je suis prêt à vous prouver ma reconnaissance autrement que par les honoraires que je vous ai déjà lâchés. Mais j'ai une réputation de négociateur acharné à défendre, vous comprenez.

Soudain, Mace prit son veston qu'il avait posé sur une table devant la fenêtre et s'approcha du bureau.

— Désolé de vous avoir dérangé, Bobby. Allez, on s'en va, ajouta-t-il en se tournant vers Leeny.

Elle se leva sans se faire prier.

— Allez, allez, mon vieux ! Ne prenez donc pas la mouche

comme ça. Vous avez bien deux minutes. Ecoutez : vous montez de vingt millions sur l'immeuble de Lexington Avenue et j'accepte. Je vous fais encore un sacré cadeau, mais c'est parce que je vous aime bien. (Il se leva de son fauteuil de cuir.) Tenez, je vous invite à dîner. D'abord, je vous emmène chez moi dans les bayous, histoire de montrer à la demoiselle comment on chasse l'alligator à la lampe électrique. Vous avez déjà chassé le croco ? demanda-t-il à Leeny.

Elle secoua vivement la tête et croisa instinctivement les bras sur sa poitrine.

– C'est marrant comme tout, croyez-moi ! Après ça, on demandera à la bonne de nous préparer une grillade et vous et moi irons faire une petite promenade. Il y aura beaucoup de lune cette nuit et ce sera au poil pour voir les reptiles. On laissera Mace à la maison et on descendra tous les deux au bord de l'eau. A ce moment-là, peut-être que je me contenterai d'une augmentation de quinze millions de dollars sur Lexington.

Mace s'interposa.

– Merci, Bobby, mais nous avons un avion à prendre.

– Merde !

Maxwell se gratta la tête en cherchant un moyen de retenir Leeny pour la soirée.

Mace la prit par la main et l'entraîna vers la sortie. Quelques instants plus tard, la porte de l'ascenseur se refermait sur eux.

Leeny se mit à rire en hochant la tête.

– Je n'ai jamais vu un plouc pareil ! s'écria-t-elle.

– Ne vous y trompez pas, dit Mace en regardant défiler les numéros des étages. Cet homme pèse près d'un milliard de dollars.

– Hein ?

– « Yes, ma'am », lui répondit Mace qui avait repris cette expression du Sud en imitant Maxwell. Mais c'est bizarre, tout de même...

– Quoi ?

– Il suffirait que l'immobilier chute de dix pour cent pour qu'il soit ruiné. Failli. Foutu. Et aujourd'hui, c'est un caïd. Tel est le pouvoir de l'effet de levier, Leeny. C'est pour ça que notre pays est si extraordinaire. Si un moins que rien comme Bobby

Maxwell arrive à convaincre une banque de lui accorder un prêt, il peut devenir milliardaire du jour au lendemain.

Les portes de l'ascenseur s'ouvrirent sur le hall du Maxwell Building, le plus haut gratte-ciel de La Nouvelle-Orléans.

Vingt minutes plus tard, Mace et Leeny étaient installés à une table au fond du Blue Note Heaven, un club de jazz à la mode sis au cœur du Quartier français. Tout en observant l'orchestre, Mace remonta les manches de sa chemise blanche, puis il prit son verre de bière fraîche, trinqua avec Leeny et but. C'était délicieux. Il le reposa et attaqua l'énorme plat d'étouffée de crevettes aux épices. Il n'avait rien avalé depuis la salade de fruits qu'on leur avait servie dans l'avion et se sentait tout à coup une faim de loup.

– Eh, laissez-en pour les autres, monsieur McLain.

– Désolé, Leeny.

Il jeta la carapace et les pattes d'une crevette dans le saladier prévu à cet effet, en trempa la chair orangée dans un petit bol de sauce piquante, se fourra la bestiole dans la bouche et poussa le plat vers Leeny.

– Je meurs de faim.

– Ça se voit, dit-elle en prenant une crevette, qu'elle décortiqua. On est bien ici, non ?

– Si. (Mace s'essuya la bouche.) Vous ne m'avez toujours pas dit pourquoi vous avez quitté votre boulot chez LeClair & Foster. Ce devait être un très bon job. Et à San Francisco, qui plus est.

Leeny soupira.

– Vous tenez donc tant à raviver les mauvais souvenirs ?

– Vous ne vous entendiez pas avec les associés, c'est ça ?

– Ça n'a rien à voir avec la boîte. J'aimais beaucoup mon travail.

– Alors, il faut que vous ayez eu une bonne raison, dit-il en lui souriant.

– Ah, vous avez fait vos recherches, hein ?

Son divorce avait été totalement étranger à cette décision, mais s'il lui plaisait de penser le contraire, elle n'allait pas le contrarier.

– Ça vous étonne ? Vous l'avez bien fait pour moi. Avec toute la technologie dont on dispose aujourd'hui, il faudrait être vraiment bête pour ne pas prendre les cinq minutes qui vous apprendront tout sur quelqu'un.

Il marqua une pause. Il avait envie d'en savoir davantage et elle refusait de coopérer. Mais il n'avait aucune raison de la harceler et de gâcher une soirée qui s'annonçait de plus en plus agréable.

– Dites-moi, comment êtes-vous sans vos lunettes ?

– Vous tenez vraiment à le savoir ? lui répondit-elle, toute séduction.

– Allez, montrez-moi, lui lança-t-il en buvant une gorgée de bière.

– Il n'y a qu'une seule chose qui puisse me faire enlever mes lunettes.

– Laquelle ?

– Pourquoi n'appelez-vous pas mon ex-mari pour le lui demander ? lui renvoya-t-elle sans s'émouvoir.

– Oh !

Il rit, puis il poussa un long soupir.

– Qu'est-ce qu'il y a ?

– Nous venons de perdre une journée entière. Maxwell ne vendra jamais au prix que nous lui offrons. Il faut convaincre Webster de monter de dix pour cent.

– Oubliez donc tout ça pour l'instant. Amusez-vous.

Il regarda l'heure.

– Il est presque temps de partir pour l'aéro...

– Pas question.

Elle lui prit le poignet et se leva.

– Allez, venez !

L'orchestre venait d'entamer un morceau rapide soutenu par la basse et la piste se remplissait rapidement de fêtards un peu soûls.

– Non, je danse comme un pied ! cria-t-il pour couvrir la musique. Je vous assure.

– Suivez-moi !

Il était clair qu'elle n'admettrait pas de refus.

Il termina sa chope et se laissa entraîner dans la foule tournoyante et gesticulante. N'aimant guère se donner en spectacle, il avait besoin de l'aide de l'alcool.

Pendant la demi-heure qui suivit, il entraîna Leeny d'un bout à l'autre de la piste sur les morceaux rapides, et la sentit se rapprocher de lui sur les tempos lents. Enfin, tous les deux exténués, ils retournèrent à leur table et se laissèrent tomber sur leurs chaises.

— Oh, dit-elle en posant une main sur sa poitrine.

Elle prit son verre de gin tonic, dans lequel les glaçons avaient fondu.

— Et vous qui vous disiez mauvais danseur ! J'aurais dû me méfier. Il ne faut pas oublier que vous étiez athlète en fac.

Il lui sourit. Elle était sexy, intelligente, et dansait diablement bien. Il avait beau se dire que ce n'était pas une fameuse idée d'être trop proche d'une collègue de travail, il avait de plus en plus de mal à résister à son charme.

Elle l'entraîna dans la chambre d'hôtel, mit les mains derrière sa nuque et l'embrassa sur la bouche. Il se laissa faire. Ses lèvres humides et chaudes avaient un goût merveilleux. Du bout du nez, elle lui agaça le cou, puis lui déboutonna sa chemise.

— Tu vois, lui souffla-t-elle, je t'avais bien dit que ce serait une bonne idée de passer la nuit ici.

Elle écarta les pans de sa chemise et lui glissa les mains sur la poitrine en l'embrassant dans le cou.

Mace s'adossa au mur et elle le prit par les épaules. Dieu, que c'était bon. Soudain, il la souleva par la taille, amenant son visage à la hauteur du sien. Elle releva sa jupe pour pouvoir lui nouer les jambes autour de la taille et continua de lui mordiller l'oreille. Elle sentait toute la force de son torse.

— Je ne suis pas trop lourde ?

— Non.

Ils n'avaient pas complètement refermé la porte, il la regarda dans la lumière du palier.

— Tu es légère comme une plume, dit-il.

Et en effet, elle ne pesait rien.

— Mmm. Continue. Continue comme tout à l'heure.

Elle l'embrassa de nouveau, mais cette fois sa main glissa jusqu'à la boucle de sa ceinture.

Dans la lumière faible Mace la regardait toujours, en guerre avec sa conscience.

– Arrête.

Il la reposa par terre.

– Que j'arrête quoi ?

– Ça. Il faut qu'on arrête, dit-il en inspirant un bon coup pour rassembler toute sa volonté.

– Pas question.

Elle voulut s'agenouiller, mais il la prit par les bras et la remit doucement sur ses pieds. Il ressentait toujours l'effet de l'alcool. Ç'aurait été si facile de la laisser faire ce dont ils avaient envie tous les deux. Mais ils étaient ensemble pour travailler et il savait bien que lorsqu'il y avait autre chose entre un homme et une femme, les trois quarts du temps le travail en pâtissait.

– Ce n'est pas que tu ne me plais pas.

– Qu'est-ce que c'est, alors ? lui demanda-t-elle en lui caressant doucement la joue.

– Nous sommes collègues. Ça compliquerait les choses. Nous ferions tout pour éviter que ça nous dérange, mais tôt ou tard, ça finirait par nous poser des problèmes.

– Moi, ça ne me dérangerait pas, murmura-t-elle.

– Non, je veux bien te croire, dit-il avec un petit rire. Apparemment, tu prends les choses comme elles viennent et rien ne te fait peur de ce côté-là. Disons que c'est de ma faute.

– Une seule nuit. Après, plus rien. Promis. Et je n'en parlerai jamais.

De nouveau, il respira profondément. Elle ne lui facilitait pas la tâche.

Du dos de la main, elle lui caressa doucement la poitrine en le regardant dans les yeux. Puis elle recula vers le lit et se mit à se déshabiller, toujours sans le quitter des yeux. Avec des gestes sensuels, elle ôta un à un ses vêtements, puis sa lingerie, exposant peu à peu sa peau soyeuse à ses regards. Une fois nue, les bras le long du corps, elle lui sourit, effleurant ses cuisses du bout des doigts. Elle se raidit et ferma les yeux comme si elle éprouvait un plaisir intense au seul contact de ses ongles sur sa peau.

Elle s'avança lentement vers lui, lui posa une main sur l'épaule et ôta ses lunettes.

– Tu l'avais deviné, c'est le seul moment où j'enlève mes lunettes, lui dit-elle d'un ton sage.

Elle lui prit le visage dans les mains et l'embrassa, suçant sa lèvre inférieure. Il sentit ses seins sur sa poitrine. C'était irrésistible.

– Je n'en peux plus, Mace. Avec ou sans toi, il faut que je fasse quelque chose, dit-elle à voix basse.

Sur quoi elle s'écarta de lui et monta lentement sur le lit, où elle se coucha sur le dos.

Elle se passa une main dans les cheveux et l'autre sur les seins, puis sur le ventre, et plus bas. Mace n'y tint plus.

En quelques secondes il fut à côté d'elle, nu comme un ver. Ils s'embrassèrent avec tendresse, puis elle se glissa sous lui, impatiente. Elle le tira doucement pour l'amener au-dessus d'elle.

Mace plongea le regard dans ses yeux. Il avait presque oublié l'ivresse de ces moments.

– Leeny, ne me demande pas de m'engager à quoi que ce soit.

Avec les chevilles, elle lui caressa l'arrière des mollets, puis des cuisses. Il la pénétra, aussitôt elle cambra les reins, ses seins effleurant la poitrine de Mace.

– Ne parle pas, murmura-t-elle. Pas maintenant. Laisse-moi profiter de toi.

– Etes-vous sûr que Mlle Hunt surveille M. McLain de près, Webster ?

– Absolument sûr, murmura Webster dans le téléphone. De très près.

Il détestait ces appels qui se faisaient de plus en plus fréquents à mesure qu'on approchait de la date fatidique.

– McLain m'inquiète. D'après tous les échos que j'ai pu recueillir, c'est un homme extrêmement brillant et qui risque de découvrir le pot aux roses.

– S'il se doute de quoi que ce soit, je l'apprendrai et je vous le ferai savoir immédiatement. Et j'imagine que vous prendrez les mesures nécessaires.

– Effectivement. Le hic, c'est que notre seule source de renseignements est Mlle Hunt. Or rien ne nous dit qu'elle saura rester impartiale.

– Vous pensez qu'elle pourrait le mettre au courant ? s'étonna Webster. Elle sait très bien qu'en le faisant, elle signerait leur arrêt de mort à tous les deux.

– Ce que je pense, c'est qu'elle risque de succomber à son charme.

Webster hésita. Il se rappela le jour où, dans son bureau, elle lui avait effectivement dit que Mace avait beaucoup de charme.

– Elle ne serait pas aussi bête.

– Il n'empêche : je ne veux pas avoir Mace McLain dans les pattes plus longtemps que nécessaire. Quand aura-t-il tout mis en place auprès des banques et choisi ses cibles immobilières et ses titres ? Quand pourrons-nous nous débarrasser de lui ?

– Ça ne saurait tarder. Dans quelques semaines tout au plus.

– Parfait.

Webster perçut la satisfaction de l'homme à l'autre bout du fil.

– Je ne pense vraiment pas qu'il y ait matière à s'inquiéter, insista-t-il. Mais si ça peut vous rassurer, faites-le suivre pendant les dernières semaines.

– C'est une possibilité. Mais je ne veux pas courir le risque d'éveiller ses soupçons.

– Ça vaudrait mieux, oui, dit Webster en inspirant un bon coup.

– Une dernière chose, avant que je vous laisse, reprit l'homme pour changer de sujet.

– Oui ?

– Ils vont bientôt avoir besoin d'argent, en Virginie-Occidentale.

– Ah.

– Oui. La semaine prochaine, tout ce qui vient de chez vous sera sur le compte de la Chase. Quand les neuf cents millions de dollars y auront rejoint le reste, je veux que vous versiez les cinquante autres apportés par Walker Pryce. Ensuite, vous ferez un virement d'un million à la filiale de la Charleston National de Sugar Grove pour nos contacts là-bas. N'attendez pas que Mlle Hunt ait réuni les cinquante millions des investisseurs extérieurs.

— Bien.

— Ce devrait être le dernier envoi que nous leur faisons. C'est bien compris ?

— Naturellement.

Webster était au supplice. L'autre toussa dans le téléphone.

— Quand Mlle Hunt aura-t-elle l'argent qu'elle est chargée de rassembler ?

— Très bientôt, d'après ce qu'elle me dit. Dans quinze jours au plus tard.

— Bien.

Webster hésita.

— Vous me mettrez au courant avant de lâcher les chiens sur McLain ?

— Ça vous intéresse ?

Webster avala sa salive. Ce n'était pas pour Mace qu'il se tracassait. Ils pouvaient bien le hacher menu et le jeter en pâture aux requins, cela ne lui ferait ni chaud ni froid. Il voulait seulement avoir un signal d'alarme en ce qui le concernait lui. Il n'avait aucune raison de leur faire confiance.

— J'aimerais vous assurer que nous pouvons nous débarrasser de lui.

— Je ne manquerai pas de vous contacter, dit l'homme d'un ton de défi.

— D'accord.

Webster n'avait aucune idée de ce à quoi pouvaient ressembler les tractations avec la Mafia. On n'était jamais sûr de rien. On vivait dans la peur.

— Au revoir, Lewis.

— Au revoir.

Webster raccrocha d'une main tremblante.

Mace s'éveilla lentement d'un sommeil profond. L'esprit encore embrumé, il eut cependant une impression bizarre. Il se frotta les yeux un long moment et les ouvrit enfin. Dans le matin gris qui filtrait entre les rideaux, le visage de Leeny se dessina. Agenouillée près de lui dans le lit, la tête tout près de la sienne, elle le scrutait d'un regard intense. Parfaitement immobile, elle ne cillait pas.

– Leeny ? dit-il, brusquement tout à fait réveillé. Ça va ?

Elle ne réagit pas, ne bougea pas et continua de le dévisager avec une fixité de statue.

– Leeny ! cria-t-il en tendant la main vers sa joue.

Elle s'écarta vivement. Elle le regarda pendant quelques secondes encore, puis se leva et se dirigea sans mot dire vers la salle de bains.

Mace la suivit des yeux, bouche bée.

Elle referma la porte, alluma la lumière et se pencha au-dessus du lavabo pour se regarder dans la glace. Elle était une pute de luxe. Ni plus ni moins. Voilà ce qu'elle était devenue.

Sans détourner le regard, elle attrapa sa petite trousse de maquillage. D'une main qui tremblait violemment, elle fouilla dedans et finit par trouver le médicament. Elle sortit le petit flacon, en sortit cinq pilules vertes minuscules et se les mit dans la bouche. C'était injuste d'avoir à subir ça. Ce qu'on l'obligeait à faire était tout simplement immonde. Comment avait-elle pu tomber aussi bas aussi vite ?

14

Du trente-sixième étage de l'immeuble abritant le siège d'Andrews Industries, le vice-président regardait la nuit descendre sur Detroit. Il se vida lentement les poumons en contemplant la grande tache sombre du lac Saint Clair. Les choses allaient mal. Andrews Industries, fondée par son arrière-grand-père quatre-vingts ans plus tôt afin d'alimenter en pièces détachées une industrie automobile naissante, avait un chiffre d'affaires de quelque cinq milliards de dollars et, huit décennies durant, avait assuré une vie de rêve à sa famille. Mais aujourd'hui, la société avait un besoin urgent de capitaux. Et Preston aussi, d'ailleurs, qui avait déjà vidé tous ses comptes personnels pour régler ses frais de campagne. Comme le lui autorisait son statut d'actionnaire à trente pour cent, il avait prévu de sortir des liquidités pour financer sa bataille contre Malcolm Becker. Mais maintenant que le bateau faisait eau de toutes parts, c'était devenu impossible. Les coffres, longtemps assez pleins pour permettre de verser des dividendes telle une véritable corne d'abondance, étaient subitement à sec. Et cette catastrophe ne pouvait pas tomber plus mal.

Andrews eut un petit ricanement. Il détestait Becker. C'était un opportuniste, ni plus ni moins. Un égoïste qu'aidait beaucoup le succès du projet Wolverine et qui tirait parti de la soudaine publicité que cela lui rapportait pour briguer les plus hautes fonctions du pays, le mandat présidentiel.

Becker n'en était pas moins incapable de gouverner un pays, surtout aussi complexe que les Etats-Unis d'Amérique. Commander une armée, obtenir des renseignements secrets, diriger la CIA, il savait faire et c'était là sa place : de l'autre côté du Potomac. Andrews gloussa en imaginant Becker en train de recevoir un chef d'Etat étranger à dîner. Ce serait épouvantable. Il roterait, desserrerait sa ceinture au dessert...

Et comment faisait-il donc pour financer sa campagne ? Il ne possédait pas de fortune personnelle et sortait d'une famille modeste qu'on imaginait aisément travaillant sur les chaînes de montage de l'une ou l'autre des dix-sept usines qu'Andrews Industries possédait dans tout le pays. L'argent ne pouvait pas provenir de là. Il avait beau être directeur de la CIA, ce poste ne devait pas lui rapporter des mille et des cent. Pas assez en tout cas pour couvrir les frais d'une campagne nationale. Quant aux dons des sympathisants, pour l'instant, ça ne tenait pas du pactole non plus. Andrews le savait, il s'était renseigné.

Comment Becker finançait-il donc tous ces clips où on le voyait en Américain coriace faisant trembler tous les gouvernements de la terre ? Andrews plissa les paupières. Il croyait tenir la seule réponse possible : l'argent provenait de comptes secrets de la CIA. Pareil usage des fonds publics était totalement illégal, mais l'assistant de Becker, Ferris le Rat, veillait si jalousement sur la caisse qu'il était impossible de savoir ce qui se tramait. Qu'importe, Andrews trouverait. Il avait déjà réussi à convaincre le seul homme ayant droit de regard sur ces comptes, le seul homme qui, de fait, pouvait malmener Ferris, de faire le nécessaire. Cet homme n'était autre que Bob Whitman, le président des Etats-Unis.

Après de longs mois de discussions, Andrews lui avait finalement ouvert les yeux : l'importance des commandos Wolverine et de l'équipement militaire acheté pour les armer était telle que Becker avait forcément dépassé le budget qu'il avait lui-même approuvé au départ. Il devait donc financer les Wolverines sur des enveloppes destinées à d'autres opérations de la CIA. Andrews se moquait bien de savoir comment Becker utilisait ses fonds. Mais si on arrivait à prouver qu'il y avait eu des irrégularités au départ, l'audit s'étendrait à d'autres comptes et les inspecteurs du Trésor découvriraient le financement occulte de la campagne – et sans doute d'autres détournements à but d'enrichissement personnel. Ce serait la fin du candidat Becker et lui, Preston Andrews, courrait vers la victoire car il n'aurait plus d'adversaire.

Enfin convaincu, le président avait fini par exiger que Becker lui fournisse des comptes détaillés, et lui avait imposé de sévères restrictions budgétaires. Andrews tenta de réprimer un sourire. Si seulement il avait pu voir la tête du directeur de la CIA quand il avait reçu la note. L'examen des comptes prendrait du temps. Becker et Ferris feraient tout pour atermoyer. Mais, à condition de maintenir la pression sur le président – et Robin l'y aiderait –, ils ne tiendraient jamais les neuf mois qui les séparaient de la présidentielle.

Il aurait la peau de Becker. Il ne lâcherait pas prise tant qu'il n'aurait pas révélé au grand jour les malversations de la CIA et à moins que Becker trouve un moyen de camoufler le gouffre financier qu'était le projet Wolverine... Andrews appuya la paume de la main contre la vitre. Surtout, ne pas sous-estimer Becker. C'était la règle d'or.

– La nuit est belle, n'est-ce pas ?

Robin Carruthers l'avait rejoint et regardait les lumières de la ville avec lui. Elle sourit, puis alla s'asseoir à la table de conférences.

Robin était une femme extraordinaire, et d'une loyauté sans faille. Intelligente, capable et plutôt séduisante. Elle aurait dû se fixer avec quelqu'un depuis longtemps. Au lieu de quoi, elle lui avait tout sacrifié.

– Oui, dit-il doucement, et il alla s'asseoir à côté d'elle.

– Alors, comment allez-vous, Preston ?

– Pas mal.

– Vous semblez préoccupé.

Andrews lui tapota la main et lui adressa son grand sourire bienveillant et lumineux. Son « sourire de podium », comme elle disait.

– Non, ça va. Je me fais simplement un peu de souci pour Andrews Industries. Et j'ai peur que Becker découvre l'état de nos finances. (Il sourit de nouveau.) Mais ça ira.

D'un geste coutumier, Robin lui prit la main et se mit à la masser. Preston se détendit.

– Vous croyez vraiment que Becker peut venir fourrer son nez ici ? C'est une société privée, ne l'oublions pas.

– Et lui, c'est un espion. C'est même le meilleur du pays. Le gouvernement le paye pour recueillir des renseignements sur les gens comme moi. Je ne vois pas ce qui l'empêcherait de le faire de temps en temps pour son compte personnel. Je suis prêt à parier qu'il a déjà infiltré la société, et en particulier le service comptable. Si ce n'est déjà fait, ça ne saurait tarder. Il est très méthodique, notre ami Becker.

– C'est vrai.

Les yeux dans les siens, Robin lui massait le creux entre pouce et index. Preston était beau comme une star de cinéma. Grand, cheveux châtain clair toujours impeccablement coiffés, dentition irréprochable, teint parfait et perpétuellement hâlé, il possédait toute une panoplie de sourires : du sincère au malicieux, il en avait un pour chaque situation. Une belle réussite. Et il traversait les tempêtes sans vaciller. Ses sourires étaient plus qu'un simple vernis.

– Il passera l'info au *Wall Street Journal* et au *New York Times* qui en feront le scoop de l'année, poursuivit-il. Il prétendra que quelqu'un qui ne sait pas gérer ses affaires est incapable de diriger un pays. Il arrivera sans doute à dénicher quelques irrégularités dans ma boîte pour prouver que je suis non seulement mauvais gestionnaire, mais aussi malhonnête. Que je vole ma propre famille et que, par conséquent, je volerai le peuple. Ou pire encore.

– Mais il n'y a rien à découvrir.

Il la regarda. Elle était vraiment d'une loyauté à toute épreuve. Mais sept années à Washington ne lui avaient pas encore fait perdre toute sa naïveté – naïveté dont il bénéficiait largement : il pouvait lui faire faire des choses que d'autres, plus cyniques, lui auraient refusées.

– C'est vrai, dit-il fermement. Mais ça ne l'empêchera pas de fabriquer des preuves de toutes pièces.

– Tout ira bien, l'assura-t-elle en continuant de lui masser la main.

– Votre confiance me met du baume au cœur. Ça fait du bien, dit-il en la regardant faire.

– C'est le but de l'opération, lui renvoya-t-elle sans relever la tête. Il faudrait peut-être que vous engagiez du personnel de sécurité et que vous disiez à vos comptables d'en faire autant.

– Peut-être. Mais ce qu'il me faudrait surtout, c'est mettre la main sur le compte d'exploitation du projet Wolverine.

– Ça nous permettrait de voir s'il détourne l'argent de la CIA pour financer sa campagne.

Elle avait terminé sa pensée presque automatiquement, tant ils en avaient déjà parlé ensemble.

Il rit.

– Il faut que j'arrête d'y penser, ça va me rendre fou.

– Bonjour, monsieur le vice-président.

Bob Howitt, directeur d'Andrews Industries, entra dans la salle. Il remarqua que Preston retirait subrepticement sa main à Robin et la portait à son menton.

– Ça me fait toujours un peu drôle de vous appeler comme ça, ajouta-t-il avec un petit rire gêné.

Il dirigeait l'entreprise depuis six ans et les difficultés financières actuelles le plaçaient sur un siège éjectable.

– Bon sang, je me souviens du temps où vous étiez étudiant. J'étais tout nouveau ici. La société faisait à peine cinq cents millions de dollars de chiffre d'affaires à l'époque.

Robin et le vice-président s'étaient levés pour l'accueillir. Les deux hommes se serrèrent la main.

– Vous vous souvenez de Robin Carruthers, mon directeur de cabinet, dit Andrews, peu sensible à la nostalgie.

– Bien sûr. Ravi de vous revoir, Robin, dit Howitt en lui donnant une rapide poignée de main.

Robin lui sourit poliment. Petit et maigre, Howitt avait un physique assez commun. Elle l'avait déjà rencontré plusieurs fois et se souvenait de lui comme d'un homme à qui on donnait beaucoup moins que son âge. Maintenant, à cinquante-cinq ans, il en paraissait soixante-dix. La famille Andrews devait lui en faire baver depuis qu'il y avait tous ces problèmes, se dit-elle.

– Prenez un siège, Bob, dit le vice-président d'un ton qui n'avait rien d'amical, puis il se rassit.

– Oui, oui, bien sûr, murmura Howitt en se glissant sur le siège voisin.

Andrews ne perdit pas de temps.

– Quelle est l'ampleur des dégâts, Bob ? demanda-t-il.

– On va droit au but, à ce que je vois.

– Oui, dit Andrews en croisant les bras sur sa poitrine.

Howitt ouvrit un cahier sur ses genoux et en tourna les pages en se frottant le menton.

– Nous perdons environ un million cinq par jour en liquidités, monsieur le vice-président. Nous avons tiré près d'un milliard quatre sur nos deux milliards de découvert bancaire autorisés, et d'ici la fin du second trimestre, le 30 juin, nous aurons violé plusieurs clauses du contrat de prêt. Si les choses ne s'arrangent pas, nous aurons également épuisé tout ce découvert, ce qui veut dire que nous devrons deux milliards à la banque. Et juin est dans quatre mois. Ça paraît loin, mais nous y serons vite.

– Les banquiers commencent à poser des questions ?

– Pas encore. Pas des questions embarrassantes, en tout cas. Ils ont jeté un coup d'œil au budget prévisionnel basé sur le dernier exercice. Les chiffres ne sont pas trop mauvais. Avant la fin de l'année, nous avions vendu de petits secteurs d'activité pour faire rentrer un peu de liquidités ; ça nous a permis d'engranger des plus-values et de compenser les pertes d'exploitation. Nous leur avons dit que ces pertes étaient dues à des restructurations dans plusieurs branches. Ils semblent prêts à accepter cette explication, du moment que ça n'arrive que de temps en temps. Mais nous n'avons plus rien à vendre. Les comptes du premier trimestre s'annoncent catastrophiques et notre contrat de prêt stipule que nous devons les mettre à la disposition des banquiers le 15 mai au plus tard. Nous ne pourrons pas leur resservir l'excuse de la restructuration et ils vont commencer à poser des questions embarrassantes. Ils verront même carrément rouge. Ils ne pourront rien contre nous tant que nous n'aurons pas rompu les termes du contrat, c'est-à-dire en juin, mais ça va barder. A moins, bien entendu, que votre famille accepte d'injecter du capital dans la société pour combler le trou. Ça les calmerait tout de suite.

– Combien ? lui demanda le vice-président en plissant les paupières.

Howitt toussa.

– D'après le directeur financier, les banques auront besoin d'environ cinq cents millions de dollars pour la reconstitution de passif. Mais ils vont réclamer un milliard. Ce qui amputerait nos remboursements d'intérêts annuels de près d'un million de dollars par an. Avec quelques licenciements, nous pourrions arrêter l'hémorragie et équilibrer les comptes à la fin de l'année.

Il avait dit cette dernière phrase d'un ton détaché.

– Un milliard de dollars ? répéta Andrews d'une voix mal assurée. Ce n'est pas possible, vous plaisantez. J'ai besoin de sortir de l'argent pour ma campagne, moi ! Ce n'est pas le moment d'être obligé d'en injecter ! Un milliard de dollars, dites-vous ? Ça fait trois cents millions à moi tout seul !

La nouvelle n'était pas pour le surprendre. Il y avait déjà un an qu'Howitt le prévenait que les choses allaient mal. Mais tout de même, il était ébranlé d'entendre annoncer les chiffres aussi crûment. Trois cents millions...

Howitt avala sa salive.

– Je sais bien. (Il jeta un coup d'œil à Robin.) Et nous apprécions beaucoup ce que vous avez fait l'an dernier.

Robin regarda aussitôt Andrews. Qu'est-ce que cela voulait dire ?

– Ecoutez, nous faisons de notre mieux pour redresser la situation, reprit Howitt.

– Ce n'est pas assez, lui rétorqua Andrews d'un ton glacial.

– C'est ce fichu groupe motopropulseur que General Motors a dû retirer de la vente. Ça nous coûte cinq cent mille dollars par jour et c'est absolument incontournable.

– Quand aurez-vous remplacé toutes les pièces défectueuses ?

– Il nous faut encore un mois.

Andrews grinça des dents. Howitt avait présenté son projet de groupe motopropulseur beaucoup trop tôt, et contre son avis. Maintenant, le prix à payer était élevé. Preston bouillait intérieurement, mais n'en laissa rien paraître.

– Bon. Voici ce que vous allez faire, Bob. Vous allez faire patienter les banquiers. Laissez-les rouspéter sans paniquer, sinon ils vont flairer quelque chose. Empêchez-les d'aller regarder dans les comptes. Faites ce que vous avez à faire, mais surtout, qu'ils n'apprennent jamais que la société perd un million cinq par jour.

– Bien, monsieur, dit Howitt, penaud, car il savait ce que pensait Andrews. Croyez-vous que nous puissions compter sur votre famille ?

La question lui arrachait la bouche, mais il était obligé de la poser. Il fallait bien qu'il sache quoi répondre aux banquiers.

Le vice-président secoua la tête et lança un regard à Robin.

– Pas pour l'instant. Nous... (Il marqua une pause.) Nous explorons plusieurs pistes.

– Savoir ?

Howitt avait besoin de réponses précises.

– Je vais bientôt rencontrer des financiers à New York. Il n'est pas interdit d'espérer quelque chose de ce côté-là. Des prêts à long terme, disons.

– Qui ?

Howitt avait dressé l'oreille. Il y avait des mois qu'il essayait de convaincre Andrews de le laisser entreprendre cette démarche, mais le vice-président n'avait jamais voulu en entendre parler. Il mourait de peur à l'idée de voir les difficultés de sa société s'étaler sur le réseau Bloomberg si jamais Wall Street en avait vent. Il ne faisait pas confiance aux banquiers d'affaires et le lui avait bien dit. Il savait qu'ils diffuseraient la nouvelle à la presse parce que cela l'obligerait à nommer un conseiller et que, aussitôt investi de son mandat, le cabinet commencerait à faire tourner son compteur d'honoraires.

– J'ai rendez-vous avec le dirigeant de l'une des plus grosses banques d'affaires de Wall Street, reprit Andrews en pensant à l'homme, si bizarre d'allure, qui dirigeait Walker Pryce & Company.

Sans pouvoir entrer dans les détails, Andrews se devait de donner quelques indices à Howitt : il n'avait en effet aucune envie de le voir déserter le navire maintenant. De fait, il était parfaitement en droit de le licencier sur-le-champ. C'était même ce qu'imposait la sagesse, et avant la fin de cet entretien, qui plus est, mais dès que Wall Street apprendrait la nomination d'un nouveau directeur à la tête d'Andrews Industries, les requins seraient prêts à attaquer. Et ça, ce serait un vrai désastre.

Howitt était donc à l'abri, paradoxalement protégé, songea Andrews, par les fautes qu'il avait commises.

– Qui ? répéta-t-il.

– Qui ? Qui ? Cessez donc de poser des questions idiotes, bon Dieu ! On dirait un perroquet, s'emporta Andrews pour éviter de répondre à la question.

– Excusez-moi, mais je voudrais tant que ça s'arrange.

– Nous le voulons tous, dit Andrews d'un ton apaisant. Faites-moi confiance, Bob.

– Bien sûr, monsieur.

– Bob, il va falloir procéder à des licenciements. Rien de massif, seulement deux ou trois cents personnes par-ci par-là. Ne touchez ni à Detroit, ni à nos usines implantées dans les petites villes. Il ne faut rien faire dans les endroits où cela aurait un gros impact sur l'économie locale et, bien sûr, rien à une échelle qui risquerait d'attirer l'attention. Nous n'avons vraiment pas besoin de publicité. Je sais bien que nous n'avons jamais eu recours à cette mesure, mais je crois que nous n'avons plus le choix. Il faut ménager notre trésorerie. C'est entendu ?

– Oui, dit Howitt en baissant les yeux.

– Eh bien, qu'attendez-vous ?

Howitt se leva, serra la main du vice-président et se dirigea lentement vers la porte.

Andrews se frotta le front. Un milliard de dollars pour la famille, trois cents millions pour lui. Il sentait venir la migraine. Robin lui reprit la main pour la lui masser. Le retour à Washington allait être pénible.

– Vous êtes certaine que Schuler va réussir à engager la Chase pour le montant promis ? demanda Webster, les yeux brûlants.

– Presque, murmura-t-elle.

– Et vous croyez que je vais me contenter d'un « presque » ? cracha-t-il. Il nous faut cet argent le plus vite possible. Je veux être sûr que Schuler nous l'obtiendra.

– Je fais tout ce que je peux, lui répondit Leeny, dont l'exaspération montait.

– Vraiment tout ?

– Oui.

Elle avait répondu avec assurance. Elle savait où il voulait en venir et, à cette simple idée, elle eut la nausée. Mace McLain, passe encore, mais ce petit banquier de la Chase était une autre affaire.

Webster pointa vers elle un doigt à l'ongle long et jauni.

– Je veux que vous fassiez absolument tout ce qui est en votre pouvoir, m'entendez-vous ?

Elle le regarda fixement sans rien dire.

Un sourire se dessina lentement sur le visage de Webster.

– Je serais vraiment contrit d'avoir à rapporter que vous ne vous consacrez pas corps et âme à votre mission.

Leeny se détourna. Elle le détestait de tout son cœur.

Vargus regardait Tabiq, son second, enfiler ses gants. Dans le glacial petit bureau en parpaings, ils portaient tous deux de gros manteaux. Mais ce n'était rien comparé à la température extérieure. Les montagnes de la Virginie-Occidentale avaient été frappées par une vague de froid épouvantable. Depuis deux jours déjà, le thermomètre ne décollait pas de moins douze.

– Qu'est-ce que vous dites ? demanda Vargus d'un ton bourru.

Tabiq hésita. Mieux valait éviter de l'irriter. Il pesa ses mots.

– Les hommes sont bien entraînés. Ils sont prêts.

– J'aime mieux ça, dit Vargus en haussant la voix.

Il flairait l'insubordination et ne pouvait le tolérer.

– C'est pour quand ? demanda Tabiq.

– Ils s'impatientent ? C'est ça que vous êtes venu me dire ?

De nouveau, Tabiq hésita.

– Ils commencent à poser des questions. Et vous savez aussi bien que moi que ceux qui parlent disent tout haut ce que tout le monde pense tout bas.

Vargus prit le petit sachet de graines de tournesol posé sur son bureau et plissa les paupières.

– Dites-leur que ce ne sera plus long. (Il se fourra une poignée de graines dans la bouche.) Et donnez-leur congé demain.

Tabiq hocha la tête et se leva. C'était mieux que rien, mais ça ne ferait pas taire les ronchonnements. Il tourna les talons.

– Une dernière chose, Tabiq.

– Oui ?

Vargus lui sourit de toutes ses dents.

– Il y a vingt cartons dans la remise où nous avons mis les corps, dit-il. Vous voyez de quoi je parle ?

– Oui.

– Ce sont des caisses de vodka. Donnez-les-leur.

Ce fut au tour de Tabiq de sourire. Ce type avait toujours une carte maîtresse dans sa manche. Toujours.

15

Arrivé au One if by Land, Two if by Sea, le célèbre restaurant de Greenwich Village, Mace tint la porte à Rachel, qui entra la première dans le vénérable établissement. Il était passé la prendre en limousine une demi-heure auparavant et se faisait une fête de cette soirée : il avait une excellente nouvelle à lui annoncer et la jeune femme lui avait beaucoup manqué. Comme il s'y était attendu, Broadway Ventures occupait maintenant toutes ses journées et il n'avait pas trouvé le temps de lui parler, même après les cours. La soirée s'annonçait pleine de promesses, il le sentait.

– Merci, dit-elle en s'arrêtant une seconde sur le seuil pour lui effleurer le menton du bout du doigt.

Son parfum raffiné lui arriva aux narines. Il le trouva agréable et le respira plus profondément.

Comme elle enlevait son manteau, il se précipita derrière elle, prit son vêtement par le col et le fit glisser le long de ses bras.

– Vous êtes un vrai gentleman, monsieur McLain, lui murmura-t-elle par-dessus son épaule.

– Pas toujours, lui répondit-il avec un clin d'œil.

– C'est-à-dire ?

– Oh, rien.

Il remit le manteau à l'employée du vestiaire et se planta devant Rachel en souriant et en secouant la tête. Elle portait une jolie robe noire sans manches, qui s'arrêtait bien au-dessus du genou et mettait sa silhouette en valeur, un collant brillant qui moulait ses jambes fermes et des escarpins à talons en nubuck noir. Ses cheveux, relevés sur sa tête, découvraient ses épaules délicates.

– Pourquoi cachez-vous tout ça sous les pulls amples et les jeans dont vous ne vous séparez jamais à l'école ?

Gênée, Rachel dissimula un sourire derrière sa main.

– On va s'asseoir ?

Le maître d'hôtel les conduisit jusqu'à une petite table que Mace avait réservée au fond de la salle, loin des deux grandes tablées un peu bruyantes qui en occupaient le devant. Ils y seraient tranquilles. L'homme avança la chaise de Rachel, puis il posa le menu et la carte des vins devant l'autre couvert.

– Merci, dit Mace en s'installant.

Le maître d'hôtel lui fit un signe de tête.

– *Bon appétit*, dit-il, et il disparut.

Une heure et demie durant, ils dégustèrent plats et vins en bavardant. Rachel ne lui demanda pas si, la veille, il avait eu une raison particulière de l'appeler pour la convoquer à une réunion. Mace ne lui fournit aucune explication à ce sujet, pas plus qu'il ne se justifia d'avoir transformé cette « réunion » en dîner. Ils ne parlèrent pas affaires et n'abordèrent aucune question qui eût à voir avec leur métier. Ils échangèrent des anecdotes sur leur passé et dirent leurs points de vue sur la vie. Ils discutèrent politique et religion et, bien que ne partageant pas toujours les mêmes idées, passèrent un très agréable moment.

– Parlez-moi de ce nouveau projet dont vous vous occupez, dit-elle en ramenant enfin la conversation sur Walker Pryce. Vous m'en avez touché deux mots l'autre jour dans votre bureau et m'avez promis de m'en dire plus si j'acceptais de dîner avec vous. (Elle sourit.) Me voilà.

Mace hésitait à se confier.

Elle le sentit et posa doucement une main sur la sienne.

– Vous pouvez me faire confiance, lui dit-elle. Vous le savez.

C'était vrai, songea-t-il. Elle respirait la sincérité.

– Bon, d'accord. Mais je ne peux pas être trop bavard.

Elle hocha la tête et croisa les mains sur la table.

Il passa les minutes suivantes à lui expliquer en termes vagues ce que serait Broadway Ventures : sa taille, sa portée, ses objectifs.

Rachel l'écouta attentivement, en l'interrompant de temps en temps pour poser quelques questions pointues. Quand il eut terminé, elle secoua la tête.

– Je suis mal placée pour critiquer Lewis Webster, vu que c'est lui qui va décider de m'embaucher ou non, mais ça me paraît risqué.

Mace pinça les lèvres plusieurs fois avant de lui répondre.

– Ça peut marcher. Et même très bien. Lewis Webster a un flair incroyable pour l'évolution des marchés. C'est en partie pour cette raison qu'il dirige la boîte. Mais vous avez décelé une certaine hésitation dans ma voix et je ne chercherai pas à vous détromper. Evidemment, Webster a tout pouvoir sur ma carrière à moi aussi. Il m'a intimé l'ordre de le seconder sur cette affaire. Je n'ai donc pas le choix.

– Non, en effet, dit-elle en souriant.

Puis son expression changea.

– Et quel est le rôle de Leeny Hunt dans tout ça ?

Elle n'avait pas envie de rompre le charme, mais il fallait qu'elle sache. Mace ne releva pas la pointe d'agressivité.

– Elle est chargée de rassembler les capitaux.

– Vous ne pouvez pas le faire vous-même ?

Il secoua la tête.

– Webster tenait à ce que nous nous adressions aux grandes fortunes du pays pour éviter la publicité. Moi, je connais les organismes financiers, pas les personnes. Au fait... je ne vous ai rien dit.

– Vous savez bien que je serai muette comme une tombe.

Elle hésita, sachant que la question qu'elle voulait lui poser maintenant serait un peu indiscrète.

– Quelles personnes ?

– Les Stillman de Pittsburgh, les frères Bass, Sam Walton et sa famille, les Rockefeller, et quelques autres.

– C'est tout ?

– Non, non, ce n'est pas tout.

– Combien d'autres ?

– Je crois qu'elle a parlé de huit familles en tout. Peut-être dix.

– Pas plus ? Elle compte vraiment récolter un milliard de dollars auprès de dix familles ?

Il le lui confirma de la tête.

– Ce sera difficile.

– Elle a déjà des engagements pour trois cents millions.

Rachel s'adossa à sa chaise.

– Combien vont investir les Stillman ?

– Je ne sais pas exactement. Elle est très discrète sur tout ça. Mais à mon avis, elle compte sur cent millions, peut-être deux cents.

– C'est impossible, dit-elle aussitôt. Par le club d'investissement de Columbia, j'ai fait la connaissance d'un de leurs gestionnaires de portefeuille. La famille Stillman a un plafond d'investissement de cinquante millions dans n'importe quel fonds.

– Je ne sais pas quoi vous dire, lui répondit-il en haussant les épaules. Peut-être qu'ils feront une exception dans le cas présent.

Sa remarque était logique. Tout le monde avait une limite à respecter. C'était une manière d'assurer la diversification et d'éviter les fraudes. Il se sentait pris au dépourvu.

– Ecoutez, Leeny a un bon CV. Elle a travaillé chez KKR et chez LeClair & Foster. Elle est au-dessus de tout soupçon. Et qu'est-ce que ça change du moment qu'on a l'argent ?

Rachel se croisa les bras sur la poitrine, fit une moue, puis sourit.

– Je vous demande pardon. Je vais sans doute chercher midi à quatorze heures.

Mais c'était plus fort qu'elle. Leeny Hunt était une rivale. Elle l'avait senti dans l'amphi et quand elle l'avait rencontrée dans le bureau de Webster. Leeny s'était certes montrée sympathique, amicale même, mais justement. Un peu trop.

Le garçon débarrassa rapidement les assiettes. Quand il fut reparti, Mace s'adossa à son siège et contempla Rachel, dont les yeux brillaient dans la lueur des bougies. La soirée était encore plus réussie qu'il l'avait espéré. Il secoua la tête. Quel dommage.

– Qu'est-ce qui vous fait sourire comme ça ? lui demanda-t-elle d'une voix douce.

Il haussa les épaules en sirotant son café.

– Une très jolie femme.

Le vin rouge l'enhardissait – et augmentait son désir.

– Merci.

Rachel était consciente de sa beauté. Elle baissa soudain les yeux, puis releva la tête. Elle aussi était sensible aux effets du vin.

– Oui, une très jolie femme, répéta-t-il en reposant sa tasse. Et qui plus est, une très jolie femme sur le point d'entamer une carrière extrêmement lucrative à Wall Street.

Elle le regarda curieusement. Il y avait quelque chose de bizarre dans sa voix.

– De quoi parlez-vous ?

Il se pencha au-dessus de la nappe en lin blanc.

– Les résultats ont été examinés, le verdict est tombé.

Rachel se pencha en avant elle aussi.

– Voulez-vous bien vous expliquer ? dit-elle avec un frisson d'excitation.

– Fred Forsythe, le directeur des ressources humaines, me prie de vous informer que Walker Pryce a décidé de vous offrir un poste de cadre dans son service de finance industrielle. (Il marqua une pause.) Et cette offre est très généreuse.

Il jeta un coup d'œil à la salle, qui était décorée avec goût.

– J'ai pensé que l'endroit conviendrait bien à l'occasion.

Rachel lui prit le bras entre les deux mains et lui planta ses ongles dans la peau.

– Idiot ! murmura-t-elle. Et vous m'avez fait poireauter pendant tout le repas !

Mais elle ne put réprimer le sourire qui lui illumina le visage. Mace lui prit les mains.

– Oui, mais maintenant, nous avons quelque chose à fêter. (Il consulta sa montre.) Si je vous l'avais annoncé au début du repas, à l'heure qu'il est, toute votre joie serait retombée et vous seriez en train de me dire qu'il est temps de rentrer vous occuper de votre cher portefeuille. Tandis que là, je peux vous retenir un peu plus longtemps, vous remplir votre verre et partir d'ici avec votre acceptation écrite et signée. Comme ça vous n'irez pas appeler les autres et faire monter les enchères.

– Vous pouvez me garder aussi longtemps que vous voudrez, murmura-t-elle.

– Pardon ?

– Rien. Donnez-moi à boire.

Elle dégagea ses mains et prit son verre encore à moitié plein. Ses genoux tremblaient.

– Vous voulez les détails, ou nous verrons ça plus tard ?

– Je ne veux pas attendre, dit-elle en secouant la tête. Dites-moi tout.

Il but une petite gorgée de vin et reposa son verre. Son visage fut soudain sérieux.

– Avant tout, cette offre doit rester strictement confidentielle. Nous ne sommes pas comme les autres établissements, qui proposent la même chose à tous leurs jeunes recrutés. De tous les cadres embauchés cette année, vous serez la mieux payée. Et si vos performances sont à la hauteur de ce que nous attendons de vous, vous recevrez également la plus grosse prime.

Elle le contempla par-dessus son verre. La mieux payée de tous les jeunes cadres ! Et chez Walker Pryce où coulait le sang le plus bleu qui fût ! C'était incroyable.

– Ça doit rester top secret, d'accord ?

Elle hocha la tête, mais avait du mal à le regarder dans les yeux.

– Bien. (Il baissa la voix.) Votre salaire annuel sera de cent mille dollars. Vous pourrez aisément le doubler en primes dès la première année et je ne doute pas que vous réussissiez à le faire. Bien entendu, ces primes augmenteront rapidement ensuite. On peut parfaitement imaginer que, dès votre troisième année, vous gagniez un demi-million de dollars, peut-être plus. Tout dépendra de votre opiniâtreté. Naturellement, nous vous confirmerons tout ceci par courrier.

Elle sentit les larmes lui monter aux yeux. Un demi-million de dollars. Elle pensa à la vie qu'elle avait menée et aux sacrifices qu'elle avait faits ces dix dernières années, à Queens College, à Merrill Lynch et maintenant à Columbia, à sa vie sociale quasi inexistante depuis le lycée. Mais aujourd'hui, elle ne regrettait rien. Sa vie prenait enfin un sens. Jamais plus elle n'aurait de soucis d'argent.

Et sa famille non plus. Ils venaient subitement de passer du côté des nantis et c'était elle qui avait catalysé ce changement. La petite Rachel, l'enfant pas comme les autres, qui lisait les pages boursières du journal pendant que ses sœurs feuilletaient celles consacrées à la mode. Personne ne la croirait. Elle leur montrerait la lettre de Walker Pryce et ils se mettraient tous à pleurer ensemble. Même son beau-père qui, depuis qu'il avait épousé sa mère quand Rachel avait quatre ans, avait travaillé toute sa vie comme soudeur sur le port, gagnant à peine de quoi leur donner un toit et les nourrir. Il l'avait toujours soutenue contre les autres qui tournaient ses rêves en dérision. Il avait accompagné chacun de ses pas, et elle ne l'oublierait jamais.

– Ça va ? lui demanda Mace en souriant.

Il comprenait ce qu'elle ressentait. Son univers venait de changer du tout au tout. Rien ne lui était plus inaccessible.

– Ça va, dit-elle en s'essuyant les yeux avec sa serviette de table. Arrêtez de me sourire comme ça, ajouta-t-elle en lui lançant la serviette.

Il l'attrapa au vol.

– Dois-je en conclure que vous acceptez ?

Quelle question ! C'était plus que ce que lui offrait Merrill Lynch pour retourner au charbon chez eux. Et c'était Walker Pryce. Mais il y avait une autre raison à sa décision. Elle se pencha de nouveau vers lui. La question lui brûlait les lèvres et le moment était venu de la poser, sans plus attendre.

– Et nous ? dit-elle dans un murmure.

Il regarda l'azur de ses yeux. Et nous ? Il y avait pensé toute la journée, sachant bien que, tôt ou tard, il lui faudrait regarder ses sentiments en face. Et si leur relation tournait mal et leur inspirait de l'aigreur ? Elle serait alors mal à l'aise avant même de franchir la porte de Walker Pryce. Mais si, au contraire, tout se passait bien et que son amour pour lui l'absorbait au point de la détourner de son travail ? Et qu'elle finisse par ne pas ramasser la grosse prime et qu'après cela ils se séparent ? Ce serait pire encore. Mais il tenait à elle. Il hésita, déchiré par cette alternative. La réponse était évidente. Il ne pouvait pas lui infliger ça.

– « Nous » ? demanda-t-il d'un ton innocent.

Immédiatement, il lut dans ses yeux une douleur immense. C'était cruel, mais inévitable. Il le faisait pour son bien. Elle l'en remercierait plus tard. Entrer chez Walker Pryce était la chance de sa vie, et elle ne devait penser à rien d'autre pour le moment.

– Oui, nous, répéta-t-elle.

– Expliquez-vous, Rachel.

Elle secoua lentement la tête, n'osant comprendre.

– Ecoutez, je ne suis tout de même pas une imbécile. Je sais bien qu'il y a quelque chose entre nous. Je le sens. Et vous aussi. (Elle l'implorait du regard.) Nous avons passé une soirée merveilleuse. Et vous vouliez me retenir le plus longtemps possible.

– Je veux m'assurer que vous entriez chez Walker Pryce. Vous êtes notre meilleure recrue. J'y gagnerai beaucoup moi-même si vous acceptez. (Il posa sur elle un regard neutre.) Si vous nous apportez votre talent, mes actions dans la boîte grimpent.

Bon sang, que c'était dur.

– Alors c'est seulement pour que vos actions montent que... et moi qui croyais... j'étais sûre. Je...

Elle se détourna. Elle en avait trop dit et le regrettait. Elle voyait bien à sa mine qu'il ne fallait rien attendre de lui. C'était un ami, rien de plus.

– Je suis désolée, dit-elle.

– Rachel...

– Non. Mon Dieu, je me suis vraiment conduite comme une imbécile. Vous venez de me faire une offre d'emploi mirifique et voyez comment je réagis.

Mace accusa comme un coup au creux de l'estomac. Il aurait tant voulu lui faire comprendre. Peut-être pouvait-il encore essayer.

– Rachel, vous êtes très belle et j'aimerais beaucoup...

– Non, dit-elle en se levant. Je reviens dans une minute. J'ai besoin de me rafraîchir.

– Oui, oui.

Il fut aussitôt debout pour l'aider à sortir de table. Il la regarda gagner rapidement l'avant de la salle et se laissa retomber sur sa chaise quand elle eut disparu. Il n'avait pas voulu la blesser. Il aurait préféré lui dire la vérité, lui dévoiler ses sentiments, mais à long terme, c'était mieux ainsi pour elle. Il se resservit du vin et en but une grande gorgée.

Il y avait trois heures que Leeny attendait dans l'encoignure de la porte de l'immeuble en face du restaurant. Barrow Street est une rue étroite qui serpente dans Greenwich Village, un quartier bien différent du reste de Manhattan. Mais l'esthétique du lieu ne lui faisait ni chaud ni froid. Ce qui l'inquiétait, c'était Rachel Sommers. Elle commençait à poser problème. Depuis quelque temps, lorsqu'il parlait d'elle, Mace avait un regard bien particulier ; et cela se produisait de plus en plus souvent. Plus de doute, c'était Rachel qui l'avait éloigné d'elle depuis leur nuit à La Nouvelle-Orléans.

D'habitude, les hommes ne résistaient pas à sa beauté et à son charme. Tous ou presque ressemblaient au petit banquier larmoyant de la Chase. Pour la garder à côté d'eux, ils étaient prêts à toutes les bassesses, et tout de suite. Tel était bien le pouvoir qu'elle avait sur eux. Ainsi avait-elle su attirer Mace dans son lit, pile au bon moment. Il lui avait bien dit qu'il ne s'engageait à rien, mais, sûre de savoir se rendre indispensable à ses yeux, elle n'y avait pas prêté attention. Malheureusement, la suite ne s'était pas déroulée comme prévu. Pas une seule fois Mace n'avait fait allusion à cette nuit-là.

A l'heure qu'il était, il aurait dû être amoureux d'elle. Tel était le plan : elle devait pouvoir surveiller tout ce qu'il faisait à mesure que le projet s'acheminait vers son dénouement. L'homme de Washington était « déçu » – c'était le terme qu'avait employé Webster. Déçu qu'elle n'ait pas su prendre Mace au piège d'une liaison tapageuse. Déçu qu'il n'ait pas emménagé avec elle, ou le contraire. Déçu qu'elle ne se soit pas révélée une putain accomplie. Elle frappa du poing contre le mur de brique. Car c'était bien de ça qu'il s'agissait, non ? Faire la pute.

Elle sentit sa gorge se contracter. Il ne fallait plus voir les choses sous cet angle. Elle n'agissait plus que sous la pression de l'instinct de conservation. Elle jeta un coup d'œil à la porte du restaurant, d'où sortait un couple âgé. Toujours aucun signe de Rachel ou de Mace.

Elle avait conseillé à Webster de ne pas proposer d'emploi à Rachel, car cela ne servirait qu'à la mettre en travers de leur chemin. Mais Webster ne l'avait pas écoutée : Rachel avait laissé une excellente impression à tous ceux qui s'étaient entretenus avec elle. De l'avis unanime, une offre s'imposait immédiatement. Mace était au courant.

Soudain, la porte s'ouvrit toute grande et Rachel sortit sur le trottoir. Leeny se cacha discrètement en attendant de voir apparaître Mace. A sa grande surprise, elle en fut pour ses frais. Rachel regarda dans la rue, puis héla un taxi qui attendait un peu plus loin. Le chauffeur mit le moteur en route et la voiture arriva dans un crissement de pneus. La jeune fille se jeta sur le siège arrière et le taxi démarra.

Leeny émergea de l'ombre. Qu'est-ce que c'était que cette histoire ? Mace aurait dû lui offrir le poste et, après trois heures passées à boire et à manger, la demoiselle aurait dû sortir du restaurant absolument radieuse et accrochée à son bras. Et ils auraient dû monter ensemble dans le taxi. Sa lèvre se retroussa involontairement.

Au bout de quelques minutes, la porte se rouvrit. Leeny se cacha de nouveau et vit Mace apparaître dans la lumière du réverbère et inspecter longuement la rue. Puis ses épaules s'affaissèrent et il rentra dans le restaurant.

Leeny s'adossa au mur. Rachel l'avait plaqué. C'était la seule explication possible. Elle sourit. Peut-être s'était-il fait un peu trop pressant après lui avoir transmis l'offre de Walker Pryce, et avait-il cru pouvoir en profiter pour monnayer ses faveurs pour la nuit. Sur quoi Rachel aurait réagi de travers et serait partie comme une furie ?

Elle poussa un long soupir. Quoi qu'il en fût, c'était bon pour le projet. Mais elle allait quand même suivre Mace toute la soirée et s'assurer qu'il n'avait pas donné rendez-vous autre part à sa petite étudiante.

Le chiffon imbibé d'éther comprimait la bouche et le nez de Liam. Le vieux vigile s'éveilla de son sommeil agité et tenta d'échapper à la poigne de fer de son agresseur dès qu'il se rappela où il était. Ses efforts furent vains. Le produit chimique s'engouffra dans ses narines, le faisant tousser et cracher. Liam serait bientôt si faible qu'il ne pourrait plus se dégager. L'éther n'agissait pas rapidement, mais l'homme, qui avait une force extraordinaire, maintint le tampon en place pendant une bonne minute et le gardien ferma enfin les yeux.

L'intrus laissa le corps du vigile glisser doucement à terre, puis il lui attacha les mains derrière le dos avec une corde de nylon et lui fourra le chiffon dans la bouche. Quand il eut terminé, il alla se poster derrière la fenêtre, prit sa lampe torche à sa ceinture et envoya trois signaux dans la nuit noire.

Aussitôt, le commando prit les installations d'assaut. Les hommes eurent tôt fait de neutraliser la grille de la centrale nucléaire. En s'approchant du bâtiment principal, ils se rendirent compte que tout ce qu'on leur avait répété – savoir que de vieux policiers seraient incapables de défendre quoi que ce soit contre eux – était vrai. Habillés en noir de la tête aux pieds, ils n'hésitèrent pas une seconde devant la porte. Ils l'enfoncèrent et arrosèrent d'une volée de balles les trois gardiens assis derrière le bureau d'accueil dans leurs beaux uniformes bleus. Les hommes tombèrent à la renverse.

Deux des attaquants passèrent ensuite derrière le comptoir et actionnèrent des interrupteurs qui ouvrirent les énormes portes métalliques donnant accès à la centrale. Mais c'était une cible bien précise qu'ils visaient : la salle des commandes. Une fois la mainmise assurée sur le cerveau du bâtiment, ils pourraient faire ce qu'ils voudraient ailleurs.

Ils s'engouffrèrent dans un couloir derrière leur chef, leurs rangers frappant presque à l'unisson le sol carrelé. Ils tournèrent brusquement à droite, puis à gauche dans un autre couloir. Une technicienne ouvrit une porte pour sortir, ils l'abattirent sans même lui laisser le temps de crier.

Ils descendirent ensuite un escalier et tournèrent un angle. Deux autres rencontres – cette fois-ci des opérateurs qui n'étaient pas en service –, deux autres victimes. L'un d'eux avait essayé de déclencher une alarme en tombant, mais une rafale l'avait plaqué au sol.

Ils tournèrent un dernier angle et furent devant les portes en inox brossé donnant accès à la salle des commandes. Elles étaient verrouillées, mais le commandant en possédait le code, que seuls lui et cinq autres personnes au monde connaissaient. Il pianota une longue séquence de chiffres – vingt-six en tout – sur le clavier. Il aurait suffi de sauter un chiffre pour qu'automatiquement quatre barres d'acier glissent dans l'épaisseur des portes et bloquent l'entrée de la salle pendant vingt-quatre heures. Le système de sécurité ne permettait aucune erreur. Personne n'aurait pu ni entrer ni sortir, mais le cœur de la centrale aurait été préservé. Et surtout, avec lui, la centrale tout entière.

Une erreur de code aurait eu quatre autres effets immédiats. Une alarme stridente aurait retenti dans la salle, avertissant les ingénieurs en service de la présence d'intrus. Deux autres se seraient déclenchées au commissariat de police de Nyack et au quartier général de la 54e Ouest, à Manhattan. Enfin, les barres de commande se seraient mises en place automatiquement dans le cœur, stoppant toute réaction pendant vingt-quatre heures. Mais si le code était composé sans erreur, ou si l'ouverture se faisait de l'intérieur, rien de tel ne se produisait.

Lentement, les grosses portes s'ébranlèrent sans heurt, dans un ronronnement de mécanismes peinant pour déplacer les tonnes de ferraille. Dès qu'ils purent se glisser entre elles, les assaillants se faufilèrent dans la salle dont dépendait tout le fonctionnement de la centrale. En quelques secondes, ils furent vingt alignés près de l'entrée afin d'interdire toute retraite. Ils menaçaient de leur fusil les opérateurs sans armes, qui n'osaient pas bouger. Dans la pièce éclairée seulement par les lumières bleues, vertes, rouges et jaunes du pupitre, on n'entendit bientôt plus que la respiration saccadée des attaquants.

Au bout d'un temps interminable, le responsable de l'équipe de nuit, Richard Steele, traversa la salle d'un air décidé mais nerveux, et se porta à la rencontre du commandant.

Arrivé devant l'homme qui avait ouvert la porte, il lui arracha son fusil, pivota sur ses talons et mitrailla la salle de jets de peinture en poussant des cris. Tout le monde, opérateurs comme terroristes, s'aplatit au sol. Le tir cessa en quelques secondes et Steele jeta le fusil qui s'écrasa sur le carrelage et alla heurter la base d'une unité centrale.

– Nom de Dieu ! hurla-t-il à pleins poumons. Je me tue à leur dire que leur système de sécurité ne vaut rien ! Mais ils ne veulent pas m'écouter.

Ses mots résonnèrent dans la grande salle. Il se tourna lentement vers le chef du commando qui enlevait sa cagoule de ski noire.

– Il faut faire quelque chose, murmura-t-il.

Jim Dolan, l'opérateur qui, en dehors de ses heures de service, avait joué le rôle du leader terroriste dans la simulation, hocha la tête.

– Tu as raison, dit-il simplement.

Le col de son long manteau remonté sur ses joues et le chapeau rabattu sur les yeux, John Schuler se hâtait sur le trottoir nord de Central Park South Street, en face de l'Athletic Club de New York. Toutes ces précautions n'avaient pas pour seul but de le protéger du froid.

C'est idiot, songea-t-il en se dirigeant vers l'entrée du parc. Non, pas idiot : dément. Lui, fondé de pouvoir de l'une des plus grosses banques du monde, et qui pouvait prétendre à de plus hautes fonctions – depuis quelques mois, certains membres du conseil d'administration le lui laissaient entendre –, rasait les murs de New York comme un voleur. Mais il n'avait jamais rencontré de femme aussi belle que Leeny Hunt et Leeny lui faisait des avances.

Ce fut avec un frisson d'exaltation mêlée de peur qu'il s'engouffra à travers l'ouverture ménagée dans le mur. Il suivit l'étroit sentier goudronné sur cinquante mètres, puis emprunta un escalier qui descendait jusqu'à un petit étang à l'écart du passage, à l'angle sud-est du parc. Sans la lumière des réverbères, le sentier était obscur. De grands arbres l'entouraient, ne laissant voir que la cime des gratte-ciel de la 59e Ouest. Dans le bruit assourdi des voitures, Schuler était seul. Etonnant comme Central Park pouvait être désert à quelques pas seulement de la ville, dont un mur le séparait à cet endroit. Il ralentit. Le contact ne serait pas long.

– Coke, joints, suffit de demander.

Le murmure, venu d'un grand pin à sa droite, le fit sursauter.

Il scruta l'obscurité et discerna une silhouette appuyée contre le tronc. Il lui fit un signe de tête. L'homme s'écarta de l'arbre et s'avança sur la fine pellicule de neige. Schuler retint son souffle. Si c'était un flic, il était cuit. Sa carrière exploserait comme un feu d'artifice du 4 Juillet, étalée sur les pages financières et sociales du *New York Times*.

Le dealer s'arrêta à deux mètres de lui et le lorgna dans les ténèbres.

– Qu'esse-tu veux ?

– Cocaïne. Vous avez ? dit-il en avalant sa salive.

L'homme sourit, découvrant ses dents blanches.

– Te bile pas, mon pote. J'ai tout ce que tu veux.

16

Installés dans les grands fauteuils de cuir rouge qui faisaient face au bureau, Malcolm Becker et Willard Ferris regardaient le vice-président d'un air satisfait. L'entrevue s'annonçait délicate, songea Andrews. Le président l'avait chargé de coordonner avec Becker une remise de médaille à certains Wolverines qui s'étaient illustrés au cours de l'attaque de Los Angeles. Il avait convoqué les deux hommes pour préparer l'événement. Ce genre de cérémonie était normalement du ressort de leurs assistants. Si Andrews s'en occupait personnellement, c'était parce que le président avait informé Becker de ses intentions, en lui précisant qu'Andrews remettrait les récompenses lui-même. Becker avait donc exigé ce face-à-face pour fixer le calendrier.

Robin était assise à côté d'Andrews qui tentait vainement de solliciter une réaction discrète de sa part. Mais le visage de la jeune femme restait impassible.

Andrews se frotta les yeux. Il savait bien pourquoi Becker avait tenu à le rencontrer : il avait quelque chose derrière la tête. Mais, à peu près aussi subtil que le Washington Monument, Becker était incapable de cacher quoi que ce fût. Cela cadrait parfaitement avec ses airs directs qui semblaient tant plaire aux foules. Cela étant, qu'il soit élu à la Maison Blanche et l'establishment l'y recevrait comme un plouc débarquant dans un bal en tenue de soirée. A Washington, on n'arrivait jamais à rien en montrant ce qu'on savait faire et en fonçant dans le tas. La méthode, c'était de se passer mutuellement de la pommade dans le dos. La politique, d'ailleurs, n'était rien d'autre.

Si Becker l'emportait, toutes les décisions seraient bloquées pendant quatre ans, mais ça, les Américains ne s'en rendaient pas compte. Ils croyaient sincèrement que quelqu'un d'étranger aux arcanes du pouvoir aurait les moyens de faire appliquer son programme. Andrews secoua la tête en riant. Ce qu'ils pouvaient être naïfs !

— Qu'est-ce qu'il y a de si drôle, Preston ? demanda Becker d'un ton sévère.

— Oh, je repensais à une bonne blague qu'on m'a racontée.

Le vice-président cessa de se frotter les paupières et posa les mains sur ses genoux.

Becker se pencha en avant.

— Je ne suis pas venu ici pour écouter des blagues, dit-il.

Andrews hocha la tête.

— C'est vrai, j'oubliais que votre temps est précieux. Vous êtes trop occupé à sauver le pays de tous les empires du mal[1] qui s'étendent sur la planète. Une plaisanterie risquerait de vous empêcher de résoudre d'ici demain tous les problèmes dont souffre le monde.

Becker inspira à travers ses dents serrées.

— Je m'y emploie de mon mieux à la CIA. Mais c'est vrai : je serai incapable de résoudre *tous* les problèmes dont souffre le monde tant que je ne serai pas à la Maison Blanche, c'est-à-dire avant encore un an.

Ferris ricana.

Andrews leur adressa son sourire de podium. Il refusait de s'abaisser à des attaques verbales.

— Peut-être pourrions-nous aborder le sujet qui nous occupe, les interrompit Robin en se tournant vers Ferris. Vous deviez nous apporter la liste des Wolverines que vous souhaitez voir récompensés à la...

— On y viendra en temps voulu, mademoiselle, la coupa Becker en s'attrapant le lobe de l'oreille droite à pleine main et se mettant à tirer dessus.

1. Terme employé par le président Reagan pour désigner l'Union soviétique *(NdT)*.

Andrews l'observa. Il l'avait déjà vu faire ce geste et avait remarqué qu'en général, cela précédait une provocation.

Becker pointa un doigt sur le vice-président.

— Je veux savoir qui se cache derrière la note que j'ai reçue dernièrement du président Whitman.

— Quelle note, Malcolm ? lui demanda Andrews sans s'émouvoir.

— Ne jouez pas au plus malin avec moi, Preston.

Pour bien prouver leur manque de respect, chacun évitait soigneusement d'appeler l'autre par son titre.

— Celle dans laquelle on m'annonce des réductions budgétaires sur trois ans, précisa-t-il. On m'y somme également de fournir les comptes détaillés de toutes les dépenses imputables au projet Wolverine depuis son lancement.

— Ah, celle-là...

Andrews aurait pu prétendre qu'il n'était pas au courant, mais il préféra faire savoir à Becker qu'il pouvait jouer toutes les cartes qu'il voulait contre ses adversaires.

— Oui, celle-là, gronda Becker. Je veux savoir pourquoi vous avez poussé le président à prendre cette mesure.

— Qui vous dit que j'y suis pour quelque chose ? lui renvoya Andrews en regardant Robin avec un demi-sourire. C'est vous qui avez dit à Becker que j'étais derrière ça ?

Robin secoua la tête d'un air innocent.

— Non, c'est moi qui le dis ! s'écria Becker, exaspéré.

— Oh.

Andrews resta de marbre et attendit, le regard fixé sur Becker.

— Alors, pourquoi avez-vous dicté ça à Whitman ? Je veux une réponse.

Andrews prit un air sérieux.

— Ecoutez-moi bien : je n'y suis pour rien. (A Washington, même pris la main dans le sac, on continuait de nier.) Cela dit, nous pouvons examiner ensemble les raisons qui justifient une pareille demande de transparence de la part du président.

Il avait adopté le ton anonyme et agressif sur lequel tout politicien rompu à son art se doit d'attaquer un adversaire.

— Nous savons que le président subit de grosses pressions pour diminuer les dépenses de l'Etat et qu'il a demandé à des légions d'analystes financiers de s'activer sur le budget. Disons simplement qu'ils ont commencé à ébaucher une première estimation de ce que les Wolverines coûtent à la CIA et que le président a pris peur en voyant les chiffres. Il s'est inquiété de ce que, vu son coût, le projet Wolverine enlevait à d'autres programmes. Il craint que ce projet ne soit l'enfant chéri de certaine personne qui, en faisant tout pour s'installer dans le Bureau ovale, risque fort de compromettre la sécurité du pays.

Andrews marqua une pause. Il s'échauffait plus que nécessaire et devait conserver son calme à tout prix : il ne fallait surtout pas montrer à Becker qu'il en faisait une affaire personnelle.

Becker plissa les paupières. Il était temps de renverser la situation. Bien que bouillant intérieurement, il réussit à attaquer en douceur :

– Et s'il y avait effectivement, dans les hautes sphères du gouvernement, quelqu'un qui ait des visées sur la Maison Blanche. Et que ce quelqu'un soit sûr d'avoir la voie libre une fois le deuxième mandat du président expiré. Et qu'encore il ne se croie aucun rival sérieux pour ce poste qu'il convoite au point de tout faire pour l'obtenir. Tout, répéta Becker d'un ton sinistre.

Comme par réflexe, Andrews eut un petit mouvement de recul que Robin remarqua aussitôt.

– Et voilà que tout à coup un adversaire pointe à l'horizon, poursuivit Becker. Au début, il ne représente pas une menace sérieuse. Mais peu à peu sa popularité augmente, et soudain les deux hommes sont au coude à coude, avec un léger avantage pour le challenger. Il me semble, moi, que l'autre a de gros intérêts dans la balance et qu'il risque d'aller fourrer son nez dans des affaires qui ne le regardent pas.

– D'essayer de trouver des choses là où il n'y a rien, précisa Ferris.

Andrews avala sa salive. Le sang lui montait à la tête. Surtout ne pas dire ce qu'il pensait. Ils jouaient un jeu de stratégie politique et Becker se révélait un adversaire de taille. Jusque-là, chacun s'était cantonné dans son rôle. Ils s'étaient contentés de se tester ; mieux valait ne pas insister pour l'instant et en rester aux préparatifs de la cérémonie. Mais, dans une bataille, il y a toujours un moment où l'un des joueurs fait monter les enchères si l'autre suit et, si maître de lui fût-il, Andrews était incapable de résister à l'émulation.

Il faillit parler, mais se ravisa, préférant obéir à la règle d'or qui impose de réfléchir avant d'ouvrir la bouche et de toujours s'assurer qu'on mesure toute la portée de ses paroles. Becker était venu en ennemi. Il devait avoir prévu la réaction d'Andrews, et donc préparé une parade. Laisse tomber, songea Andrews. Mais ce fut plus fort que lui.

– Le président risque de se demander aussi comment certaine personne finance sa campagne.

Ses mots restèrent en suspens dans la pièce. Il avait pris un risque calculé. Becker ne s'attendait peut-être pas à cette attaque et pouvait en être ébranlé. Andrews jouait cartes sur table, ce qui parfois était la meilleure stratégie. Il arrivait qu'un assaut frontal laisse l'adversaire tellement désarmé qu'il se décomposait sur place et quittait l'arène sans demander son reste. Becker comprit alors qu'Andrews cherchait à prouver qu'il y avait non seulement des fautes de gestion à la CIA mais aussi des fraudes. Subitement, les enjeux venaient de grimper très haut.

Robin toussa tandis que Ferris s'agitait sur son siège. Les deux opposants se dévisageaient sans ciller, la haine couvant dans leur regard.

Becker eut un sourire forcé.

– A bien y réfléchir, on peut se poser la même question de l'autre côté, dit-il.

Andrews sentit son pouls s'accélérer. Qu'est-ce que c'était que ce coup-là ? Il se rappela soudain la règle qu'il s'était fixée : ne jamais sous-estimer Becker. Y avait-il failli ?

– C'est-à-dire ?

Becker inspira lentement.

– Eh bien, mais, lâcha-t-il posément, pour l'autre candidat aussi on peut se poser la question du financement de sa campagne.

Robin agrippa le bras de son fauteuil. Elle aurait voulu intervenir, mais savait qu'à le faire elle donnerait l'impression de défendre Andrews, et cela n'entrait pas du tout dans le cadre de cet entretien.

Andrews garda le silence.

– C'est vrai, insista Becker, lui-même et sa famille ont la réputation d'avoir une grosse fortune personnelle.

– On les dit riches comme Crésus, renchérit Ferris en ricanant.

Becker eut un petit rire.

– Comme Crésus, oui. Mais il ne faut pas toujours se fier aux apparences.

Il marqua une pause, attendant qu'Andrews fasse la gaffe de se défendre avec tant de véhémence qu'il s'accuserait encore davantage.

Mais le vice-président ne desserra pas les dents. Lui aussi était rodé à ce jeu-là, même sous les attaques directes.

– Qui nous dit que son entreprise familiale est aussi prospère qu'on le croit ? reprit Becker. Elle est peut-être même complètement dans la merde.

Déjà forte, sa voix était montée sur ce dernier mot. Il se tourna vers Robin et, d'un ton trop poli, il lui lança :

– Toutes mes excuses, mademoiselle Carruthers.

Toute hérissée qu'elle fût, Robin n'en laissa rien paraître.

– Peut-être la société perd-elle tellement d'argent que le financement de la campagne est devenu secondaire. Peut-être même a-t-elle un problème plus urgent à résoudre et qui serait d'éviter la faillite. Sans compter qu'une faillite personnelle serait pire encore. Imaginons qu'un des membres de cette famille ait trop de capitaux bloqués dans l'affaire et qu'il voie sa fortune et son avenir politique au bord de s'écrouler sous ses yeux au moment même où il peut prétendre aux plus hautes fonctions du pays. Alors la menace serait très réelle et cet homme sans doute prêt à tout tenter pour sauver sa peau. Tout tenter, répéta Becker.

Andrews ne pipait mot. Il se demandait quelles étaient la part de certitude et la part de bluff dans la petite tirade de son adversaire. En tout cas, une chose était sûre : il s'était renseigné.

– Naturellement, dit Andrews, si ladite société n'était pas cotée en Bourse, il serait très difficile de savoir comment elle est financée.

Piètre défense. Il en était conscient, mais il fallait bien répondre.

Becker agita une main.

– Naturellement, lui concéda-t-il avant d'échanger un regard bien étudié avec Ferris.

Andrews voulut couper court.

– Ce sont là des hypothèses fort intéressantes, dit-il, mais il serait peut-être temps de revenir à la réalité.

Il rapprocha son fauteuil de son bureau, manière de lui faire comprendre que la discussion était close et qu'il fallait se mettre au travail.

– Juste une dernière chose, Preston, dit Becker en se tripotant vigoureusement l'oreille, ce qui fit tout d'un coup ressortir les veines de son crâne.

Andrews leva aussitôt les yeux. Ce tic ne lui disait rien qui vaille.

– Oui ?

– Tout récemment, la CIA a perdu un homme en Amérique centrale. Au Honduras, pour être précis. Cet homme s'appelait Carter Guilford. (Il secoua la tête d'un air triste.) Une sale affaire, vraiment. Carter était quelqu'un de bien... jolie femme... famille nombreuse... Je les ai rencontrés plusieurs fois. Il semblerait qu'il se soit égaré. Il est mort dans un accident d'avion sur une piste paumée au cœur de la jungle, à côté d'un trafiquant de drogue qui appartenait à l'un des cartels les plus puissants de Colombie.

– Qu'est-ce que ça vient faire là ? demanda Andrews en serrant la mâchoire.

Il était dit que cet homme ne le laisserait pas en paix.

Becker ne répondit pas.

– D'après nos sources, reprit-il, Guilford fournissait à la Colombie des informations sensibles sur les actions menées par la CIA et la Drug Enforcement Agency, informations qui permettaient à ce cartel d'éviter nos pièges et de faire entrer aux Etats-Unis beaucoup plus de cocaïne que leurs concurrents. Il se faisait payer cher. Très cher. Nous avons retrouvé des versements de deux cents millions de dollars, mais rien n'exclut que les sommes aient été plus élevées encore. Et, bien sûr, aucune trace de l'argent.

– Et alors ?

— Et alors, voici : je sais comment Guilford a pu se renseigner sur la lutte antidrogue menée par la CIA, mais pour la DEA, je n'en ai aucune idée. Ils sont très secrets, vous savez. Presque autant que nous.

— Je ne comprends pas, dit Andrews en avalant sa salive.

Becker hésita longuement.

— Je voulais simplement vous dire qu'après le crash, nous avons récupéré les effets personnels de Guilford, parmi lesquels un agenda.

Becker hésita de nouveau, laissant planer un silence de mort dans la pièce. Puis il tira un grand coup sur son oreille.

— Et dans cet agenda, reprit-il, un rendez-vous était noté. Un rendez-vous avec vous, et qui aurait eu lieu il n'y a pas très longtemps.

Robin se tourna vivement vers son patron. Qu'est-ce que c'était que ça ? se demanda-t-elle en respirant avec peine. Allons, allons, elle connaissait quand même bien Preston Andrews et il était au-dessus de tout soupçon, non ?

Becker se gratta la tête.

— Preston, n'êtes-vous pas très proche de la DEA ? Je crois me souvenir que c'était l'un des projets qui vous tenaient le plus à cœur pendant votre mandat de vice-président ?

Andrews se leva.

— Foutez le camp d'ici, dit-il sans élever la voix. Mon cabinet se chargera d'organiser la cérémonie pour les Wolverines.

Becker, Ferris et Robin furent aussitôt sur leurs pieds. Becker hocha la tête.

— C'est bon. J'ai l'impression que nous sommes devenus indésirables, dit-il en souriant à Ferris.

Et il gagna la porte, son second sur ses talons. Arrivé sur le seuil, il se retourna.

— Preston, dit-il à voix basse, pas de saloperies avec moi.

Et il disparut.

Andrews regarda bêtement la porte béante. Il était livide, mais réussit à garder son calme. Il ne fallait surtout pas exploser devant Robin : cela ne ferait qu'ajouter aux soupçons qu'elle devait déjà avoir et il avait plus que jamais besoin d'elle.

Il tenta de s'éclaircir les idées, mais en fut incapable. Becker avait manifestement l'intention de le harceler.

Lentement, Robin contourna le bureau et vint se placer en face de lui. Elle s'appuya des deux mains sur le plateau ciré et parvint enfin à capter son regard perdu dans le vague.

— Je veux savoir qui était l'homme que j'ai aperçu dans votre chambre au Doha Marriott, lui lança-t-elle. Et vous allez me le dire tout de suite.

Andrews la dévisagea sans ciller — ni répondre non plus.

— Bonjour, Kathleen.

John Schuler se leva pour accueillir Mace et Leeny dans son grand bureau. Laissant à sa secrétaire le soin de refermer la porte, il s'avança à la rencontre de Leeny et lui prit doucement la main.

— Merci d'être venus, ajouta-t-il.

— Mais c'est tout naturel, John, répondit-elle de son ton mielleux et en lui adressant un sourire mutin. Vous n'avez pas idée de ce que je suis prête à faire pour avoir un milliard de dollars de la Chase. (Elle marqua une pause.) Au fait, appelez-moi Leeny.

Mace leva les yeux aussitôt, comme mis en garde par une sonnette d'alarme.

Schuler hocha la tête en espérant avoir bien compris le sous-entendu.

— Oui, oui, bien.

Il desserra lentement sa main, puis serra celle de Mace.

— Bonjour, Mace, dit-il avec brusquerie.

— Bonjour, John.

Mace rit intérieurement en imaginant les pensées qui devaient agiter Schuler. Il avait aperçu un éclair de lubricité dans ses yeux. Aucune importance. Leeny n'accepterait jamais de coucher avec un avorton pareil. Elle le lui ferait croire, mais n'aurait jamais besoin d'aller jusque-là.

— Puis-je vous offrir du café ? proposa-t-il en désignant, dans le coin salon, un plateau garni de cafetières, rafraîchissements et collations.

– Merci, John, ce n'est pas de refus, dit Leeny en le suivant.

Mace s'approcha de la fenêtre qui dominait l'East River et, sur la rive opposée, Brooklyn. C'était un superbe après-midi d'hiver, au ciel d'un bleu pur et sans aucun nuage. Bleu comme les yeux de Rachel, se dit-il en contemplant Brooklyn. C'était peut-être là qu'elle était allée après l'avoir quitté au restaurant. Chez ses parents. Pour l'oublier. Il l'avait appelée à Columbia plusieurs fois pendant le week-end, mais sans succès, et ne savait pas où la joindre à Brooklyn. Les quatre Sommers de l'annuaire lui avaient dit ne pas connaître de Rachel.

De l'autre côté du fleuve, la ville s'étendait à perte de vue. Il s'était conduit comme un véritable idiot. Il aurait dû lui expliquer la situation et la traiter comme l'adulte qu'elle était. Sauf qu'il y avait un hic : s'il avait commencé à lui dévoiler ses sentiments, il n'aurait pas pu résister à l'envie d'approfondir leur relation. Il se rendit compte tout à coup qu'elle l'attirait énormément.

Il se détourna de la fenêtre. Schuler et Leeny étaient plus proches qu'il ne le fallait pour se servir du café, et bavardaient avec beaucoup de naturel. Il n'en crut pas ses yeux. Il devait se tromper. Jamais elle ne se serait pareillement abaissée pour remporter l'affaire.

Se sentant observé, Schuler s'écarta légèrement de Leeny.

– Installons-nous ici, dit-il en désignant les sièges confortables.

Mace ayant approuvé d'un signe de tête, ils s'assirent tous les trois, Schuler et Leeny sur le canapé et Mace dans un fauteuil.

– Et donc, vous vouliez nous voir, dit Leeny en posant sa tasse sur une petite table le temps que le café refroidisse.

– Oui, dit-il en prenant la voix profonde du cadre supérieur. Je voulais vous tenir au courant des dernières évolutions concernant l'engagement de la Chase dans votre emprunt revolver.

Il s'adressait exclusivement à Leeny, comme s'il ne voulait pas se priver une seconde du spectacle de son beau visage, ni manquer aucune de ses réactions.

Mace sourit. Ce type était tombé sur la tête. Il essayait de se donner des airs officiels et de faire planer le doute sur la décision de la banque, mais avait totalement succombé au charme de Leeny.

– Eh bien ? lui souffla-t-il.

Sans même lui jeter un coup d'œil, Schuler poursuivit en ces termes :

– J'en ai longuement discuté avec notre président, notre directeur général et avec le directeur du crédit et le responsable des consortiums.

Puis, l'air sévère, il marqua une pause.

– Eh bien, ne nous tenez pas en haleine, John, dit Leeny en se penchant pour lui poser la main sur le genou.

– Je crois qu'à l'issue de toute cette concertation, nous avons fait quatre-vingt-dix-neuf pour cent du chemin, conclut-il avec un grand sourire.

Leeny mit les deux mains sur sa bouche, puis de nouveau sur le genou de Schuler.

– Oh, mais vous êtes absolument fantastique ! s'écria-t-elle.

Mace remarqua que son accent du Sud lui était revenu, un accent qui semblait dire « oh, mais quel merveilleux pourvoyeur vous faites, la belle du Sud que je suis ferait n'importe quoi pour vous ».

La main de Schuler se posa un instant sur celle de la jeune femme.

– Nous avons encore certains détails à voir ensemble.

– Mais bien entendu, dit-elle aussitôt avec effusion.

– L'utilisation des crédits sera subordonnée à un minimum d'un milliard de dollars de capital souscrit et libéré, poursuivit-il. Et il faudra que l'argent soit en dépôt à la Chase. Je sais qu'il vous arrive, à vous banquiers d'affaires, de ne pas exiger des investisseurs qu'ils déposent l'argent sur le compte, mais dans le cas présent, cette condition devra être remplie avant que nous vous prêtions le premier sou.

Il avait prononcé cette dernière phrase d'un ton un peu gêné, comme s'il s'attendait à rencontrer des réticences.

– Mais certainement, s'exclama Leeny, nous ne vous demandons pas autre chose.

Le regard que Schuler lui jeta n'échappa pas à Mace. Un instant, il la revit allongée sur le grand lit de La Nouvelle-Orléans.

Puis il se souvint de la façon dont elle l'avait regardé fixement au matin, puis s'était enfermée dans la salle de bains et en était ressortie sans mot dire. Et jamais elle n'avait reparlé de cet épisode, pas plus que lui, d'ailleurs.

Schuler se détendit. On aurait dit qu'un poids lui était ôté des épaules.

— Cela étant, reprit-il, je pense que nous devrions pouvoir signer ce contrat dans la journée de demain. (Il hésita.) A condition de ne rencontrer aucun problème de dernière minute.

— Je ne vois pas ce qu'il pourrait y avoir, lui renvoya Leeny dont l'accent s'épaississait à chaque mot.

Le pauvre, songea Mace. Il croit vraiment qu'il va obtenir les faveurs de cette splendide créature !

— Euh, comme je vous l'ai dit, reprit Schuler, il nous reste quelques détails à préciser. J'aimerais que nous les passions en revue dès maintenant.

Mace et Leeny approuvèrent de la tête.

Pendant l'heure qui suivit, ils examinèrent les précautions qu'exigeait la banque et discutèrent du montage optimal pour que la Chase puisse vendre les titres à d'autres établissements et réduire immédiatement son risque d'un milliard de dollars sans léser Walker Pryce ni imposer trop de contraintes à Mace et Leeny.

Enfin, la dernière difficulté aplanie, Schuler se renversa sur le canapé et s'étira en grognant.

— Je crois que ça devrait satisfaire tout le monde, mais je ne garantis rien avant demain, dit-il en souriant à Leeny.

Mace consulta sa montre : presque cinq heures. Il fallait qu'il repasse chez Walker Pryce vérifier certaines évaluations de titres que lui avaient préparées les cadres du service Fusions et acquisitions. Il voulait aussi essayer de rappeler Rachel. Il espérait qu'elle serait rentrée de ses cours.

— Bon, Leeny, dit-il en se levant, il est temps d'y aller.

Leeny le regarda, puis regarda Schuler.

— Ah. (Elle hésita.) Et si vous partiez en avant, Mace ? Je vous rejoins ?

Mace ne répondit pas tout de suite. Schuler avait repris sa

tasse, qui avait largement eu le temps de refroidir, et y plongeait le nez.

– Bon, d'accord, dit-il. Mais je croyais que nous devions jeter un coup d'œil aux évaluations des Fusions et acquisitions.

– C'est vrai. Apportez-les-moi demain. Je les regarderai dans l'avion.

Il hésita.

– Voulez-vous que je demande au chauffeur de passer vous prendre chez vous pour vous conduire à l'aéroport ?

Soudain, il se rendit compte qu'elle était sur le point de donner à Schuler ce qu'il exigeait d'elle, alors que cela ne s'imposait pas. Elle devait bien savoir qu'il leur obtiendrait ce prêt de toute façon. La transaction était certainement déjà signée, nom de Dieu, et Schuler temporisait. Toutes ses salades sur ses incertitudes, c'était de la frime. Elle se sacrifiait inutilement.

Leeny secoua la tête.

– Non, je vous retrouverai à la porte d'embarquement.

Il l'observa. Elle lui parut triste, presque désespérée.

– Vous êtes sûre ? Vous n'êtes pas obligée, vous savez, insista-t-il en essayant de lui faire comprendre le double sens de ses paroles.

Elle le regarda plusieurs secondes sans rien dire.

– Si, lui répondit-elle enfin, le visage de l'homme de Washington très présent à l'esprit.

17

– Société Stillman, bonjour ?

La voix féminine coulait agréablement au téléphone.

Rachel, qui était fatiguée, la trouva douce et apaisante. C'était le genre de voix qui pouvait vous endormir en un instant.

– Je voudrais parler à Bradley Downes, s'il vous plaît.

– Oui, qui dois-je annoncer ?

– Rachel Sommers.

– Un instant, je vous prie.

Il y eut un déclic, puis ce fut le silence. Rachel apprécia. Elle n'aimait pas avoir à subir, comme le voulait la mode, les musiques, voire les infos de rigueur en attendant une communication.

Elle regarda le petit studio où elle habitait depuis deux ans et qui accueillait à peine un lit et un bureau. C'est fini, ça, se dit-elle. Elle avait reçu le matin même, et par coursier, la lettre de Walker Pryce. Elle sourit tristement. Mace partageait ses sentiments. Forcément. Mais quelque chose le retenait. Elle se demanda si c'était Leeny Hunt.

– Rachel ?

– Salut, Bradley, dit-elle de sa voix de velours et sans utiliser de diminutif parce qu'elle savait qu'il préférait se faire appeler par son prénom complet.

Elle avait besoin d'un renseignement. Bradley était l'un des gestionnaires chargés de l'important portefeuille des Stillman, une famille de Pittsburgh qui comptait parmi les plus riches du pays. Leur fortune était estimée à plus de quatre milliards de dollars.

Rachel avait rencontré Bradley Downes à New York, lors d'une présentation d'analystes financiers où elle s'était rendue pour s'informer sur un titre qu'elle avait fait acheter par le club d'investissement. Il y représentait la famille Stillman, qui possédait également des actions de la société du même nom, mais en beaucoup plus grande quantité que Columbia. Ils avaient lié connaissance à l'occasion d'une pause et depuis se téléphonaient une ou deux fois par mois. Bradley l'avait souvent invitée à dîner quand ses affaires l'amenaient à New York, mais elle avait toujours décliné poliment en invoquant la charge de travail que lui imposaient ses cours à l'université.

– Comment allez-vous ? s'enquit Downes, dont la voix s'anima aussitôt.

D'habitude, c'était lui qui l'appelait. Il était donc agréablement surpris.

– Bien, lui répondit-elle en mentant car elle n'avait dormi que quelques heures depuis la scène du restaurant.

– Tant mieux.

Il parlait avec la pointe de snobisme caractéristique des grandes universités, mais était assez sympa. Il lui avait dit plusieurs fois que sa place était à Wall Street, mais que, cinq ans plus tôt, à sa sortie de Stanford, les Stillman lui avaient fait une offre qu'il n'avait pu refuser. Après tout, il était de Pittsburgh.

– Et à quoi dois-je cette interruption ?

– Oh, je suis désolée, Bradley. Je peux vous rappeler si je vous dérange.

Ça, c'était son côté détestable : il fallait toujours qu'il se donne des airs importants.

– Non, non. Qu'est-ce qui vous amène ? dit-il d'un ton déjà beaucoup moins snob.

– Deux ou trois choses. Tout d'abord, je me demandais si vous n'aviez pas un déplacement à New York en perspective. Je me disais que nous pourrions dîner ensemble. Je vais bientôt quitter Columbia avec mon diplôme en poche et j'aimerais connaître la vision du monde que vous ont donnée vos cinq années dans le monde du travail pendant que je me prélassais dans le cocon de l'université. Vous voyez bien... l'entreprise contre Wall Street. Pittsburgh contre New York, ce genre de choses.

Elle s'écœurait elle-même de se faire passer pour une grande naïve, mais qui veut la fin veut les moyens, se dit-elle.

– Génial ! Je vous invite. Je serai ravi de bavarder avec vous.

Son air condescendant avait disparu, et son enthousiasme n'était pas feint.

Elle sourit : il la renseignerait sans aucun problème.

– Je viens le mois prochain, pour plusieurs jours.

– Parfait. Appelez-moi deux ou trois jours avant pour que nous puissions fixer une date.

– Merveilleux. Je meurs d'impatience de vous voir.

– Moi aussi.

– Il y avait autre chose ?

– En fait... oui, répondit-elle en hésitant. J'ai entendu parler de ce nouveau fonds que Walker Pryce est en train de monter.

– Oui ?

Elle crut déceler une certaine prudence dans sa voix.

– Oui. Le Broadway Ventures. Walker Pryce cherche à rassembler un milliard de dollars pour investir à New York, dans l'immobilier et à la Bourse.

Elle parlait avec franchise et précision, pour lui faire comprendre qu'elle n'allait pas à la pêche aux informations de base. Il fallait lui laisser entendre qu'elle possédait des renseignements, et qu'elle était prête à les échanger contre ceux qu'il lui donnerait.

– Vous en savez des choses !

– J'ai mes sources, lui renvoya-t-elle, aguicheuse.

Il rit.

– Je n'en doute pas. Eh bien oui, je suis au courant.

– Donc, Walker Pryce vous a contacté.

Il hésitait à se montrer trop bavard, mais avait terriblement envie de dîner avec elle.

– C'est exact.

– Est-ce une certaine Kathleen Hunt qui vous a appelé ?

– En effet, lui répondit-il légèrement à contrecœur.

Elle inspira un bon coup avant de lui poser la question clef.

Mace lui avait dit que Leeny espérait obtenir des Stillman deux cents millions de dollars, ou même davantage.

– Combien les Stillman ont-ils l'intention d'investir ?

– La décision n'est pas encore arrêtée, lui répondit-il aussitôt.

– Mais vous allez investir ?

– Oui. Mais je ne vous ai rien dit. Si jamais quelqu'un m'appelle et m'annonce avoir appris par Rachel Sommers que la famille Stillman investit dans Broadway Ventures, je me fâcherai.

Il avait parlé d'un ton léger pour ne pas la blesser, mais il ne plaisantait pas. Avec le job qu'il avait, il ne voulait prendre aucun risque.

– Jamais personne n'en saura rien, Bradley.

– Bien.

– La somme à laquelle vous pensez dépasse-t-elle les cent millions ? lui demanda-t-elle d'un ton ferme.

– Quoi ?! (Il éclata de rire.) Vous rigolez ! On vous a dit ça ? ajouta-t-il d'un ton redevenu soudainement sérieux.

– Non, bien sûr que non.

– Parce que si on vous a dit ça, poursuivit-il sans relever sa réponse, on se trompe lourdement. Jamais nous ne serions prêts à lâcher une somme pareille.

– Non, bien évidemment, dit-elle en sentant brusquement quelque chose lui peser sur la poitrine.

Tout d'un coup, elle flairait quelque chose de louche. C'était pourtant bien la somme que Leeny espérait recueillir, Mace avait été catégorique là-dessus.

– Cent millions, répéta Downes en se remettant à rire. Le vieux Stillman nous pendrait par les couilles s'il apprenait ça. Merde, ils auront de la chance si nous investissons dix millions. De toute façon, elle n'en demandait que vingt.

– Vingt ? C'est tout ?

Rachel n'en croyait pas ses oreilles. C'était insensé. Dans un fonds d'un milliard de dollars, cela représentait une goutte d'eau.

– Oui. Elle nous a dit que le tour de table était presque bouclé et que nous aurions de la chance de pouvoir y participer.

Si Walker Pryce n'avait pas été le commanditaire, je lui aurais dit d'aller se faire voir chez les Grecs. Nous tenons à garder d'excellentes relations avec eux et c'est ce qui me fait dire que les Stillman vont donner leur accord pour dix millions. Mais guère plus.

Elle n'entendit pas sa dernière phrase. Le fonds était presque constitué, mais Stillman n'y investirait pas plus de dix millions. Ça ne collait pas. Il faudrait des lustres pour rassembler la somme totale par paquets de dix millions et Leeny prétendait pourtant que c'était quasiment chose faite. Se vantait-elle pour attirer d'autres investisseurs ?

— Bradley, avez-vous déjà traité avec LeClair & Foster ?

— La banque d'affaires de San Francisco ?

— Oui.

— Bien sûr. Plusieurs fois. (Il avait repris son ton condescendant.) J'ai un très bon ami qui y travaille, un copain de Stanford. Nous partagions la même chambre en deuxième année.

Elle hésita. Elle ne connaissait pas très bien Bradley Downes. Si jamais Leeny découvrait qu'elle mettait son nez dans ses affaires, elle risquait gros. Leeny pouvait persuader Webster de revenir sur son offre d'emploi, surtout si sa petite enquête éveillait les soupçons de la famille Stillman.

— Bradley, saviez-vous que Kathleen Hunt, la femme qui réunit les fonds pour Walker Pryce, avait travaillé chez LeClair & Foster ?

— Non, mais ça ne me surprend pas. C'est une grosse boîte. Je vous l'ai dit, j'y ai un ami.

— Oui, oui.

Elle avait dévoilé ses batteries en établissant le lien entre Leeny et LeClair & Foster.

— Vous pourriez me rendre un service ? demanda-t-elle. Vous pourriez vous renseigner sur Kathleen Hunt auprès de votre ami ?

Il y eut un silence au bout du fil.

Rachel retint son souffle.

— Quel est le problème ? lui demanda-t-il lentement.

— Oh, rien, la routine, lui répondit-elle du ton le plus normal possible et bien contente qu'il ne puisse pas voir la tête qu'elle faisait.

– A vous entendre, on dirait qu'on a affaire à la SEC, ou même à la police de New York.

Elle rit fort.

– Vous êtes trop drôle. Je crois que je vais passer une bonne soirée avec vous.

– Je l'espère, dit-il.

– Alors, vous voulez bien ? Vous appelez votre ami ?

– Je ne saurai donc pas pourquoi ?

– Je vous le dirai quand nous dînerons ensemble. Mais sérieusement, ce n'est rien.

Elle l'entendait respirer.

– D'accord.

– Dites-lui de me donner tout ce qu'il pourra trouver, absolument tout. Et merci. C'est vraiment sympa de m'aider.

– C'est tout naturel. Dites, ça vous plairait de dîner au Cirque ?

– Quelle question !

Elle fut interrompue par un signal d'appel.

– Excusez-moi, Bradley, lui dit-elle, mais on cherche à me joindre. Je vous quitte. Vous pouvez m'appeler dès que vous avez du nouveau ?

– Oui, oui.

– Vous avez mon numéro personnel ?

– Oui.

– Bon, au revoir.

– Au revoir.

Elle l'entendit raccrocher. La ligne bipa de nouveau. Elle reposa lentement le combiné. C'était Mace. Elle le sentait. Mais elle n'était pas encore prête à lui parler.

Bradley Downes resta quelque temps les yeux fixés sur son téléphone. Bizarre, ce coup de fil. Mais Rachel Sommers était un gibier bien appétissant. Il ne lui avait pas tout dit sur son contact chez LeClair & Foster. Cet homme-là était son meilleur ami. Il sourit. Rachel allait en avoir plein la vue. S'il y avait quelque chose à savoir sur cette Kathleen Hunt, elle le saurait. Son ami comprendrait et lui rendrait tous les services possibles. Downes voulait tellement épater Rachel à ce dîner qu'il était prêt à y aller de sa poche et prendre une suite au Plaza pour la nuit.

18

Il était trois heures du matin, mais Slade Conner ne trouvait pas le sommeil. Assis au bord de son lit, il relisait la lettre anonyme pour la quatrième fois.

« Cher monsieur Conner,

« Il faut que je vous parle de Carter Guilford, ancien responsable des opérations de terrain de la CIA pour l'ensemble de l'Amérique centrale et de l'Amérique du Sud. M. Guilford s'est récemment tué en avion au Honduras.

« Il travaillait en étroite collaboration avec le cartel Ortega, auquel il fournissait des informations sensibles sur les activités anti-drogue de la CIA et de la Drug Enforcement Agency. Il renseignait la Colombie sur les opérations visant à limiter l'importation illicite de stupéfiants aux Etats-Unis et, plus particulièrement, sur l'identité des agents secrets, les déplacements des patrouilles frontalières et les plans de vol des appareils de la DEA ayant pour mission d'intercepter les avions des trafiquants. Ces indications ont permis aux Ortega de faire entrer à eux seuls dans notre pays davantage de cocaïne que tous leurs concurrents réunis, ainsi que d'identifier — et sans doute supprimer — onze agents secrets, dont les corps n'ont jamais été retrouvés. Guilford leur a fait gagner plusieurs milliards de dollars et en a lui-même touché près de deux cents millions pour services rendus.

« Cet argent alimentait directement les comptes de la CIA. Malcolm Becker s'en servait pour financer les Wolverines, la force d'assaut que vous connaissez si bien. Comme ce projet crevait — et

crève toujours – son plafond budgétaire, Becker comblait ses déficits grâce à l'argent de la drogue. Mais un jour qu'il attendait un autre versement, il s'est rendu compte que Guilford allait vendre la mèche : il était prêt à tout raconter à un contact très haut placé au gouvernement. C'est pourquoi je pense que Becker a fait tuer Guilford. Je ne crois pas à la thèse de l'accident au Honduras.

« Il faut que vous trouviez les preuves liant directement Becker à la mort de Guilford. Je vous contacterai dans les quinze jours. »

Slade ne pouvait détacher ses yeux de la page. « Un contact très haut placé au gouvernement. » Aussitôt, le rendez-vous avec Preston Andrews, noté dans l'agenda qu'il avait trouvé sur Guilford, lui revint en mémoire. Mais non, c'était ridicule. En admettant même que tout cela soit vrai, Guilford n'aurait jamais écrit le nom du vice-président dans son calepin. Ç'aurait été stupide. D'un autre côté, les gens faisaient parfois de grosses bêtises. Même les agents de la CIA. Il secoua la tête. Surtout les agents de la CIA.

Il s'allongea sur son lit. Et si c'était Becker qui le mettait à l'épreuve ? Peut-être valait-il mieux lui apporter la lettre. Son patron hocherait la tête et lui serrerait la main en le remerciant de sa loyauté.

Mais le coup pouvait aussi venir de Ferris. Peut-être le Rat n'était-il pas aussi dévoué au vieux Malcolm qu'il en avait l'air.

L'hypothèse la plus plausible était qu'une tierce personne jouait aux devinettes et lançait des coups de sonde pour voir si ça lui rapportait quelque chose d'intéressant.

Slade frappa du poing sur le matelas. La lettre ne lui fournissait aucun indice. Il était en particulier impossible de savoir si elle contenait une once de vérité ou si ce n'était qu'un tissu de mensonges. Il n'en savait pas assez sur les comptes des Wolverines. Quant aux accusations portées contre Guilford, il ne pouvait pas juger de leur bien-fondé, ses contacts en Amérique centrale étant trop peu solides pour ça. Et à fourrer son nez là-bas sans savoir à qui s'adresser, on était sûr d'y laisser sa peau.

– Et merde ! dit-il.

Il était totalement impuissant. Il ne lui restait qu'une chose à faire : attendre. Mais, comme tout homme d'action, il détestait ça.

Assise nue sur le lit d'hôtel, Leeny avait ramené ses jambes sur sa poitrine et passé ses bras autour de ses genoux. Elle regardait le rai de lumière qui filtrait sous la porte de la salle de bains. Derrière, John Schuler s'occupait à Dieu sait quoi et Leeny s'en moquait.

Elle était secouée d'un tremblement incoercible, mais ne pleurait pas. Elle souffrait trop pour cela. Deux heures durant, Schuler l'avait prise dans toutes les positions qu'il avait pu imaginer, grognant comme un porc chaque fois qu'il jouissait.

Elle serra ses jambes contre elle et ferma les yeux. Une putain à un milliard de dollars, voilà ce qu'elle était. Après chaque orgasme, il lui avait promis juré qu'en arrivant au bureau le lendemain matin, la première chose qu'il ferait serait de signer la lettre engageant la Chase pour un milliard de dollars dans Broadway Ventures et de la lui faxer chez Walker Pryce. Elle hocha la tête. Si l'homme de Washington savait à quel point elle se sacrifiait, il sourirait.

Mais devenir le jouet de ce petit avorton en échange d'un milliard de dollars valait quand même le coup. Elle avait évité la prison pour ses délits d'initié, l'opération Broadway une fois terminée, elle recevrait cinq millions et prendrait la poudre d'escampette. A moins qu'avant d'aller se cacher, elle coince le petit banquier derrière la porte et le tue de sang-froid.

Quatre orgasmes en deux heures. Elle n'avait jamais vu ça. Comment faisait-il ? Et il en redemandait. Elle n'était pas particulièrement croyante, mais joignit les mains et pria le premier dieu qui serait prêt à l'écouter que John Schuler ait une crise cardiaque dans la salle de bains.

Puis elle se déposa un petit baiser sur le genou. Du calme, ma fille, du recul. Il fallait arriver au but et ce moyen en valait bien un autre. Tout à coup, elle pensa à Mace. Au moins s'était-il montré clair quant à ses intentions. Et tendre et gentil pendant leurs ébats. Schuler, lui, l'avait menacée de faire capoter la transaction si elle ne le suivait pas à l'hôtel. Il s'était servi d'elle sans tendresse et avec un égoïsme monstrueux. Elle secoua la tête en considérant l'ironie de la situation. Elle haïssait cet homme, mais l'aidait à avancer dans sa carrière : il gagnerait des millions dans cette affaire. Et il usait de son corps à sa guise. Mace, lui – et bien malgré elle, elle s'était prise à l'aimer –, n'aurait droit qu'au petit coup de pouce qui le conduirait à la mort.

Dans la salle de bains, Schuler regarda son pénis en érection et sourit. En s'enfonçant de la cocaïne le plus loin possible dans l'urètre à l'aide d'une paille, l'homme d'affaires vieillissant, chauve et gros, avait réussi à se transformer en amant idéal pour une nuit. Il replia le papier sur son précieux contenu et le cacha dans la corbeille en osier où étaient présentés divers savons et shampooings. Elle n'irait pas regarder là-dedans.

Il ouvrit la porte et, sans éteindre la lumière, se dirigea vers le lit. Pendant quelques instants, il caressa doucement la joue de la jeune femme. Puis il lui attrapa les cheveux à pleines mains et se mit à la tirer vers lui.

– Vous me faites mal, murmura-t-elle.

Mais il ne s'arrêta que lorsqu'elle fut assise au bord du lit. Il lui prit alors le menton dans la main et l'obligea à le regarder dans les yeux.

– Exquise...

– Merci du compliment, dit-elle d'une voix rauque, mais elle se demanda dans quel sens il fallait prendre le mot. Vous n'êtes pas fatigué ?

Il lui sourit.

– Je ne me fatiguerai jamais de toi, Leeny, dit-il en lui caressant la joue de nouveau. A genoux.

– John, il est quatre heures du matin et j'ai un avion à prendre dans quelques heures. Je vous en prie...

– A genoux, la coupa-t-il. Tu ne voudrais pas que je change d'avis sur Broadway Ventures ?

– Non, dit-elle faiblement.

Lentement, elle se laissa glisser du lit et se tourna, appuyant sa poitrine sur le matelas. Elle sentit Schuler s'agenouiller derrière elle. Dieu, c'était atroce. Elle sentit ses mains la toucher, jouer avec son sexe. Elle ferma les yeux. Ça se paierait. Il la pénétra. Elle agrippa les draps et mordit dans le matelas. Ça se paierait chèrement.

Slade observait Becker, qui était en conversation téléphonique avec le Chili. Depuis cinq ans, Becker lui tenait lieu de père, et il lui vouait une profonde affection. Mais il se méfiait de lui. Comment aurait-il pu en aller autrement ? Becker dirigeait la Central Intelligence Agency.

Pendant son service militaire, Slade avait appris à relativiser la confiance et à l'accorder pour certaines choses et pas pour d'autres. On pouvait compter sur Malcolm Becker pour faire passer la sécurité du pays avant tout, mais pas pour protéger un individu. Il n'aurait jamais hésité à sacrifier quiconque aux intérêts de la communauté.

Selon toute vraisemblance, la lettre anonyme qu'il avait reçue ce matin était du bluff. Quelqu'un cherchait à s'immiscer dans les secrets les mieux gardés de la CIA, à trouver du feu là où il n'y avait que de la fumée. C'était fréquent, surtout à Washington, où tous les moyens étaient bons pour obtenir des renseignements. La ville était pleine d'ennemis.

Pourtant, en regardant Becker terminer sa conversation, il se sentit inquiet. La lettre contenait assez de barbes pour finir par piquer.

Becker reposa le combiné.

– Bonjour, Slade, dit-il.

– Bonjour, mon général.

– Vous allez bien ?

– Oui, mon général.

– Tant mieux.

Becker prit sa tasse et but une petite gorgée de café fumant.

Chaque fois qu'il entrait dans son bureau, il avait droit au même manège : « Bonjour, Slade. Vous allez bien », et hop, il avalait une gorgée de café. La vie du général était réglée comme du papier à musique. La discipline fait les dynasties. C'est en forgeant qu'on devient forgeron. Tels étaient ses credo.

Becker reposa sa tasse sur son bureau.

– Vous m'avez toujours servi de manière exemplaire.

– Merci, mon général.

– Slade, je n'irai pas par quatre chemins. J'ai encore une fois besoin de vos talents exceptionnels.

Slade hocha la tête. En ne trouvant pas le Rat dans la pièce, il avait tout de suite compris pourquoi on l'avait convoqué.

– Qu'attendez-vous de moi ?

Le général respira un bon coup, en faisant siffler l'air dans ses narines.

– Notre ami Preston Andrews devient gênant.

Il marqua une légère pause pour jauger la réaction de Slade. Il n'y en eut aucune. Slade n'avait pas son pareil pour rester impassible quoi qu'on lui dise et, jusqu'à présent, Becker n'avait eu qu'à s'en féliciter. Mais cette fois-ci, il aurait bien aimé pouvoir lire son visage.

– J'ai besoin de renseignements sur Andrews, reprit-il en plissant les paupières.

Slade se sentit soulagé, mais n'en laissa rien paraître. Quand Becker avait parlé de talents exceptionnels, il avait cru qu'il faisait allusion à sa capacité de provoquer des accidents mortels. Obéir au général était une chose, tuer le vice-président des Etats-Unis en était une autre. Il hocha la tête.

– Je suis donc assuré de votre coopération ? insista le général en lui rendant son signe de tête.

– Bien sûr.

Becker sourit. Conner était quelqu'un sur qui on pouvait compter. La CIA avait besoin d'hommes comme lui, prêts à s'acquitter de n'importe quelle mission. Il se pencha en avant.

– Ce que je vais vous dire est top secret. Compris ?

– Oui, mon général.

Becker hésita un instant, puis reprit, de sa voix sévère d'officier :

– M. Andrews cherche à faire éclater un scandale à la CIA pour me traîner dans la boue. Et il a une bonne raison : il crève de trouille que je le batte aux prochaines élections présidentielles. Il concocte une histoire pour me discréditer et me mettre hors course.

Slade sentit son pouls s'accélérer imperceptiblement. Il jeta un coup d'œil à une photo accrochée au mur, et une phrase de la lettre

lui revint aussitôt. « Un contact très haut placé au gouvernement. » Il pensa au rendez-vous noté dans le carnet de Guilford.

– Andrews a un sale petit secret. Sa société à caractère familial,
Andrews Industries, part à vau-l'eau, et tout me porte à croire
qu'il en a détourné des fonds à l'insu des autres membres de sa
famille. Il n'est pas impossible qu'il ait commis des fraudes
importantes pour pouvoir financer sa campagne contre moi.
Mais ce n'est pas tout.

Becker se pencha encore plus bas. Ses yeux n'étaient plus que
des fentes et les veines de son crâne saillaient.

– D'après mes sources, Andrews fomente une conspiration à
très grande échelle, une opération qui lui rapportera des sommes
fabuleuses : de quoi sauver sa société de la catastrophe, financer
sa campagne et même davantage.

Slade avala sa salive. Qu'est-ce que c'était que ce coup-là ? Il
eut envie de demander à Becker d'où il tenait ces informations,
mais il savait sa curiosité inutile. Becker ne lui répondrait jamais.

– Et vous voulez que je creuse la question, dit-il, sur un ton
qui n'était pas interrogatif.

– Oui, je veux savoir tout ce qu'il y a à savoir sur lui. Mon
équipe B y travaille déjà depuis quelques mois, mais l'heure est
venue d'employer les grands moyens. Je vous veux partout. A
sa résidence familiale du Michigan, dans sa société, chez son
comptable, chez son avocat. Partout. Je veux connaître la situation financière exacte d'Andrews Industries, sa fortune personnelle et je veux aussi savoir si je peux croire ce que m'a dit mon
contact au Moyen-Orient.

Slade haussa un sourcil. Son contact au Moyen-Orient ?
C'était la petite note de crédibilité, les quelques mots qu'il fallait
lâcher pour justifier son accusation de conspiration à très grande
échelle.

Slade regarda Becker. Peut-être, après ses études, aurait-il
mieux fait de suivre Mace dans le monde de la finance. A
l'époque, Wall Street lui avait paru terriblement complexe et
inutile. Mais, comparé à ce qu'on lui demandait de faire
aujourd'hui, cet univers paraissait d'une simplicité limpide.

– Bien, mon général, dit-il. Je m'y mets tout de suite.

Il se leva et salua son supérieur.

19

— Leeny, je vous présente Roger Hamilton.

Mace serra la main potelée d'Hamilton en faisant les présentations.

— Roger est directeur des investissements pour l'ensemble des emprunts immobiliers de Maryland Mutual Life. Comme vous le savez, Leeny, Maryland Mutual est la troisième compagnie américaine d'assurance vie, et aussi l'un des plus grands organismes de crédit foncier du pays.

Leeny posa sur Hamilton un regard vitreux. Il était dix heures du matin. L'horrible petit banquier de la Chase avait pris congé d'elle dans la chambre dépouillée de l'hôtel Inter-Continental quatre heures plus tôt seulement, avec un baiser brutal qu'elle s'était forcée à subir, un baiser comme aurait pu en donner un adolescent de quatorze ans. Mais à y réfléchir, pourquoi s'en étonner : c'était bien comme un adolescent qu'il lui avait fait l'amour toute la nuit durant.

Elle avait dormi pendant tout le vol de New York La Guardia à Washington National Airport et dans le taxi qui les avait déposés devant les bureaux de Maryland Mutual, au centre de la capitale. Elle n'avait même pas fourni d'explication à Mace sur son état d'épuisement et, Dieu merci, il n'en avait pas demandé.

Elle réussit à rassembler ses esprits et à voir sans trop de flou le visage obèse d'Hamilton.

— Bonjour, lui dit-elle, la voix enrouée.

Elle aurait voulu faire un sourire provocant au gestionnaire visiblement si imbu de lui-même, mais ne s'en sentit ni l'envie ni la force. Lorsque Schuler l'avait enfin quittée, elle avait même envisagé d'appeler Mace pour lui dire d'aller seul à Washington. Mais ce serait sans doute revenu aux oreilles de Webster, et elle ne voulait surtout pas s'attirer sa colère.

— Bonjour, lui répondit Hamilton d'un ton raide et pompeux en lui serrant la main comme si c'était une corvée.

Elle faillit se rétracter au contact de sa paume froide et humide.

— Jusqu'ici, Leeny a été chargée de motiver des investisseurs pour Broadway Ventures, mais elle s'occupera aussi des placements.

Mace jouait bien son rôle ; il mettait les gens à l'aise et disait ce qu'il fallait lors des présentations. Comme d'habitude, il était tout à son affaire : parfaitement préparé, calme, concentré.

— Je vois, dit Hamilton qui ne semblait guère intéressé.

Elle tenta de secouer ses cheveux d'un air sexy et de se rendre désirable, bref, de jouer son rôle, mais cela ne marchait plus. Elle ne se sentait pas du tout sexy. L'image de Schuler vautré sur elle la hantait, et Hamilton lui rappelait Schuler. Gros, à moitié chauve, inutile, il n'était qu'une version plus imposante et adipeuse du petit banquier. Avec un accent snob, par-dessus le marché. Elle fit un effort pour se montrer cordiale.

— Comment allez-vous, Roger ? dit-elle, mais le cœur n'y était pas.

— Bien.

Hamilton lui retira sa main froide comme un poisson mort et lui tourna le dos pour aller s'asseoir à son bureau.

Mace s'inquiéta vaguement. Leeny ne semblait vraiment pas dans son assiette.

Elle eut un rapide haussement d'épaules et regarda ailleurs. Quand ça commencerait à sentir le roussi, elle n'hésiterait pas une seconde à pousser cet arrogant directeur dans les flammes. Il aurait perdu de sa superbe ce jour-là. Elle l'imaginait déjà pleurant comme un bébé en voyant son portefeuille fondre comme neige au soleil. Il la supplierait de le délier de ses engagements.

— Combien Maryland Mutual a-t-elle d'emprunts garantis

aujourd'hui, Roger ? Je crois avoir entendu parler de trente milliards. C'est bien ça ?

Mace jeta un coup d'œil au dôme du Capitole qui se dressait dans le lointain, puis s'assit dans l'un des deux fauteuils qui faisaient face au bureau.

Hamilton croisa les bras sur son ventre.

— Trente-*deux* milliards, cracha-t-il.

Leeny prit l'autre fauteuil. Elle entendait déjà cet insolent la supplier d'endosser les créances à n'importe quel prix. La vengeance serait douce. Elle finirait par les lui racheter, mais pour des cacahuètes et après l'avoir fait souffrir comme il fallait.

Mace hocha la tête.

— Epoustouflant.

— En effet.

Hamilton était aussi fier de sa personne que de l'importance de son portefeuille.

Mace se força à sourire. Le client est roi, se répéta-t-il. Souris et tais-toi.

— Et comment va Shirley, votre épouse ?

Hamilton esquissa son premier sourire depuis l'arrivée de ses visiteurs.

— Vous avez préparé vos antisèches avant de venir, hein, Mace ?

Mace nia de la tête. Shirley était une femme très agréable, chaleureuse et attentionnée. Mace l'avait rencontrée deux ans plus tôt à un dîner à New York. Ils fêtaient la signature d'un projet visant à faire construire une tour de soixante-douze étages à Manhattan, opération dont Mace avait fait le montage financier, Maryland Mutual y apportant les fonds contre garantie. Comment Roger Hamilton avait-il réussi à passer la bague au doigt d'une femme pareille ? C'était une de ces aberrations dont la vie avait le secret.

— Comment va-t-elle ?

— Elle fait la cuisine et le ménage et s'occupe des enfants. Bref, les tâches auxquelles les femmes devraient occuper leur journée.

En disant cette dernière phrase, Hamilton s'était tourné vers Leeny sans quitter Mace des yeux.

Leeny se sentit bouillir. Elle aurait sa peau. Elle commencerait par l'enterrer vivant, jusqu'au cou. Après quoi, elle l'étoufferait avec du pollen et lâcherait l'essaim sur lui. Et le regarderait souffrir.

Mace toussa. Hamilton était indubitablement un connard. Mais il avait la haute main sur trente-deux milliards de dollars à la valeur nominale, dont une bonne part investie à Manhattan. Si Webster avait raison, et si l'immobilier new-yorkais dégringolait bientôt, Broadway Ventures pourrait récupérer un bon paquet de ces obligations à un prix bien inférieur à leur valeur et revendre à profit dès que les cours remonteraient.

– Content de l'apprendre. Elle est très sympathique. Je me souviens qu'elle m'a parlé de sa roseraie au dîner qui a clôturé l'opération immobilière Ames, dit-il en lui souriant placidement.

Hamilton comprit aussitôt qu'il s'était fait souffler la vedette et que Mace se souvenait effectivement de sa femme. Il se frotta les joues, soudain pressé de faire avancer la réunion.

– Corrigez-moi si je me trompe, Mace. Walker Pryce rassemble donc un fonds vautour en prévision d'un effondrement de l'immobilier. C'est bien ça ?

Mace hocha la tête. C'était dévoiler ses batteries d'entrée de jeu, mais il n'avait pas le choix. Et il avait préparé sa réponse.

– Et vous m'avez demandé un rendez-vous pour m'en parler, poursuivit Hamilton, de façon à ce que le moment venu, je vous revende mes obligations au rabais.

– En gros, oui, Roger, c'est bien ça, lui renvoya Mace avec un grand sourire.

– Comme ça, vous et vos amis financiers de Walker Pryce pourrez me racheter les titres que vous m'aurez vendus vous-même. Bien entendu, je vous les aurai achetés à cent pour cent de leur valeur faciale et vous me les reprendrez à quatre-vingt-dix... si j'ai de la chance. (Il se frotta de nouveau le visage.) Voyons, voyons... quelle est la part de Walker Pryce sur les trente-deux milliards de mon portefeuille ? Ça doit aller chercher dans les quatre milliards. Et maintenant vous venez me dire que l'immobilier va s'écrouler après que vous m'aurez vendu tout ça.

On était dans le classique conflit d'intérêts auquel se heurtent tous les financiers, que ce soit sur le marché des entreprises, de l'immobilier ou des fusions et acquisitions. Les organismes d'investissement représentant les acheteurs comme les vendeurs, cela créait automatiquement des tensions. Quand le directeur d'une société décidait de mettre des actions sur le marché public, il attendait de son banquier qu'il lui en obtienne le meilleur prix. Mais l'investisseur – individu ou organisme – voulait voir sa mise augmenter rapidement, ce qui risquait d'être compromis si le prix était trop élevé au départ. Au bout du compte, il y avait toujours et inévitablement des mécontents.

Pis encore, le banquier d'affaires y gagnait de l'argent quoi qu'il arrive. Des sociétés comme Walker Pryce prélevaient un coquet sept pour cent de commission sur tous les échanges, indépendamment de l'évolution du prix de l'action ou de l'obligation après la transaction.

Hamilton venait de le faire comprendre à Mace de manière peu subtile. Et ce qui était vrai des actions l'était aussi des obligations, dont il possédait un grand nombre.

Mace devint sérieux. Il était temps de rappeler à son interlocuteur que s'il avait pu assurer aux souscripteurs de Maryland Mutual des revenus exceptionnellement élevés ces cinq dernières années, c'était grâce aux conseils de Walker Pryce. Wall Street pouvait reprendre aussi vite qu'il avait donné. C'était un cercle très fermé puisqu'il comptait à peine dix sociétés capables d'initier en permanence des opérations assez importantes pour intéresser une boîte comme Maryland Mutual. Petit, ce cercle était pourtant très puissant, auprès duquel l'influence du cartel pétrolier de l'OPEP sur l'économie mondiale semblait inexistante. A se mettre à dos un membre du cartel de Wall Street – le milieu préférait le terme de « club » – on courait le risque de voir ses capacités d'investissement s'assécher comme un cours d'eau dans le désert.

Mace trouva qu'il était temps de remettre les idées d'Hamilton en place.

– Comme vous le savez, Roger, dit-il, les banquiers d'affaires sont là pour apporter liquidités, opportunités et conseils à leurs clients. Notre pouvoir s'arrête là. Nous sommes incapables d'infléchir les marchés immobiliers, qui suivent les hasards de leur cours. De fait, nous ne pouvons rien faire de plus que vous proposer des opérations et être là quand vous avez besoin de nous... Ou ne pas être là au moment où vous avez le plus besoin de nous, ajouta-t-il avec calme mais fermeté.

Hamilton leva une main en l'air.

– Mais bien sûr, Mace, dit-il. Maryland Mutual est très satisfait du travail de Walker Pryce.

Il avait très bien perçu la menace. Mace hocha la tête, content de s'être fait comprendre.

Pour la première fois, Hamilton lui sourit franchement.

– Je ne crois vraiment pas à une correction du marché immobilier pour l'instant. S'il y en a une, elle sera légère. Pas de quoi s'émouvoir. En tout cas, pas de quoi mobiliser des milliards.

Hamilton aimait avoir le dernier mot. C'était dans sa nature. Et le ton de son commentaire faisait office de conclusion.

Mace laissa glisser.

– Si cela ne vous dérange pas, j'ai deux ou trois questions à vous poser sur votre portefeuille. Il y a plusieurs mois que nous n'y avons pas jeté un coup d'œil ensemble et j'aimerais faire le point.

– D'accord.

Soudain, une voix beugla dans l'interphone.

– Monsieur Hamilton ?

– Oui, Rose, dit-il en levant les yeux au ciel.

– George Warner veut vous voir un instant.

Hamilton se leva en maugréant.

– Je reviens dans une minute.

Leeny appuya sa tête contre le dossier de son fauteuil. Vivement ce soir, qu'elle se glisse au fond de son lit. Dès huit heures, elle dormirait.

– Alors, qu'est-ce que vous mijotiez hier soir ? lui demanda Mace.

Elle se redressa en sursaut. Elle secoua légèrement la tête et se cala dans son fauteuil.

– Pardon ?

– Vous avez l'air un peu... (Il marqua une pause, puis sourit.)... patraque, dirons-nous ?

– Je suis indisposée.

– Oh, dit-il en détournant les yeux aussitôt.

Leeny se passa une main dans les cheveux. C'était une excuse bien commode, mais qui avait fait ses preuves. Ça pouvait arrêter net un patron en train de vous enguirlander ou un flic en train de vous coller une amende pour excès de vitesse. Avec les hommes, ça marchait dans quatre-vingt-dix-neuf pour cent des cas.

– J'ai cru que vous étiez allée dîner avec Schuler, reprit-il tranquillement.

Elle lui jeta un bref coup d'œil. Mace regardait quelque chose sur le bureau d'Hamilton.

– Non, dit-elle d'une voix pleine d'assurance. Je suis restée bavarder un peu avec lui à la Chase et je suis rentrée chez moi. Seule. (Elle marqua une pause.) Qu'est-ce qui vous fait dire ça ?

– Oh, il m'a appelé au bureau hier soir vers huit heures. D'un restaurant. Il m'a dit qu'il venait d'avoir son patron au téléphone. L'affaire a été conclue dans la soirée. Un prêt d'un milliard de dollars accordé par la Chase. Vous vous rendez compte ? dit-il en secouant la tête comme s'il ne le croyait pas lui-même. Tout à l'heure dans l'avion, je voulais vous demander si vous étiez au courant, mais vous aviez l'air si fatiguée que j'ai préféré ne pas vous déranger. (Il marqua une pause.) Très bientôt, nous aurons deux milliards de dollars avec lesquels faire joujou, Leeny. J'espère pouvoir en tirer quelque chose et me montrer digne de votre confiance.

Mais Leeny n'entendit pas la fin de sa phrase. Son sang se mit à tambouriner dans sa tête et sa vision se brouilla. Schuler avait quitté la table à huit heures pour – avait-il dit – aller aux toilettes. Comme il ne s'était pas absenté longtemps, cela n'avait pas éveillé son attention. Apparemment, ces quelques minutes lui avaient suffi pour appeler son patron et Mace. En revenant s'asseoir, il n'avait rien dit. Le petit salaud. Il s'était servi d'elle de la plus ignoble façon. Sa torture avait été inutile. La transaction était déjà signée quand elle l'avait suivi dans cette chambre d'hôtel. Elle sentit les larmes lui monter aux yeux.

– Ça va, Leeny ? dit Mace en lui prenant la main.

Elle avait la peau brûlante.

– Oui, oui, lui répondit-elle d'une voix mal assurée.

Mais elle n'allait pas bien du tout. Il lui fallait des toilettes, et vite. Elle se leva d'un bond et se précipita vers la porte, les deux mains crispées sur son ventre.

– Slade, je te présente Kathleen Hunt, dit Mace. Nous travaillons ensemble chez Walker Pryce.

– Bonjour, Kathleen.

Slade lui donna une poignée de main douce mais très brève. Comme il croyait la reconnaître, il faisait attention de ne pas la fixer trop longtemps au cas où il l'aurait rencontrée dans un contexte qu'il valait mieux oublier. Il ne la regarda donc jamais plus de deux secondes à la fois. Il avait appris qu'au-delà, les gens se sentaient observés et se méfiaient. Et il ne tenait pas à ce qu'elle lui prête attention.

Kathleen Hunt. Kathleen Hunt. Le nom et le visage lui étaient familiers, mais il ne les remettait pas. Il jura à part lui. Il oubliait rarement un nom ou un visage.

– Bonjour, dit Leeny.

Elle était épuisée et mourait d'envie de rentrer. Mais elle ne pouvait pas quitter Mace. Ordre de Webster. Surtout à Washington.

Debout dans l'entrée du Clyde, un restaurant très connu de Georgetown, ils attendaient d'être placés. Enfin, une jeune hôtesse leur désigna une table près d'une fenêtre.

Il était à peine plus de midi et l'endroit regorgeait de monde. Ils avaient eu de la chance de trouver de la place.

Mace avança la chaise de Leeny, qui s'effondra dessus. La salle était sombre, mais elle n'ôta pas ses lunettes noires. Elle avait envie de se cacher dans un trou et de se faire oublier. Ses nausées n'étaient pas tout à fait calmées, et la petite odeur de cuisine qui flottait dans l'air n'arrangeait pas les choses.

– Pardon, dit-elle, je n'ai pas entendu ce que vous faites dans la vie, Slade ?

Elle voulait se débarrasser des politesses d'usage et se fondre dans le décor le plus vite possible.

– Je suis avocat, dit Slade en adressant un clin d'œil à Mace.

A Washington, où les cabinets d'avocats se comptaient par milliers, c'était la réponse la plus sûre. Si elle lui demandait des détails, il inventerait un nom et elle n'y verrait que du feu.

Elle hocha la tête et se désintéressa du sujet.

Mace sourit de toutes ses dents.

– Leeny n'est pas très en forme aujourd'hui, dit-il.

– Ah.

Slade la regarda de nouveau. Ça lui revenait. Il y était presque et saurait bientôt où il l'avait rencontrée.

– Ça va aller, je vous assure.

Mais Leeny se sentit de nouveau malade.

– Excusez-moi, dit-elle.

Elle se leva. Mace et Slade furent aussitôt debout pour la laisser passer, puis ils se rassirent lentement en la regardant s'éloigner.

Slade pianota sur la table du bout des doigts. Il y était presque.

– Jolie, hein ? dit Mace en souriant à son ami. Je savais bien qu'elle te plairait. Malheureusement, tu tombes mal, elle n'est pas dans son assiette. Je lui ai dit de rentrer sans moi, mais elle...

Soudain, Slade le regarda dans les yeux. Tout ne lui était pas revenu à la mémoire, mais suffisamment pour... Il coupa Mace au milieu de sa phrase.

– Si jamais tu as besoin de quelque chose, appelle-moi, dit-il. Tu sais que tu peux compter sur moi.

Mace eut un léger mouvement de recul. C'était la première fois que Slade lui parlait sur ce ton.

– Qu'est-ce qui te prend ?

Slade l'observa quelques secondes, puis son visage se détendit. Il ne voulait pas alarmer son ami. De toute façon, il était tenu au secret.

– Rien, rien. Simplement, si tu as besoin de quoi que ce soit – mais vraiment quoi que ce soit –, n'oublie pas que tu peux m'appeler.

Mace hocha la tête, ébranlé par les sous-entendus qu'il avait détectés dans la voix de son ami.

Rachel attendait cet instant depuis qu'elle avait quitté le restaurant vendredi soir. Elle attendait de revoir Mace et son beau visage, son sourire réconfortant, sa démarche assurée et ses yeux vifs. De ressentir, comme à chaque fois, la chaleur qui envahissait aussitôt son corps. Son refus de répondre au téléphone avait assez duré. Elle savait qu'elle ne lui était pas indifférente. Si elle l'avait quitté abruptement et s'était rendue impossible à joindre pendant quelques jours, c'était pour lui en faire prendre conscience.

Elle avait le souffle court. Il entrerait à grandes enjambées, les yeux fixés sur le bureau noir. Puis il y poserait son attaché-case en cuir noir, enlèverait son manteau et sa veste et les mettrait à côté et parcourrait la salle des yeux pendant quelques secondes. Il regarderait tout et tout le monde sauf elle. Enfin, comme toujours, il terminerait par elle, et son expression changerait subtilement. Personne d'autre qu'elle ne le remarquerait. Elle lui sourirait pour lui faire comprendre qu'elle ne lui en voulait pas. Ils se verraient après le cours. Et peut-être, avant la fin de la soirée, serait-elle à la seule place où elle avait envie d'être : auprès de lui.

– Rachel ? Tu as bien préparé ton étude de cas ?

Don Hammonds était à côté d'elle, sur le pont supérieur. Il n'avait pas fait son travail et craignait de se faire interroger au début du cours parce qu'il n'y était pas encore passé. Il cherchait une bouée de sauvetage et savait qu'avec Rachel, il avait ses chances.

– Oui.

Elle fit glisser son cahier sur la table sans quitter la porte des yeux. Presque sept heures, et toujours aucun signe de Mace.

– Merci, dit-il.

Hammonds attrapa le cahier à spirale et prit des notes à toute vitesse.

Rachel ne réagit pas.

Elle eut un pincement au cœur : le doyen entrait d'un pas décidé. Il s'arrêta devant l'estrade. Les conversations s'arrêtèrent aussitôt.

Malgré le silence, il tapa sur le pupitre avec sa pipe.

– Bonsoir, dit-il d'un air dépité. Bon... M. McLain ne nous

ayant fait faux bond qu'une fois jusqu'à présent, je ne devrais pas trop lui en vouloir. (Il marqua une pause.) M. McLain est retenu par une affaire et ne pourra pas assurer son cours. Personne ne pouvant le remplacer, vous allez rentrer chez vous et travailler vos partiels.

Sur ce, il quitta la salle et disparut dans le couloir.

Les étudiants restèrent à leur place et ramassèrent leurs affaires en silence. Puis, quand ils furent sûrs que Fenton ne pouvait pas les entendre, ils poussèrent des cris de joie en se donnant des bourrades dans le dos, trop contents d'échapper à des questions difficiles ou à des discussions pointues. Seule Rachel ne participait pas à la liesse générale. Elle n'avait pas quitté son siège.

– Merci, Rachel, dit Hammonds en lui rendant son cahier. Ça tombe bien, je n'en ai plus besoin.

Il prit son sac à dos et rejoignit les autres.

Rachel attendit que tout le monde soit sorti pour ranger ses affaires. Tout d'un coup, elle regrettait de ne pas avoir répondu aux appels téléphoniques, qui n'avaient pu venir que de lui.

– Alors, comment avez-vous trouvé votre ami Roger Hamilton ? demanda Webster.

L'œil noir, il dévisageait Mace de derrière son bureau ancien.

– Toujours aussi macho, lui répondit Leeny en s'enfonçant dans le canapé moelleux. Même si c'est la première fois que je le vois, je ne crois pas que son total manque de respect pour les femmes lui soit venu depuis votre dernière rencontre.

Elle jeta un coup d'œil à Mace, puis elle ferma les yeux en terminant sa phrase. En rentrant de Washington, elle avait prévu d'aller directement se coucher sans passer au bureau. Mais Webster leur avait fait passer un message par la secrétaire d'Hamilton : il les attendait dès leur descente d'avion.

– Roger était comme d'habitude. Leeny exagère.

– J'exagère ? Il trouve scandaleux que les femmes aient le droit de vote, s'indigna-t-elle. Un vrai néandertalien.

– Vous allez un peu loin, dit Mace avec un grand sourire.

– C'est un salaud, dit-elle d'un ton glacial.

– Ça suffit, les coupa Webster, exaspéré de leur échange.

Mace jeta un coup d'œil à Leeny. Il ne lui connaissait pas cette véhémence.

– Comment M. Hamilton a-t-il accueilli le projet de Broadway Ventures ? reprit Webster.

Mace prit un fauteuil près du canapé.

– Au début, il n'a pas aimé que je lui dise que le marché de l'immobilier allait s'effondrer. C'est une mauvaise nouvelle pour quelqu'un à qui nous avons vendu des milliards de dollars d'emprunts hypothécaires en deux ans. Après, il a prétendu que ça n'avait guère d'importance parce que, de toute façon, il ne trouvait pas notre idée bien fameuse. Il ne croit pas à une chute de l'immobilier.

Leeny sentait la déception poindre dans sa voix, une déception dont il lui avait souvent fait part ces dernières semaines, au fur et à mesure qu'ils essuyaient rebuffade sur rebuffade.

– Lui avez-vous fait connaître les prix auxquels Broadway Ventures lui rachèterait ses obligations ? Les prix que je vous avais indiqués ? dit Webster sans s'arrêter aux sarcasmes de Mace.

Celui-ci ne répondit pas tout de suite. Webster se tourna vers Leeny.

– Il l'a fait ?

Mace en resta bouche bée. Webster était-il devenu fou ? Mace avait rapporté cinquante millions de dollars d'honoraires à Walker Pryce l'année précédente et voilà que l'associé principal le faisait superviser par Leeny qui n'était dans la boîte que depuis quelques semaines. Etait-ce comme ça qu'il lui exprimait sa loyauté, sa confiance ?

– Lewis, je...

– A-t-il donné les prix à Hamilton ? insista Webster.

– Oui. Hamilton connaît les prix, lui répondit-elle.

Elle haïssait cet homme de toutes ses forces.

Mace se tourna vers elle. Elle aurait pu dire la vérité à Webster et, sans doute, gérer le fonds toute seule. Mais elle avait menti pour le soutenir.

– Il faut que vous soyez plus réaliste, Lewis, dit-il. Vos offres sur l'immobilier sont trop basses. Et nous n'avons même pas parlé des évaluations de titres faites par les deux analystes des Fusions et acquisitions. Vous avez rejeté toutes celles qu'ils vous ont recommandées parce que vous les trouviez sous-cotées. Qu'est-ce qui se passe ?

Mace se leva et se passa une main dans les cheveux. Il ne se contrôlait plus.

– Si vous ne trouvez pas ces actions sous-cotées, c'est que vous les trouvez surcotées, non ?

Il acculait Webster au pied du mur.

Mal à l'aise, celui-ci s'agita dans son fauteuil, mais ne répondit pas. Il voyait bien où Mace voulait en venir, mais refusait de le suivre.

– Si vous les jugez surcotées, faisons-les baisser. Achetons des puts et vendons des calls.

Mace s'avança lentement vers lui.

– Non.

Webster se mit lentement debout et s'appuya des deux mains sur son bureau. Soudain, il regrettait d'avoir mis dans le coup ce jeune et brillant investisseur, qui pourtant lui avait ouvert, ainsi qu'à Leeny, des portes dont il n'aurait même pas soupçonné l'existence.

Mace, lui, regrettait sincèrement de ne pas s'être fié à son intuition quand Webster lui avait parlé de Broadway Ventures. Il tourna les talons et se dirigea vers la porte.

Leeny se leva pour le suivre, mais le regard glacial du patron l'arrêta net. La porte retomba bruyamment sur Mace.

– Où alliez-vous comme ça ? demanda Webster qui n'avait pas apprécié sa réaction.

Elle serra la mâchoire.

– Je rentre chez moi, Lewis. Je veux tout simplement rentrer chez moi.

Comme Mace quelques instants plus tôt, elle s'avança vers le bureau. Elle respirait difficilement.

– Hier soir, j'ai fait ce que vous et ce monstre de Washington m'ont demandé de faire. J'ai fait tout ce qu'on attendait de moi, dit-elle en sentant la boule se former de nouveau dans sa gorge. Et maintenant je n'ai qu'une envie : aller dormir. En espérant que la manière dont je me suis compromise ne me donnera pas de cauchemars.

Elle lui tourna le dos et fit mine de s'éloigner.

– Restez ici, souffla-t-il dans un murmure menaçant.

Elle ne pensait plus qu'à quitter le bureau pour n'y jamais revenir. Webster pouvait la faire tuer à tout moment. Elle n'en doutait plus.

– Vous a-t-il vraiment présentée à vingt-cinq investisseurs ?

De la tête, elle lui fit signe que oui. A sa voix, elle comprit qu'il s'avançait derrière elle.

– Et vous avez la liste complète des actions sélectionnées par les analystes des Fusions et acquisitions ? Et de celles auxquelles Mace s'intéresse le plus ?

– Non. C'est lui qui l'a.

Il se tenait juste derrière elle. Il regardait les longs cheveux blonds qui lui descendaient dans le dos. Elle était belle. Il y avait trop longtemps qu'il ne cherchait plus à satisfaire ses désirs. Il n'imaginait que trop bien ce que cachait la robe moulante de la jeune femme. Mais maintenant, imaginer ne lui suffisait plus ; il voulait savoir.

– Bientôt, nous n'aurons plus besoin de Mace McLain, dit-il. Compris ?

Elle avala sa salive. Ainsi donc, ils allaient le tuer.

– Oui.

– Il est absolument essentiel que vous le surveilliez vingt-quatre heures sur vingt-quatre. Peu importe comment, mais il le faut. Sinon, nous vous remplacerons par quelqu'un qui fasse ça correctement. Est-ce bien clair ?

– Oui, dit-elle d'une voix atone.

Webster inspira un bon coup.

Soudain, Leeny sentit ses mains sur ses hanches. Elle fit volte-face.

– Ne refaites jamais ça, siffla-t-elle. N'allez pas vous imaginer que vous pouvez me toucher. Je me fiche bien que vous me dénonciez pour délit d'initié, et même que vous me fassiez tuer. Vous pouvez me manipuler comme vous l'entendez, sauf physiquement. Je ne vous permettrai jamais de me toucher, Lewis Webster.

Webster recula, puis il lui fit un sourire méchant et, le doigt pointé en l'air, il ajouta :

– N'oubliez pas. Surveillance vingt-quatre heures sur vingt-quatre.

Leeny le dévisagea, puis elle tourna les talons et sortit.

Le taxi remontait la rue au pas. Mace fut surpris de le voir s'arrêter à sa hauteur car il ne l'avait pas hélé. La vitre arrière se baissa doucement et le visage de Leeny apparut.

– Salut, bel inconnu, lui lança-t-elle d'une voix un peu rauque. Vous montez ?

Il sourit. Il faisait froid et il n'avait plus envie d'arpenter les rues de Manhattan.

– D'accord.

Il ouvrit la portière et se glissa à côté d'elle.

– Content de vous trouver...

Mais Leeny ne le laissa pas finir sa phrase. Elle se serra contre lui et attira son visage vers le sien. Puis elle l'embrassa.

Il se laissa faire. Il se le reprocha, mais ce fut plus fort que lui. Il passa une main dans les cheveux de Leeny et l'attira plus près. Il aimait le goût de ses lèvres et avait besoin de son intimité. Dégoûté de Lewis Webster, il trouvait en elle la seule personne qui pût le comprendre. Il l'embrassa passionnément.

– Où c'est que vous allez ? demanda le chauffeur rudement et avec un fort accent de Brooklyn.

Mace voulut répondre, mais Leeny ne le lâchait pas.

– Hé, j'essaie de gagner ma croûte, moi. Plus vite vous me direz où vous allez, plus vite vous y serez.

L'homme s'énervait. Il perdait du temps et n'aimait pas la manière dont la femme se jetait sur le type qu'il venait de prendre.

Leeny s'écarta enfin et humecta ses lèvres qui brillaient dans les lumières de la ville.

– Ça me plairait peut-être de faire ça dans un taxi, murmura-t-elle à l'oreille de Mace.

Il lui sourit. Elle s'appuyait de tout son poids sur lui, mais cela le laissait froid.

– Hé, dites donc ! On va où ? Chez Monsieur ou chez Madame ? Faudrait vous décider.

– On va chez toi, lui susurra-t-elle à l'oreille. Chez moi, c'est la pagaille.

– D'accord.

– Eh bien ?

– Eh bien quoi ?

– Eh bien, ton adresse.

Elle la connaissait par cœur, mais n'aurait pas pu la donner elle-même sans éveiller ses soupçons.

– Ah, oui. (Il n'avait pas réagi tout de suite, pour voir si elle se trahissait.) Au coin de la 82e Ouest et de Columbus.

– C'est comme si on y était.

Le taxi démarra en trombe, clouant Leeny contre Mace.

Elle l'embrassa de nouveau, puis s'écarta.

– Dis-moi que tu m'aimes, lui murmura-t-elle.

– Mais bien sûr.

Dix minutes plus tard, ils étaient chez lui. Quand il se retourna après avoir refermé la porte, elle se jeta dans ses bras. Ils s'embrassèrent dans l'entrée sombre, Mace l'appuyant contre le mur et lui passant la langue dans le cou. Elle se cambra en sentant sa langue et ses dents sur sa peau, et gémit doucement. C'était trop bon.

– Arrête. Ça va laisser des marques.

Mais elle le griffait et l'attirait vers elle.

– Non, je te promets que ça ne laissera que des dollars.

– Quoi ? dit-elle en s'écartant légèrement, le souffle court.

– Rien. (Il lui sourit.) Je me sens d'humeur banquière.

– Vilain garçon. Tu sais combien j'ai envie de toi, hein ?

– Peut-être.

Il ne lui dit pas que soudainement, le sentiment était devenu mutuel.

Elle l'embrassa de nouveau.

– Donne-moi quelque chose à boire, vilain garçon.

Mace la regarda, se demandant si c'était une bonne chose. Il avait envie d'elle tout de suite. Mais d'un autre côté, l'alcool lèverait toutes les inhibitions.

– Qu'est-ce que tu veux ?

– Un scotch à l'eau.

– Je te l'apporte.

– D'accord. Je n'aurai peut-être pas tous mes vêtements sur moi quand tu reviendras. Si ça ne te dérange pas.

– Pas de problème, lui répondit-il en souriant.

Après un dernier baiser, il s'éloigna à tâtons vers la cuisine.

Arrivé devant la porte, il actionna l'interrupteur. La pièce fut baignée de lumière. Dans un petit placard près de l'évier, il attrapa une bouteille de Chivas et en versa dans un grand verre où il ajouta de l'eau. Puis il prit une bière dans le réfrigérateur, ramassa le verre de whisky au passage et revint dans le séjour.

– Webster est vraiment borné, tu ne trouv...

Il s'interrompit en pleine phrase. Leeny dormait sur le canapé de cuir. Il secoua la tête et rit doucement. C'est vrai qu'elle est épuisée, se dit-il.

Il remporta les verres dans la cuisine et alla prendre dans le placard de l'entrée une couverture de laine avec laquelle il la couvrit. Elle respirait régulièrement. Elle était partie pour la nuit.

Il lui prit son sac, qu'elle serrait contre sa poitrine, et le posa sur la table basse. Il était lourd. Il rit intérieurement. Qu'est-ce qu'elle a mis dedans, des pierres ?

Soigneusement, à deux mains, il lui ôta ses lunettes. Il les examina dans la lumière qui venait de la cuisine. Les verres n'avaient pas l'air correcteurs. Elle devait les porter par coquetterie. Il hocha la tête et les posa sur la table. Peut-être avait-il mal regardé. Il lui remonta la couverture sous le menton, l'embrassa sur le front et se dirigea vers sa chambre.

En entendant la porte se fermer, Leeny entrouvrit un œil pour s'assurer qu'il était bien dans la chambre, puis elle se leva et reprit son sac. Elle en inspecta le contenu. Dieu merci, il ne l'avait pas ouvert. Sinon, il y aurait trouvé le petit pistolet.

Elle laissa retomber son sac par terre et se rallongea. Elle mourait de fatigue, mais ne pourrait céder au sommeil qu'une fois certaine que Mace dormait. Elle respira profondément. Ce qu'elle pouvait haïr ce travail.

20

A neuf heures précises le lendemain, Mace était chez Walker Pryce. Il sortit de l'ascenseur au deuxième étage, celui de la direction. Le bureau de Lewis Webster se trouvait au fond du couloir. Mace inspira profondément. Il avait deux ou trois questions à poser à son patron, dont l'une – et non des moindres – était de savoir s'il avait toujours un boulot ou non.

Il s'avança à pas rapides dans le large couloir, où de gros lustres pendaient au plafond. De chaque côté, s'ouvraient les postes des secrétaires. Equipés des dernières nouveautés informatiques, ils donnaient sur les bureaux des directeurs, qui pouvaient ainsi retrouver promptement le monde extérieur en cas de besoin. Les femmes montaient férocement la garde. Elles travaillaient avec leurs patrons respectifs depuis des années et avaient largement contribué à leur succès.

Mace les salua en passant. Chez Walker Pryce, elles étaient aussi connues que les hommes pour lesquels elles travaillaient.

D'habitude, Mace aimait bien cet étage. Il en émanait une impression de pouvoir qui lui rappelait la prééminence de Walker Pryce sur les marchés financiers et le respect dû à la banque. Lambrissés d'une marqueterie de cèdre où étaient accrochées des huiles sur toile, les murs sentaient l'odeur agréable de la richesse. Tous les meubles – y compris les bureaux des secrétaires et les consoles sur lesquelles était posé un matériel de télécommunication ultramoderne – étaient des antiquités. En d'autres circonstances, il aurait sans doute foulé l'épaisse moquette bordeaux en songeant à l'histoire du lieu, mais, ce jour-là, il était préoccupé.

– Bonjour, Mace.

Debout derrière son assistante, Walter Marston dictait une lettre. Il avait agrippé une de ses bretelles d'une main. Dans l'autre, il tenait un gros cigare dont les effluves, mêlés à l'arôme du cèdre, contribuaient à créer une atmosphère de consommation ostentatoire.

– Bonjour, Walter.

Mace s'interrompit un instant pour aller lui serrer la main. Chaque fois qu'il en avait l'occasion, il allait présenter ses respects à l'homme qui avait toutes les chances de succéder à Lewis Webster dans les trois ans à venir. Marston aurait certainement un grand rôle à jouer dans l'accession de Mace au rang d'associé, et ce indépendamment de toutes les promesses personnelles que lui avait faites Webster en cas de succès de Broadway Ventures.

– Vous avez l'air préoccupé, ce matin, jeune homme, lui dit Marston en tirant une bouffée de son cigare.

Mace sourit et se détendit en lui lâchant la main. Il ne fallait jamais se montrer trop tendu. Il l'avait appris dès ses premiers mois chez Walker Pryce, où on était censé garder son calme en toute circonstance et faire preuve d'une « agressivité contenue », comme disaient les associés.

– Non, tout va bien, dit-il. C'est seulement que je travaille beaucoup sur Broadway Ventures.

– Ah, oui, le fonds, dit Marston en le prenant de haut.

Mace remarqua que son expression s'assombrissait, comme si ce mot même lui répugnait. L'autre jour pourtant, dans son bureau, Webster lui avait bien précisé que Marston marchait avec eux.

– Et comment va-t-il, ce fonds ? insista ce dernier avec raideur.

Mace crut déceler certains doutes dans sa voix. Ainsi donc, Webster lui avait arraché son consentement contre son gré, peut-être lors d'une de ces réunions à huis clos dont il avait entendu parler à mots couverts.

– Plutôt bien, lui répondit-il.

Il avait parlé sans enthousiasme, pour lui faire comprendre

que lui non plus n'était pas convaincu du bien-fondé de l'opération. Si jamais le fonds se cassait la figure, Mace voulait pouvoir reconstruire sa carrière sur les décombres. Peut-être, s'il avait lui-même des doutes et subodorait que Mace ne participait pas de son plein gré à l'opération, Marston se montrerait-il plus clément envers lui lorsqu'il reprendrait le fauteuil de Webster. Peut-être même le laisserait-il réintégrer la branche conseil. Que l'opération capote et, Mace le savait bien, Webster serait jeté en pâture aux associés comme un vieux lion du désert cependant que Marston accéderait au poste suprême.

– Qu'entendez-vous par « plutôt bien » ? dit-il, soudain intéressé.

– Eh bien, nous avons réuni tous les fonds.

– Vous plaisantez, lui renvoya Marston en recrachant sa fumée.

Mace secoua la tête.

– Avant-hier, la Chase s'est engagée à souscrire un milliard d'emprunt revolver sur cinq ans. Le prêt prendra effet dès que nous aurons vendu pour un milliard de parts. Ce matin, Leeny Hunt m'a informé que les trois cents millions qui restaient à trouver étaient rentrés. Nous avons l'intention de tout boucler cet après-midi. Dès ce soir, Broadway Ventures sera entièrement opérationnel et disposera de deux milliards.

Marston le dévisagea sans rien dire. Il n'aurait jamais cru Webster capable de réussir un coup pareil, ni Broadway Ventures d'attirer les capitaux aussi vite. Cela défiait toute logique. Il lâcha sa bretelle et se frotta les yeux. Webster était un caïd. Détestable, mais excellent, reconnut-il à contrecœur.

– Bref, nous avons donc deux milliards de dollars et ne savons pas dans quoi les mettre, poursuivit Mace à voix basse car les murs avaient des oreilles.

Marston hocha la tête. C'était bien là le hic. Le petit détail qui pouvait encore faire tomber Webster s'il s'était trompé sur l'évolution du marché. Mais tout de même, il n'aurait jamais cru que le projet irait aussi loin.

– Bonjour, monsieur Marston.

La voix au fort accent italien avait retenti dans son dos. Mace se retourna. Vincenzo, le vieux cireur de chaussures qui avait passé trente ans à cirer les pompes des cadres de Walker Pryce, s'avançait vers eux.

– Bonjour, Vincenzo, lui répondit Marston d'une voix enjouée.

L'air à nouveau sérieux, il se tourna vers Mace et ajouta :

– Tenez-moi au courant.

Mace hocha la tête et les deux hommes se serrèrent rapidement la main. Marston retourna dans son bureau, Vincenzo sur ses talons.

Mace fit un sourire à la secrétaire et reprit son chemin vers le bureau de Webster. Bon début, se dit-il. Marston avait compris. Ça lui laissait une porte de sortie si Broadway Ventures capotait. Mais il devrait faire attention à ce qu'il lui dirait. Webster serait furieux s'il apprenait qu'il y avait des fuites. Et il était toujours associé principal.

Mace longea le bureau de Graham Polk, qui était plongé dans l'obscurité. Polk passait presque toutes ses journées au dix-septième étage, dans la salle des marchés. C'était logique : il devait être au cœur de l'action s'il voulait pouvoir prendre des décisions au quart de seconde. Mais c'était autant de temps qu'il ne consacrait pas à la politique et, au niveau directorial, les machinations politiques comptaient au moins autant que tout l'argent qu'on pouvait rapporter à la société.

– Bonjour, Sarah, dit Mace en arrivant au poste de travail de Sarah Clements.

Elle leva les yeux de son ordinateur et son visage s'éclaira. Elle aimait bien Mace. Contrairement à beaucoup d'autres jeunes cadres, il était toujours aimable.

– Bonjour, Mace.

Il bavarda de choses et d'autres, lui posa des questions sur ses enfants, qui étaient grands maintenant, et, d'un geste du menton, lui désigna enfin l'immense porte close.

– Il est là ? demanda-t-il.

– Non. Il est parti à Washington pour la journée. On l'a prévenu tard hier soir. (Elle marqua une pause.) Vous auriez dû appeler. Je vous aurais épargné le déplacement.

Il sourit.

– Aucune importance. Je descendais faire une course.

C'était une excuse. Il n'avait rien à faire dehors. Quand il voulait voir Webster, il ne s'annonçait jamais. Sauf lorsque son patron lui disait attendre un coup de fil particulier, Sarah répondait par principe qu'il était occupé et rappellerait. Mais on pouvait attendre des heures, voire des jours, avant d'avoir de ses nouvelles.

– Il devrait être rentré demain.

– Washington, murmura Mace.

– Vous savez garder un secret ? lui demanda-t-elle en se penchant vers lui.

Il lui fit son air de chien battu.

– Mais oui, vous le savez bien, voyons !

– Bon. Eh bien, vous ne devinerez jamais avec qui il a rendez-vous.

Il rit.

– Avec le président ?

Elle secoua la tête d'un air solennel.

– Non, avec le vice-président.

Le sourire de Mace disparut. De toute évidence, elle ne plaisantait pas. Le vice-président ?

Rachel se courba contre le vent glacial qui soufflait sur la rue. Elle tenait serré contre elle le paquet qu'elle avait reçu de Pittsburgh. L'enveloppe bleu et orange contenait les renseignements que Bradley Downes avait recueillis pour elle et qu'elle attendait depuis plusieurs jours. Il aurait très bien pu ne pas donner suite à ses questions sur Leeny et ne pas appeler son ami qui travaillait chez LeClair & Foster, mais il lui avait rendu le service qu'elle lui demandait, et maintenant elle était tendue à craquer.

Quand elle avait appelé Bradley, la veille, il lui avait dit qu'il venait de tout envoyer par colis exprès. Il avait refusé de parler au téléphone et lui avait fait promettre plusieurs fois de ne jamais le citer. La seule chose qu'il accepterait de faire serait de confirmer à Mace – et à lui seul – que la famille Stillman avait investi dix millions de dollars dans Broadway Ventures, et non les centaines de millions que Leeny prétendait pouvoir obtenir d'eux.

Elle se dirigea vers l'entrée de son immeuble et s'arrêta une seconde pour regarder par-dessus son épaule. Le costaud à longs cheveux blonds était encore là, sur le trottoir d'en face cette fois-ci, et s'éloignait à grands pas. C'était la troisième fois qu'elle le voyait : dans la rue la veille, à la poste quelques minutes plus tôt, et maintenant. Elle le suivit des yeux. C'était bien le même homme. Elle en était quasiment sûre.

Une rafale de vent balaya la rue et faillit lui arracher le paquet. Elle chassa les cheveux qui s'étaient plaqués sur ses yeux et se hâta de gagner l'entrée. Elle sourit au concierge en uniforme en franchissant la deuxième porte. Il lui rendit son sourire. Elle avait beau être à l'abri, elle s'agrippait toujours à son enveloppe, qu'elle mourait d'impatience d'ouvrir.

Les portes de l'ascenseur brinquebalant étaient à peine refermées qu'elle l'avait déjà déchirée et en sortait le contenu. Elle parcourut en diagonale les pages manuscrites, puis les documents dactylographiés. L'ascenseur se hissait lentement vers le quatrième. Elle continua de lire, les yeux écarquillés et le souffle court. Stupéfiant.

La cabine s'arrêta au troisième et les portes s'ouvrirent. Instinctivement, elle mit ses papiers à l'abri des regards.

Un monsieur âgé monta, un bouquet maigrichon à la main. Il lui fit un sourire timide qu'elle lui rendit. Il allait au dernier étage, celui des vieilles filles, songea Rachel.

Un instant, elle se demanda laquelle il courtisait, mais ne s'attarda pas à cette énigme. Elle jeta un coup d'œil sur ce qu'elle tenait dans ses mains. Il fallait absolument qu'elle parle à Mace. Voilà qui allait l'intéresser.

Il poussa la porte de son appartement, jeta son manteau et sa veste sur le canapé et se dirigea vers la cuisine. Il avait envie de boire enfin la bière qu'il avait failli déguster la veille avec Leeny. Non, pas seulement envie, besoin : la journée avait été longue.

Il sortit la bouteille du réfrigérateur, la décapsula et en but une grande gorgée rafraîchissante. En s'essuyant les lèvres du dos de la main, il remarqua le verre dans lequel il avait servi le scotch à l'eau. Il prit une autre gorgée de bière. Quand il était sorti de sa chambre à six heures tapantes pour préparer le café, il avait trouvé Leeny endormie sur le canapé, dans la position où il l'avait laissée après l'avoir couverte pour la nuit. Mais quand il avait quitté la salle de bains, elle avait disparu.

Il but goulûment. La bouteille était presque vide. Leeny l'avait appelé au bureau à onze heures du matin pour lui dire que tous les fonds étaient rassemblés. Un milliard de dollars tout rond, qui commenceraient à arriver sur le compte de la Chase dès le lendemain. Elle lui avait aussi dit qu'elle ne serait pas à son bureau avant le début de l'après-midi, mais ne s'était expliquée ni sur son apparition soudaine la veille, ni sur sa disparition aussi soudaine le matin même. Elle lui avait paru distante, cette impression s'étant confirmée lorsqu'elle était arrivée au bureau à trois heures de l'après-midi. Il commençait à lui trouver un côté bizarre.

La bouteille vide alla s'écraser dans la poubelle. Il en sortit aussitôt une autre du réfrigérateur, et gagna la deuxième chambre, dans laquelle il avait installé son bureau. Il voulait consulter son courrier électronique au cas où Walker Pryce lui aurait envoyé un message depuis qu'il avait quitté le bureau.

Il s'abandonna au confort de son fauteuil relax décoré du sceau de l'université d'Iowa. Il avala encore une gorgée de bière et alluma son ordinateur. Les yeux fixés sur l'écran, il attendit que son détecteur de virus ait terminé sa recherche, puis, comme les chiffres familiers apparaissaient à la fin du programme, il se pencha pour taper le code d'entrée de son logiciel. A cet instant précis, son ordinateur émit un sifflement strident. Il s'en écarta instinctivement, bouche bée. Quelqu'un s'était servi de son appareil. La sonnerie indiquait qu'on l'avait utilisé sans entrer le mot de passe. Cette manœuvre était possible car Mace avait simplement installé l'alarme pour s'amuser. Comme le lui avait fait remarquer le vendeur, autant l'utiliser puisqu'elle était fournie avec le logiciel.

Au bout de dix bonnes secondes, le bruit s'arrêta, mais Mace ne bougea pas : on avait ouvert ses fichiers. Et l'identité du pirate n'était pas difficile à deviner. Leeny s'était levée en pleine nuit pour piller son disque dur, peut-être même les disquettes rangées dans une petite boîte à côté de l'unité centrale. Mais pourquoi ?

21

Ce qu'il faisait ce soir était contraire à tout ce qu'on lui avait jamais enseigné, à toutes les valeurs qu'on lui avait inculquées : loyauté envers ses supérieurs, obéissance, honneur. Mais on lui avait aussi appris à comprendre qu'il y aurait peut-être des moments où il devrait passer outre à ces devoirs et agir pour son propre compte. Son expérience lui disait qu'il vivait un de ces moments. Slade Conner glissa le crochet fin comme un rasoir dans la serrure. Il s'attaquait à la porte du bureau de James Franklin, associé de Neel, Layer & Thoss, célèbre cabinet d'experts-comptables de Detroit. Franklin gérait les comptes d'Andrews Industries. La porte s'ouvrit bientôt en cliquetant doucement. Slade regarda à droite et à gauche, mais sa précaution fut inutile ; l'endroit était désert et plongé dans le noir. Il sourit avec quelque condescendance. A New York ou à Los Angeles, tous les bureaux auraient été allumés : beaucoup de cadres ne partaient pas avant deux ou trois heures du matin, et son effraction n'aurait pas été aussi facile. Mais on était dans le Midwest, où les gens tenaient à des choses telles que leur vie privée. Ces valeurs familiales ôtaient tout son sel à l'espionnage industriel.

Il entra, referma la porte derrière lui, sortit une lampe torche de son blouson et examina la pièce. Le mobilier, ordinaire, était en métal et en bois de placage et disparaissait sous les papiers : bureaux, consoles, tables, tout en était couvert, jusque par terre. On aurait dit un lendemain de fête. L'heure de la déclaration d'impôts approchait, songea-t-il.

Un seul endroit détonnait avec le chaos environnant : le bureau de Franklin. De l'autre bout de la pièce, Slade braqua son faisceau lumineux dessus. Tout semblait en ordre. Tout s'y trouvait à sa place, y compris l'enveloppe posée en plein milieu, les bords bien parallèles à ceux du meuble.

Il s'avança pour l'examiner. Elle ne comportait aucune indication, mais lui était visiblement destinée. On l'avait posée là pour qu'il la repère facilement, exactement comme son contact le lui avait promis.

L'auteur de la lettre anonyme l'avait joint une seconde fois, citant des passages de sa première lettre pour bien lui prouver que c'était toujours lui qui écrivait. Et cette personne avait réussi à savoir – ou à deviner – qu'il allait visiter les bureaux de Neel, Layer & Thoss pour se renseigner sur Andrews Industries. Le document contenait des indications précises sur la manière d'entrer dans l'immeuble et plus particulièrement chez les experts-comptables, et dans quel bureau se trouvaient les comptes de la société Andrews Industries. Codes, emplacements des caméras de surveillance et l'heure exacte de chaque ronde, tout y était.

Au début, Slade avait été certain qu'il s'agissait d'un piège et que des policiers locaux et même fédéraux attendraient cachés à l'intérieur du bâtiment pour le cueillir. L'auteur de la lettre faisait-il partie du cabinet de Preston Andrews et cherchait-il à lier Malcolm Becker à un scandale du genre Watergate pour l'écarter de la course à la présidence ? Mais Slade avait reconnu les lieux : il avait observé les vigiles et testé les combinaisons pendant les heures de bureau afin de ne pas attirer l'attention, et avait pu vérifier que les indications qu'on lui fournissait visaient réellement à faciliter son effraction. Si on avait voulu lui tendre un piège, l'un des renseignements aurait été falsifié. Code erroné ou horaire de ronde décalé de quelques minutes, un rien lui aurait fait perdre quelques secondes et cela lui aurait été fatal. Mais non, tout était exact.

Il n'empêche : Slade craignait de tomber sur des policiers. La lettre expliquait pourtant qu'il trouverait les derniers états comptables d'Andrews Industries dans l'enveloppe, mais que ces documents, extrêmement confidentiels et censés refléter la situation financière de la société, étaient faux. Les chiffres en avaient été maquillés de manière à faire croire que la société était saine et florissante. En réalité, Andrews Industries traversait une crise grave, mais il ne fallait pas en laisser la preuve tomber entre les mains de Malcolm Becker. Celui-ci devait absolument avoir les états trafiqués et croire que la trésorerie de la société alimentait confortablement la campagne de son adversaire. Et cette lettre en disait trop pour être un leurre.

Il sortit le document soigneusement relié de la grande enveloppe et le parcourut rapidement. Inutile d'être expert financier pour voir qu'il laissait apparaître un bilan plutôt flatteur. Et rien n'y manquait, pas même la signature des minoritaires. Slade le rangea.

Puis il éteignit sa lampe et fourra le paquet sous son bras, avec celui qui contenait les véritables états comptables, et qu'il avait trouvé dix minutes plus tôt seulement dans un autre bureau. Il avait eu plus de mal à se procurer le document authentique. Mais l'auteur de la lettre avait bien dû se douter qu'il ne repartirait pas sans.

Il secoua la tête. Le Rat. Forcément. Ferris avait dû se rendre compte que si jamais il gagnait la course à la Maison Blanche, Becker laisserait sur le bord de la route celui qui toute sa vie avait été son ami. Ferris n'était pas assez commercialisable pour franchir le Potomac et avait imaginé ce coup-là pour garder sa place au soleil. En torpillant son supérieur avec les accusations contenues dans la première lettre et en lui fournissant maintenant des documents comptables troublants, Ferris espérait l'écarter de la présidence. C'était la seule explication possible. La meilleure que Slade pût trouver, en tout cas.

Vargus frissonna dans la voiture glaciale. Il observait, dans le jardin, un enfant d'une huitaine d'années qui jouait joyeusement dans la neige, éclairé par la lumière du perron. Il eut encore un frisson, involontaire. Il faisait trop froid en Amérique. Des coins les plus paumés de la Virginie aux banlieues résidentielles des villes du Nord-Est, il faisait un froid insupportable. En février, du moins. La chaleur des Caraïbes lui manquait.

Mais ce ne serait plus long, se dit-il. On touchait au but. Et, après, il aurait tout cet argent pour améliorer l'ordinaire du paradis.

Il prit une tasse pleine de café fumant sur le siège du passager et l'appuya contre ses lèvres. Le liquide chaud lui envahit la bouche et passa dans sa gorge. C'était bon, et ça réchauffait. Il ne pouvait pas mettre le moteur en route parce que les gaz d'échappement risquaient d'éveiller les soupçons. Si quelqu'un venait voir, il serait obligé de partir.

Il se moquait bien qu'on relève son numéro et le dénonce à la police : la voiture était volée et son propriétaire mort depuis peu. Le temps qu'on retrouve l'un ou l'autre, il serait loin. Mais il serait beaucoup plus grave qu'on voie son visage. Il faudrait alors revenir dans le quartier, et pour un motif passablement différent.

Des phares apparurent dans le rétroviseur. Vargus se baissa en attendant que la voiture soit passée, puis il se releva. Le petit garçon jouait toujours dans le jardin.

Il consulta sa montre à cristaux liquides. Presque huit heures. Huit heures du soir en plein hiver, à la nuit noire, et ce gosse qui faisait un bonhomme de neige tout seul dehors. Les parents n'étaient vraiment pas prudents. Mais tant mieux. Evidemment, ils n'avaient aucune raison de se méfier. Ils habitaient un quartier paisible et bien fréquenté. Vargus sourit intérieurement. Dans quelques jours, les gens se remettraient à prendre des précautions. On ne laisserait plus les jeunes enfants jouer dehors la nuit, ni sortir sans être accompagnés.

Soudain, la porte de la petite maison de brique s'ouvrit en grand. Une femme parut, bras croisés sur son gros pull-over, et appela le gamin. Même de loin, Vargus vit la buée qui s'échappait de sa bouche dans l'air froid et se dissipait aussitôt dans le halo de lumière. Il avait une vue excellente. Tous ses sens étaient aiguisés, et il les utilisait à fond.

L'enfant désobéit et se cacha derrière le bonhomme de neige. Sa mère tapa plusieurs fois du pied sur le perron, sans résultat. Elle finit par rentrer en refermant la porte derrière elle. Le gosse resta tapi dans sa cachette quelques instants, espérant qu'elle reviendrait l'appeler. Mais la lumière s'éteignit. Quelques secondes plus tard, il frappait à la porte. Celle-ci s'ouvrit bientôt, et l'enfant disparut à l'intérieur.

Vargus sourit de nouveau. Elle croyait lui donner une leçon, mais venait seulement de le condamner.

22

Sur la feuille de papier étaient imprimés, en jolis caractères gras, les noms des investisseurs immobiliers auxquels il avait déjà rendu visite avec Leeny et ceux des spéculateurs boursiers qu'il avait sélectionnés comme les meilleurs prospects pour le fonds. Mace prit le document sur son bureau. La liste de ses contacts dans la profession immobilière n'était pas exhaustive. Mais, s'agissant des investisseurs boursiers, il y avait là les plus riches et les mieux rompus au métier. Individus et organismes, tous dépensaient beaucoup et avec morgue et poussaient si bien les effets de levier jusqu'à la limite pour s'assurer les revenus les plus hauts que les SCI vacillaient sans arrêt au bord de la cessation de paiements.

Mace se maudit à voix basse. Il s'était montré vraiment trop bête. Il n'aurait jamais dû partager si généreusement son carnet d'adresses et permettre à Leeny de rencontrer tous les investisseurs en personne. Si elle voulait, elle pouvait maintenant les recontacter directement, sans passer par lui.

La sonnerie du téléphone le tira de ses pensées. Il regarda l'appareil et vit que l'appel venait de l'accueil.

– Oui, Anna ?

– Monsieur McLain ? On vous attend à la réception.

Mace se frotta le menton. Il n'attendait personne.

– Qui est-ce ?

– La dame refuse de dire son nom, lui souffla Anna dans un murmure.

Il hésita.

– D'accord, je descends dans une minute.

Il raccrocha, se renversa dans son fauteuil et poussa un grognement. C'était sans doute une coursière qui lui apportait un document officiel à lui remettre en main propre. Avec ce genre de plis, il arrivait fréquemment que les gens prennent des précautions. Il se leva lentement et se dirigea vers la porte. En sortant, il faillit se cogner dans Leeny qui tournait l'angle pour venir dans son bureau.

– Oh, pardon, dit-elle en reculant de quelques pas car ils s'étaient touchés.

– Il n'y a pas de mal, lui répondit-il d'un ton moins amical que d'habitude.

L'ayant remarqué, Leeny le regarda, puis baissa les yeux aussitôt.

Mace croisa les bras sur sa poitrine. Il était onze heures du matin, et c'était la première fois qu'il la voyait depuis qu'il avait découvert qu'elle avait fouillé dans son ordinateur et sans doute aussi dans son bureau. Il garda le silence et la laissa engager la conversation.

– Tout va bien ? lui demanda-t-elle innocemment.

Elle portait une jupe noire très courte, un chemisier bordeaux ajusté et des chaussures aux talons plus hauts que d'habitude. La plupart des femmes n'auraient jamais osé venir travailler dans une tenue pareille, surtout à Wall Street, se dit-il. Mais avec Leeny, cela passait.

– Quelque chose qui ne va pas, Mace ? insista-t-elle.

Elle semblait toujours aussi calme et posée, mais dans sa voix, d'ordinaire douce et mélodieuse, il y avait comme un tremblement qu'il n'avait jamais remarqué auparavant.

Il secoua la tête sans répondre.

Leeny jouait nerveusement avec une bague qu'elle portait à l'index droit. C'était une chose terrible que de tenir la vie de quelqu'un entre ses mains, se dit-elle. De jouer à Dieu. Elle se rappela soudain qu'enfant, elle s'imaginait qu'elle était Dieu, qu'elle savait des choses que les autres ignoraient, et faisait faire aux gens tout ce qu'elle voulait. Qu'elle leur infligeait de la douleur. Et maintenant, elle se rendait compte que le rôle n'était pas aussi doré qu'il y paraissait.

Une fois encore, elle lui jeta un bref coup d'œil. Il ne pouvait plus rien leur apporter, sa participation s'arrêtait là. Et il ne se doutait de rien. Rien n'indiquait qu'il ait le moindre soupçon, ni même qu'il ait exprimé des doutes auprès de quiconque. Elle n'avait rien trouvé qui pût le laisser entendre, ni sur son ordinateur professionnel, ni chez lui. Il avait bien travaillé, et maintenant il allait le payer.

Une simple visite dans le bureau de Webster suffirait à mettre fin à ses jours. Le patron la pressait. Il voulait lâcher l'assassin : le commando de Virginie était prêt, les besoins d'argent de l'homme de Washington étaient de plus en plus urgents et Mace, qui aurait vite fait de comprendre ce qui se passait, représentait maintenant un vrai danger.

Enfin, elle put soutenir son regard. Il fallait qu'il meure. Elle le savait depuis le début. Si on l'épargnait, il percerait leur machination à jour et la ferait échouer. Elle n'aurait pas ses cinq millions de dollars et finirait en prison. Alors, pourquoi hésitait-elle ? Elle plongea les yeux dans ceux, gris acier, de Mace. La réponse était simple : elle s'était attachée à lui. Il avait jeté une couverture sur elle pendant qu'elle dormait et lui avait déposé un baiser tendre sur le front. Il y avait bien longtemps qu'elle n'avait pas reçu de telles marques de compassion.

Elle se détourna, écartelée par tant de sentiments contradictoires. Elle n'arrivait plus à rassembler les morceaux de sa vie et sentit qu'elle se mettait à trembler. C'était peut-être ça qu'on appelait une dépression nerveuse. Elle y avait peut-être glissé sans s'en rendre compte, comme la fois d'avant.

– Où alliez-vous ? lui demanda-t-elle, tout sourires et cachant ses émotions sous un calme feint.

Il lui désigna la porte qui ouvrait sur le hall et l'accueil.

– Je descendais prendre l'air. Il faut que j'aille acheter quelque chose, dit-il, en lui celant d'instinct la présence de sa visiteuse.

– Lequel des deux ?

– Pardon ?

– Vous sortez prendre l'air ou vous avez une course à faire ?

Il ne réagit pas tout de suite. Quelle femme ! Rien ne lui échappait.

– Les deux.

– Et vous descendez en bras de chemise, sans même votre veste ? Il fait moins cinq dehors.

– Je suis originaire du Minnesota, Leeny. Quand il se met à faire moins cinq, ça sent l'été. Les hommes commencent à sortir leurs clubs de golf et les femmes leurs robots de piscine.

Elle rit.

– Bon. Dites, ça vous dérange si je vous accompagne ? J'ai deux ou trois choses à vous dire.

– Vous me faites peur.

– Non, non, rien de grave. J'ai quelques questions à vous poser sur certains investisseurs.

Elle inspira profondément. S'il savait toutes les raisons qu'il avait d'avoir peur ! Peut-être valait-il mieux tout lui dire, pour qu'il sauve sa peau. Mais cette pensée s'évanouit aussi vite qu'elle lui était venue. Sauve ta peau, à toi, Leeny. Personne ne le fera pour toi.

– Je n'en ai pas pour longtemps, ajouta-t-elle.

– Pas de problème.

Elle repartit vers son bureau.

– Juste le temps de prendre mon manteau et j'arrive. Je suis plus frileuse que vous.

– D'accord. Je vous attends à la réception.

Il se dirigea rapidement vers la porte, la poussa et s'arrêta net. Assise dans un fauteuil près du bureau d'accueil, Rachel lisait un magazine.

Elle ne se rendit pas compte tout de suite de sa présence. Puis elle jeta le magazine sur la table basse et accourut, s'arrêtant juste devant lui.

– Oh, bonjour, dit-elle avec enthousiasme et visiblement contente de le revoir.

– Bonjour, dit-il.

La porte se referma dans son dos avec un petit cliquetis.

Rachel jeta un coup d'œil à la réceptionniste qui s'était absorbée dans une grille de mots croisés.

– Vous m'avez manqué, lui murmura-t-elle.

– Je croyais que vous ne pouviez pas me supporter ! L'autre soir, vous m'avez laissé tomber comme une vieille chaussette, si j'ose dire. C'est comme ça que vous traitez les gens qui vous manquent, mademoiselle Sommers ? lui lança-t-il d'un ton guindé à dessein.

– Vous ne m'avez pas laissé finir. J'allais vous dire que vous m'avez manqué à Columbia.

Elle lui sourit avec coquetterie. Il prit l'air peiné.

– J'essaie seulement de faire amende honorable, Mace.

– Je sais. Je m'amuse, dit-il en riant. Mais vous feriez bien de vous endurcir un peu si vous voulez travailler chez Walker Pryce.

Elle lui décocha un coup de poing dans le bras.

– Aïe ! gémit-il en se prenant le bras.

La réceptionniste leva les yeux, puis retourna à ses mots croisés.

Mace baissa la voix.

– Ça fait mal, dit-il, mais il s'amusait visiblement.

– Quel bébé ! murmura-t-elle d'un ton dur, mais avec un beau sourire que Mace eut l'impression de revoir après une éternité.

Il se rendit soudain compte qu'elle lui avait beaucoup manqué, elle aussi.

– Mais qu'est-ce que vous fabriquez ici ? reprit-il en arrêtant de se frotter le bras. Ah... vous ne pouviez pas attendre jusqu'à ce soir, c'est ça ?

Rachel leva les yeux au ciel.

– On ne peut rien me cacher, vous ne pouviez pas attendre, hein ? insista-t-il.

– Vous alors... Il faut que je vous parle, dit-elle soudain grave et, d'un mouvement du menton, elle lui montra l'enveloppe cartonnée qu'elle tenait à la main.

– Allez-y. Mais ne me frappez plus.

Elle secoua la tête d'un air solennel.

– Pas ici, dit-elle.

– Ça doit être sérieux, alors. Bon sang, tout d'un coup tout le monde a des choses sérieuses à me dire.

Elle le regarda sans comprendre.

– Ça l'est, oui. C'est au sujet de votre associée.

Juste à ce moment-là, la porte s'ouvrit et Leeny faillit une fois de plus se cogner dans Mace. Elle stoppa net, les yeux sur Rachel.

– Bonjour, dit-elle fraîchement et sans lui tendre la main comme le jour où elle l'avait rencontrée dans le bureau de Webster.

– Bonjour, dit Rachel, distante elle aussi.

Leeny posa aussitôt une main sur le bras de Mace et vit que Rachel n'avait rien perdu de son geste.

– Allez, chéri, on y va.

En entendant le mot « chéri », Rachel eut comme une bouffée de chaleur. Elle regarda Mace, mais ne put déchiffrer son visage.

Leeny le tirait doucement par la manche.

– Allez, répéta-t-elle.

Il lui résista un instant. Quelque chose clochait. Deux jours plus tôt, elle s'était introduite chez lui en l'appâtant avec la perspective d'une nuit d'amour, mais elle s'était endormie – ou plutôt, elle avait feint de dormir, il s'en rendait compte maintenant – pour mieux pouvoir fouiller dans ses affaires. Et maintenant elle l'appelait chéri devant Rachel, chose qu'elle n'avait jamais faite auparavant. Ça ne collait pas.

Elle l'attira encore, un peu plus fermement cette fois-ci.

Il lui résistait toujours. Profitant de ce qu'elle détournait les yeux une seconde, il leva trois doigts en formant les mots *Paul Revere* avec la bouche. Puis il disparut.

Rachel se passa une main dans les cheveux en se demandant ce qu'il avait voulu dire. Elle était déçue qu'il ait si facilement cédé à Leeny. Puis elle sourit.

– J'ai pensé que c'était le meilleur endroit pour nous retrouver, dit-il.

Ils étaient au One if by Land, Two if by Sea, le restaurant où ils avaient dîné quelques jours auparavant. A trois heures de l'après-midi, l'endroit était quasiment désert, hormis à une autre table où les clients finissaient de déjeuner.

– Je n'étais pas sûr que vous déchiffreriez mon code.

– Mais si.

– En effet. Mais nous aurions pu attendre quelques heures de plus, jusqu'au cours de ce soir.

Rachel secoua la tête.

– Non. Il faut que vous voyiez ceci tout de suite.

Mace l'observa. Elle semblait grave.

– D'accord. Qu'est-ce que c'est ?

Elle hésita.

– Tout d'abord, je veux que vous sachiez que je suis désolée de m'être conduite comme je l'ai fait l'autre jour, dit-elle d'une voix à peine audible. Vous avoir laissé en plan comme ça, sans vous prévenir que je partais... Vous m'avez fait une proposition très généreuse. J'ai reçu le courrier de confirmation il y a deux jours, par coursier. J'ai très envie d'entrer chez Walker Pryce et j'espère que je n'ai pas gâché toutes mes chances.

– Mais non, pas du tout, lui répondit-il d'un ton convaincu.

Il repéra un garçon qui s'approchait.

– Deux cafés, lui lança-t-il.

Il n'avait pas envie qu'il vienne gâcher leurs retrouvailles. Il allait tout expliquer à Rachel et ne voulait pas être interrompu.

Le garçon faillit protester, mais haussa seulement les épaules et s'éloigna.

– Je me suis comportée comme une gamine, reprit-elle.

Il secoua la tête.

– Non, dit-il, c'est moi qui me suis mal conduit. C'est de ma faute. Au fait, j'ai essayé de vous joindre.

– Je pensais bien que c'était vous.

– Vous étiez là ? Et vous ne répondiez pas ?

– Il fallait que je vous donne une petite leçon, lui renvoyat-elle avec un sourire timide.

Il feignit l'écœurement, puis sourit à son tour. Sacré caractère.

– Alors comme ça, vous me laissez téléphoner dans tout New York et vous ne répondez même pas à mes coups de fil ?

– Dans tout New York ?

– Eh oui. J'ai même essayé de vous joindre à Brooklyn. Mais aucun des Sommers que j'ai contactés ne vous connaissait.

– Evidemment.

– Comment ça, « évidemment » ?

– Le téléphone est au nom de mon beau-père. Bond. Francis

Bond. Je porte le nom de mon vrai père... je me demande bien pourquoi, d'ailleurs. Il a quitté ma mère quand j'avais deux ans.

– Pas étonnant que je ne vous aie jamais trouvée, murmura-t-il. Ecoutez...

– Mace, l'interrompit-elle.

Elle posa une main sur la sienne.

– Je sais que vous vouliez me protéger de moi-même l'autre soir. Walker Pryce représente une chance unique. Je vais enfin pouvoir devenir quelqu'un. J'ai travaillé dur pour y arriver. Il ne faut pas que je me disperse. Je sais que vous avez raison.

Ainsi donc, elle avait compris toute seule. Il rit intérieurement, mais avec un rien de tristesse. Au moment où il allait s'ouvrir comme jamais auparavant, elle l'avait court-circuité. Il avait voulu lui dire à quel point elle comptait à ses yeux. Il avait décidé que si jamais le fait de travailler ensemble chez Walker Pryce devait poser problème, il résoudrait ce problème en temps utile. Si besoin était, il irait même jusqu'à proposer ses services à une autre banque d'affaires pour qu'elle puisse y rester. Il ne retrouverait jamais une situation aussi lucrative, mais tout était relatif : il resterait à Wall Street. Et, pour reprendre le dicton populaire, à quoi bon l'argent sans les êtres qu'on aime ? Mais il ne pouvait plus lui dire ces choses. Elle avait pris la bonne décision de son propre chef, et lui avouer ses sentiments maintenant aurait été totalement déloyal.

– J'ai beaucoup travaillé ces dernières années, poursuivit-elle, mais Walker Pryce va exiger davantage de moi. Il faut que je sois prête à faire le sacrifice.

Il hocha la tête solennellement.

– Vous allez devoir trimer vingt-quatre heures par jour. Vous serez au bureau pendant que tous vos amis feront la fête. Vous détesterez votre boulot. Mais vous gagnerez plus d'argent que vous l'auriez jamais imaginé.

– Je sais.

Elle retira sa main.

Mace se dit que de toute manière, s'ils commençaient à sortir ensemble, ils n'auraient plus le temps de se voir. C'était donc mieux ainsi. Et pourtant, ce n'était pas l'impression qu'il ressentait.

Le garçon apporta les cafés et repartit sans un mot.

Rachel ouvrit l'enveloppe qu'elle avait posée sur la table et en sortit plusieurs documents. Elle les examina un instant, puis se décida :

– Kathleen Hunt ne vous veut pas que du bien, Mace.

Il eut un petit mouvement de recul.

– Quoi ?

– J'ai l'impression qu'à mieux la connaître, vous auriez des surprises.

– Que voulez-vous dire ? lui demanda-t-il avec un petit sourire.

– Ne croyez pas que je la craigne comme rivale, lui répondit-elle en lisant ses pensées. Mais je ne veux pas qu'il vous arrive du mal, ni à Walker Pryce, maintenant que je sais que je vais bientôt y travailler.

A son ton, Mace comprit qu'elle n'essayait pas d'enfoncer un coin entre lui et Leeny.

– Qu'est-ce que vous avez là ? lui demanda-t-il en lui montrant les papiers.

Elle baissa la voix, même s'il n'y avait personne à côté d'eux.

– Vous vous rappelez m'avoir dit que Leeny avait travaillé chez LeClair & Foster avant de venir chez Walker Pryce ?

Il fit un signe de tête affirmatif.

– J'ai un ami qui connaît des gens chez LeClair & Foster.

– Eh bien ?

– Je lui ai demandé de les contacter. Il semblerait qu'il y a environ un an de ça, trois personnes de la filiale de San Francisco aient été accusées de délit d'initié.

– C'est vrai, oui, j'ai vu ça dans la presse. Mais ça n'a pas fait beaucoup de bruit. On n'en a pas parlé longtemps, dit-il en buvant une gorgée de café.

– En effet, dit-elle en haussant un sourcil comme pour souligner l'importance de ce détail.

Il se pencha vers elle.

– Etes-vous en train de me dire que Leeny était dans le coup ? demanda-t-il en élevant la voix car il voyait où elle voulait en venir. C'est impossible. Lewis Webster ne l'aurait jamais engagée sans avoir mené une enquête approfondie sur son passé. C'est une précaution élémentaire. Quand on sait à quel point il tient à ce projet, on l'imagine mal prenant un risque pareil.

— Allez-vous m'écouter, à la fin ? lui demanda-t-elle avec fermeté.

— Bon, d'accord, dit-il en levant les deux mains.

— Il y a environ un an et demi, LeClair & Foster a été engagé par la direction de Northwest Rod and Steel, un fabricant d'acier spécialisé basé à Seattle. La société est cotée en Bourse. Apparemment, la rumeur courait qu'un raider voulait en prendre le contrôle. Ils décident donc de prendre un conseiller financier et choisissent LeClair & Foster. On leur colle une équipe de quatre experts, qui commencent à renifler un peu partout et repèrent, en effet, un acheteur hostile. Comme stratégie de défense, ils recommandent à Northwest Rod and Steel de faire très vite un RES[1] avec quelques fonds propres et des emprunts bancaires, et de racheter toutes les actions en circulation avant le raid. La direction accepte aussitôt. LeClair & Foster fait le montage financier en quelques semaines et annonce l'OPA. Juste au moment de conclure l'affaire, à la fin de l'offre publique, le raider fait surface et surenchérit. Incapable de s'assurer le soutien des banquiers, LeClair & Foster ne peut pas suivre et le raider gagne. LeClair & Foster négocie des parachutes pour ses clients, empoche des honoraires fabuleux, et on n'en parle plus. L'histoire s'arrête là, d'accord ?

— J'imagine que non.

— En effet. Quelques mois plus tard, l'un des dirigeants de LeClair & Foster s'aperçoit que l'équipe chargée de la transaction avait acheté des actions de Northwest Rod and Steel après que la direction avait donné son accord pour le RES, mais avant l'annonce de l'offre publique.

— Cas typique de délit d'initié.

— Oui, dit Rachel en se passant une main dans les cheveux. Le président de LeClair & Foster découvre le pot aux roses et appelle aussitôt le FBI sans en avertir les intéressés. L'enquête est rapide, et en quelques jours les preuves irréfutables de la

1. RES : Rachat d'entreprise par les salariés.

culpabilité des quatre personnes sont réunies. A la suite de quoi trois d'entre elles sont inculpées.

Mace se frotta les yeux. Pas bon du tout, ça. Très mauvais, même. En admettant même que Leeny ait été simplement mise en examen et qu'aucune charge n'ait été retenue contre elle, il faudrait avertir les investisseurs de Broadway Ventures et ceux-ci seraient sans doute autorisés à retirer leurs capitaux.

– Je suppose que Leeny Hunt était l'une des trois ?

– Non. Elle est la seule à s'en être sortie sans une égratignure.

– Alors, où est le problème ?

– Le problème, c'est que d'après mon contact chez LeClair & Foster, même si Leeny n'a été accusée de rien, il ne fait plus aucun doute qu'elle était impliquée dans l'affaire comme les trois autres et qu'elle s'était déjà rendue coupable de délit d'initié dans d'autres transactions. (Rachel se redressa sur sa chaise.) Je sais que ce que je vous dis là vous pose toutes sortes de problèmes. Mais la culpabilité de Leeny est prouvée. Elle a donné sa démission une semaine après l'inculpation des trois autres et a disparu de la circulation. Tout le monde pensait qu'elle avait vendu la mèche au FBI et qu'on allait la voir apparaître au procès comme témoin vedette. Mais non. Elle n'a pas été accusée et n'a pas témoigné non plus. Elle a simplement disparu.

– Que sont devenus les trois autres ? lui demanda-t-il. J'ai oublié.

Rachel le regarda droit dans les yeux.

– C'est là que ça devient encore plus étrange.

– Comment ça ?

– Le procès se déroulait normalement, quand tout d'un coup le juge s'est mis à réfuter toutes les preuves sous prétexte qu'elles avaient été obtenues illégalement. A la fin, le FBI s'est retrouvé sans rien dans les mains et les jurés n'ont plus eu qu'à acquitter les accusés.

Mace resta silencieux.

– D'après la personne que mon ami connaît chez LeClair & Foster, il n'y a jamais eu aucun doute quant à la culpabilité des quatre intéressés. Le dossier du FBI avait tout pour les faire condamner. Mais les pièces se sont volatilisées. Mystérieusement.

Un klaxon ayant retenti dans la rue, Mace jeta un coup d'œil par la fenêtre.

– C'est troublant, mais que voulez-vous que j'y fasse ? Ils ont été jugés et, aussi bizarre que ça puisse paraître, innocentés. (Il hésita.) Ce qui me chiffonne le plus, c'est que Webster ne l'ait pas su.

Rachel tapota l'enveloppe du bout de l'ongle.

– Il le savait forcément avant d'engager Leeny. En vérifiant son CV même superficiellement, ça apparaissait tout de suite. Bon sang, Mace, mon contact m'a envoyé des coupures de journaux de l'époque.

– Je n'arrive pas à croire que Webster l'ait recrutée en sachant tout ça... même si elle n'a pas été inculpée. (Il secoua la tête.) C'est qui, votre contact ? ajouta-t-il en lorgnant l'enveloppe, mais l'adresse de l'expéditeur avait été noircie à l'encre.

– Je ne peux pas vous le dire.

Il leva les yeux au ciel.

– Qu'est-ce qui vous a donné l'idée de faire toutes ces recherches ? Vous avez lu tous les polars de Nancy Drew ?

– Vous m'avez dit que vous attendiez un investissement de deux cents millions de dollars de la part de la famille Stillman.

– Oui, et alors ?

– J'en ai parlé à un ami qui travaille chez eux. C'est quelqu'un que j'ai rencontré dans le cadre du club d'investissement de Columbia. (Elle hésita.) Les Stillman ont investi dix millions, pas un de plus, dans Broadway Ventures. Rien à voir avec les sommes dont Leeny vous a parlé.

– Vous en êtes sûre ?

Tout à coup, Mace fut très mal à l'aise. Il eut la sensation étrange que Broadway Ventures sentait le soufre et que Rachel avait raison.

– Absolument certaine. Vous pouvez l'appeler. (Elle jeta un coup d'œil à l'enveloppe.) Tout est là-dedans, Mace : les coupures de journaux, une note de la personne qui travaille chez LeClair & Foster, non signée, bien entendu, et une copie d'une note écrite par la direction de LeClair & Foster et détaillant les preuves accumulées contre les quatre personnes, dont Leeny Hunt, qui composaient l'équipe responsable de la transaction

Northwest Rod and Steel. Et aussi le nom et le numéro de téléphone de mon ami de chez Stillman. Vous pouvez l'appeler pour lui demander confirmation de la somme investie dans Broadway Ventures.

Rachel remit tous les documents dans l'enveloppe et la lui tendit.

– Vous pouvez tout garder. Je m'en suis fait une copie.

Mace la prit sans mot dire. Tout devenait trop bizarre : Rachel qui récoltait tous ces renseignements, Leeny qui violait son ordinateur, Marston et son air étonné, Webster qui tablait avec certitude sur un effondrement de l'immobilier à Manhattan et Leeny, encore elle, qui rassemblait un milliard de dollars en un clin d'œil. Mais quel sens attribuer à tous ces éléments ? Avaient-ils seulement un sens ? Même si Leeny avait fait ce dont on l'accusait et que Webster soit au courant, quelles conclusions fallait-il en tirer ? Elle n'avait jamais été accusée. Il s'agissait bien d'un délit, mais si le FBI était incapable de monter un dossier, ce n'était pas lui qui pouvait prétendre faire mieux. Peu importait que Leeny mente sur la source des fonds, puisque l'argent était bien en dépôt. John Schuler avait signé le prêt ; il n'aurait jamais monté le dossier sans s'assurer que le compte ouvert pour Broadway Ventures à la Chase était alimenté. Mace hocha la tête. Il n'y avait sans doute rien derrière tout cela, mais maintenant il lui fallait approfondir la question. C'était dans sa nature. Il savait déjà où commencer à chercher des réponses.

– Il y a encore une chose que vous devriez savoir, reprit-elle.

Brusquement tiré de ses pensées, Mace leva les yeux.

– Oui, quoi ?

– Il y a une dizaine d'années, Leeny a fait un séjour pour dépression grave dans un établissement psychiatrique de Montréal. Elle est toujours sous antidépresseurs.

23

Comme New York, Washington connaissait une vague de froid depuis le début de février. Mais ce jour-là, la capitale jouissait d'un bref répit et les manteaux, gants et écharpes étaient restés au vestiaire. Slade Conner longeait lentement le plan d'eau toujours gelé malgré cette incursion du printemps dans l'hiver. Il prenait soin d'éviter les grandes flaques que formait en fondant la neige empilée au bord du trottoir. A l'autre bout du plan d'eau, Abraham Lincoln trônait dans son immense mausolée de marbre, son regard sévère posé sur la ville.

En d'autres circonstances, Slade aurait profité du temps clément, qu'il préférait de loin aux rigueurs du Minnesota subies dans son enfance. Mais aujourd'hui il était incapable de profiter de rien. Aujourd'hui, des notions telles que la soumission, l'obéissance et les excellents états de service semblaient avoir perdu leur signification. Il soumettait à un examen rigoureux les axiomes qui avaient guidé sa vie, et se sentait soudain complètement désorienté.

Mains derrière le dos, yeux fixés droit devant lui, Malcolm Becker marchait à côté de Slade sans se soucier des flaques. Ses rangers noirs étaient trempés, mais il ne s'en apercevait même pas. Le visage lugubre, il regardait Abraham Lincoln devenir de plus en plus grand au fur et à mesure qu'ils avançaient. Il fut le premier à rompre le silence.

– De quoi vouliez-vous me parler, Slade ? dit-il. Qu'y a-t-il de si important ?

Slade sortit des lunettes noires de la poche de sa chemise et les chaussa. Déjà bas pour un début d'après-midi, le soleil se reflétait durement sur la neige.

Il avala sa salive. Il n'était pas normal de discuter les ordres. C'était même contraire à tout ce qu'on lui avait toujours appris. A le faire dans le désert du Koweït pendant la guerre du Golfe, il aurait risqué la mort instantanément. Mais venait un jour où on voulait comprendre, voir les choses avec du recul.

Slade jeta un coup d'œil à la ronde. Personne. Cette conversation exigeait une totale confidentialité, et c'était pour cela qu'ils avaient quitté le quartier général de la CIA.

Sensible à sa gêne, Becker s'arrêta.

– Qu'est-ce que c'est, fiston ?

Slade s'arrêta à son tour, lui fit face et rassembla son courage. Ce qu'il allait faire équivalait à un acte de mutinerie.

– Mon général, pourquoi suis-je allé au Honduras ?

La question qu'il posait en réalité était celle-ci : « Pourquoi m'avez-vous envoyé tuer Carter Guilford ? », mais il n'y avait pas besoin de la formuler ainsi. Becker comprendrait.

Le général ne répondit pas tout de suite. Ainsi, son élève avait soudain mûri et n'était plus disposé à accepter les ordres de son supérieur sans discuter. C'était une évolution naturelle qu'il avait eu plusieurs fois l'occasion d'observer dans sa longue carrière. Il fallait réagir sur-le-champ, sans quoi les choses risquaient de lui échapper très vite.

– Enlevez vos lunettes, fiston, dit-il de sa voix militaire, grave et bourrue.

Slade obéit, mais au lieu de les remettre dans sa poche, il les garda à la main, le bras ballant.

Becker fit un pas vers lui. Leurs visages se touchaient presque. Il grinça lentement des dents.

– Je vous ai dit que Carter Guilford travaillait avec un cartel colombien. Il fournissait aux trafiquants des renseignements extrêmement sensibles qui permettaient à leurs pilotes d'échapper à nos patrouilles. Il se faisait rémunérer comme un prince. (Il baissa encore la voix.) Il gardait une partie de l'argent, mais en renvoyait l'essentiel à Preston Andrews, qui s'en servait pour renflouer sa société.

Slade resta de marbre, mais il réfléchissait à toute allure.

Becker prétendait que l'argent du cartel Ortega allait au vice-président, c'est-à-dire exactement le contraire de ce qu'indiquait la lettre anonyme. Il ne faisait plus aucun doute que les fonds alimentaient Washington, mais les deux versions divergeaient sur l'identité du bénéficiaire. C'était absurde.

– Andrews a eu accès à des informations sur la lutte menée par la DEA contre les réseaux d'importation de drogue. Guilford, en tant que dirigeant de toutes les opérations de terrain de la CIA en Amérique centrale et en Amérique du Sud, couvrait notre partie. Andrews l'a contacté il y a un an, au moment où sa société a commencé à avoir des problèmes. Il savait que Guilford avait besoin d'argent et lui-même était à court de liquidités. Ils faisaient parfaitement la paire. Guilford a contacté les Ortega presque tout de suite, et ceux-ci n'ont pas mis long-temps à se décider. Mais maintenant, la source est tarie et comme Andrews a toujours besoin d'aide pour sortir du pétrin, il use des pouvoirs que lui donne son mandat.

Becker s'interrompit une seconde pour laisser Slade s'impré-gner de ses paroles.

– Carter Guilford était un criminel, Slade. C'est à ce titre que je vous ai demandé de le tuer.

Il avait élevé la voix sur ce dernier mot. Slade eut un léger mouvement de recul involontaire.

Becker le vit ciller. Il était temps de clore l'entretien sans ambiguïté.

– Preston Andrews aussi est un criminel. Mais je ne peux pas vous demander de tuer le vice-président des Etats-Unis. Ce n'est pas l'envie qui m'en manque, mais ça pourrait poser quelques problèmes. Je vais vous dire une chose, tenez. Le pays se porterait beaucoup mieux sans lui. Je suis malade à l'idée qu'il ait une chance de devenir président d'une nation que j'aime, une nation pour laquelle nous avons tous les deux risqué notre vie. (Il secoua la tête.) Cet enfant de salaud s'est engagé dans les garde-côtes pour échapper à la conscription au Viêt-nam. Moi, je n'avais pas toutes les relations qu'avait son père. Pendant qu'il chassait les braconniers en Alaska, j'étais planqué dans un trou et je me faisais bombarder par les Viêt-cong.

Becker eut un ricanement de mépris.

– Ce n'est pas que je tienne à me retrouver à la Maison Blanche, mais je veux tout faire pour l'empêcher de gagner cette élection. Je me retirerais volontiers si j'étais sûr d'assurer la victoire d'un autre. Mais nous n'en prenons pas le chemin. Nous ne sommes plus que deux dans la dernière ligne droite et je suis le seul à pouvoir lui barrer la route qui mène au Bureau ovale.

– Et vous croyez qu'il essaie de fabriquer un scandale à la CIA pour vous discréditer ? murmura Slade.

– Exactement, lui répondit Becker, content de voir la brebis égarée revenir au bercail.

– Pourquoi me faites-vous surveiller Mace McLain et cette jeune fille, Rachel Sommers ?

Becker plissa les paupières. Ah... la partie n'était pas tout à fait gagnée.

– Parce que certains indices me portent à croire que Preston Andrews est de mèche avec la banque d'affaires où travaille M. McLain. Andrews a rencontré Lewis Webster, l'associé principal de Walker Pryce & Company, à plusieurs reprises. Je pense qu'il se sert de lui pour renflouer Andrews Industries maintenant qu'il ne reçoit plus d'argent de Colombie. Je sais que vous connaissez M. McLain. Je voulais que vous continuiez de le voir afin qu'il ne tombe pas des nues au cas où j'aurais besoin de passer par lui. (Becker hésita.) Si ma mémoire est bonne, l'idée de faire surveiller Rachel Sommers venait de vous.

Slade regarda son supérieur quelques instants. Puis le visage de celui-ci s'estompa et, loin derrière l'épaule du général, Abraham Lincoln se dessina nettement. Qu'avait-il donc cru ? Comment avait-il pu douter de Becker ? Un homme à qui il devait sa carrière ?

Becker inspira lentement.

– La situation est délicate, fiston. Je le sais. Mais nous y arriverons.

Slade approuva d'un signe de tête.

Ils se remirent en marche, en tournant le dos au Lincoln Memorial cette fois-ci. L'entrevue était terminée.

– Au fait, Slade, avez-vous pu obtenir ce que je vous avais demandé sur Andrews Industries ? reprit le général d'un ton de nouveau amical. Je sais que vous avez fait plusieurs voyages à Detroit.

Slade repensa soudain aux deux enveloppes toujours cachées dans son bureau, chez lui.

— John ?
— Oui ?
— Mace McLain à l'appareil, dit Mace d'une voix forte.

Dans la 7e Avenue, le bruit de la circulation rendait la voix de Schuler quasi inaudible.

— Ah, bonjour, Mace. Qu'est-ce que c'est que ce bruit ? Où êtes-vous ?

— Entre deux rendez-vous, lui répondit Mace sans s'étendre car il risquait de se mettre en retard à Columbia.

— Ah, bon. Dites, vous avez reçu le protocole d'accord pour le prêt ? Je vous l'ai envoyé ce matin.

— Je l'ai.

Mace s'énervait. Il n'avait pas appelé pour discuter de la paperasserie liée au prêt de la Chase. Comme la plupart des banquiers, Schuler aimait bavarder ; quand il était lancé, on avait parfois du mal à l'arrêter.

— Vous avez de quoi être contents, insista Schuler. Avec deux milliards de dollars, on peut s'amuser, non ?

— Très contents, plaça Mace quand l'autre reprit son souffle. John, j'ai besoin que vous me rendiez un service.

Schuler but une gorgée d'eau.

— C'est comme si c'était fait.

— Il y a quelques petites choses que je voudrais savoir sur les investisseurs.

— Vous voulez dire les investisseurs de Broadway Ventures ?

— Oui.

Schuler avala une autre gorgée.

— Sans vouloir vous vexer, Mace, pourquoi ne les appelez-vous pas vous-même ? Vous devez les connaître mieux que moi. C'est vous qui les avez trouvés, après tout. Mince, je ne sais même pas qui c'est. On ne m'a pas laissé voir les contrats de souscription. J'ai bien trouvé que vous entouriez leur identité de beaucoup de secret, mais Webster m'a fait garantir par Walker Pryce qu'ils avaient le profil adéquat ; je n'en demandais pas plus. C'est drôle, d'ailleurs, parce que d'habitude il n'aime guère dévoiler ses batteries auprès des banques, et cette fois-ci il m'a fourni les garanties sans hésiter.

Le banquier gloussa, comme s'il avait réussi un coup fabuleux en arrachant cette concession à l'inflexible Webster.

— A en juger par toutes vos cachotteries, j'imagine qu'il y a des Suisses dans l'affaire. Tout ce que je sais, c'est que les fonds sont sur le compte. Je ne vois pas très bien ce que je pourrais vous apprendre de plus que les investisseurs eux-mêmes.

Mace était sur la corde raide. A lui avouer franchement qu'il ignorait l'identité exacte des investisseurs parce que Leeny et Webster ne lui avaient pas transmis ce renseignement, il risquait d'alarmer le banquier. Et ça, c'était à éviter à tout prix. Si jamais Schuler flairait quelque chose de louche, il prendrait peur et tenterait de se dédire par tous les moyens. Webster s'en apercevrait, et remonterait jusqu'à lui, Mace. Mais s'il esquivait la question, Schuler risquait d'appeler Leeny pour en savoir un peu plus long.

Un camion passa dans un vacarme assourdissant, rebondissant dans des nids-de-poule. Mace resserra le col de son manteau pour se protéger du souffle glacial qui l'enveloppa.

— Ecoutez, c'est une simple vérification de routine sur l'un d'eux.

C'était plutôt piteux comme excuse, mais il n'avait rien trouvé d'autre.

— Vous n'avez pas lieu de vous inquiéter, ajouta-t-il d'un ton paternaliste.

— Qu'est-ce que vous attendez de moi ? demanda Schuler, peu convaincu de l'innocence de la démarche.

— J'ai besoin que vous retrouviez l'origine des virements faits sur le compte de Broadway Ventures. Il me faudrait la provenance de l'argent.

— Vous voulez que je vérifie tous les virements ?

— Oui, dit Mace sans ciller. Je ne crois pas qu'il y en ait beaucoup.

Il avait dit cela au hasard, mais Leeny avait rassemblé les

fonds si vite qu'ils ne pouvaient pas venir de trente-six endroits différents. Ses soupçons grandirent tout à coup. Elle avait vraiment fait très, très vite.

– C'est un peu inhabituel, comme procédure.

– Vous ne pouvez pas le faire, John ?

– Si, si. (Il hésita.) Mais si vous me disiez de quoi il retourne ?

– D'accord, mais avant, juste une petite question, John.

– Quoi ? lui renvoya le banquier d'un ton sec, un rien agacé par les tergiversations de Mace.

– Leeny me paraît un peu bizarre depuis le soir où je l'ai laissée avec vous. Vous n'auriez pas une idée de ce qui la tracasse ?

Il avait besoin de l'entière coopération de Schuler et savait comment l'obtenir.

– Non, dit Schuler, soudain glacial.

– Vous l'avez eue au téléphone depuis ?

– Non. Je croyais que j'étais censé traiter avec vous seul. C'est en tout cas ce qu'elle m'a dit. C'est même pour ça que je vous ai envoyé directement le protocole d'accord pour le prêt.

Schuler lui racontait des salades. Jamais Leeny ne lui aurait dit de passer par lui. Le banquier mentait. Il l'avait plus ou moins violée cette nuit-là, et maintenant il l'évitait. Il n'avait dû lui dire qu'après que le prêt avait été approuvé, et depuis il n'osait plus lui parler. Le petit salopard. Le moment était venu de lui en faire baver.

– Après mon départ, vous avez dîné ensemble, n'est-ce pas ?

– Non, non. Elle est partie quelques minutes après vous en prétextant un rendez-vous. Moi, je suis rentré dans le Connecticut.

– C'est drôle. Je crois me rappeler qu'elle m'a dit être allée manger un morceau avec vous après notre entretien.

Il tâtonnait, mais était sûr d'avoir l'autre au bluff. Pendant quelques instants, il y eut un silence au bout du fil.

– Je... j'essaie de me souvenir... j'étais complètement débordé, vous savez, crachota le banquier.

– Oui, bien sûr, dit Mace d'une voix de velours.

– Ah, oui, ça me revient ! Nous sommes sortis, effectivement. Mais pas longtemps. Nous avons dîné en vitesse.

Il paniquait. Rien qu'à l'entendre, il sentait que Mace en savait plus long qu'il ne le laissait paraître sur la nuit qu'ils avaient passée à l'Inter-Continental. Et si Leeny apprenait qu'il avait appelé Mace du restaurant, elle risquait de le prendre très mal. Au pire, si elle se montrait agressive, elle pourrait même le faire condamner pour harcèlement sexuel. Au mieux, elle pouvait lui rendre la vie impossible avec la direction de la Chase. « Merde ! » laissa-t-il échapper à voix basse.

La circulation étant arrêtée par un feu rouge, Mace l'entendit. Il sourit. Il voyait presque la sueur perler sur la lèvre supérieure du banquier.

– Tout va bien, John ?

Schuler changea aussitôt de sujet.

– Oui, oui. Bon, je vérifie vos histoires de virements.

Il semblait soudain bien pressé de se débarrasser de son interlocuteur.

– Il me faut ces renseignements très vite, John.

– Vous les aurez demain.

– Merci.

– C'est tout ?

– Pour l'instant.

– A demain, donc. Appelez-moi à midi.

– Merci de votre aide, John. Oh, euh... je suis sûr que Leeny n'a rien de grave. De toute façon, ses problèmes ne me regardent pas.

– Non, bien sûr, dit Schuler après une brève hésitation.

Mace raccrocha. Il consulta sa montre en souriant. Maintenant, il était sûr que Schuler n'appellerait pas Leeny.

Il héla un taxi. Dès le lendemain, il aurait quelques réponses et l'affaire serait bientôt classée.

En voyant entrer Slade, Becker leva les yeux de dessus ses papiers. La pièce était enfumée.

– Bonsoir, major, dit-il avec brusquerie.

– Bonsoir, mon général.

– Il est tard, dit Becker en jetant un coup d'œil à sa montre qui indiquait près de minuit. Qu'est-ce qui vous amène ?

Slade s'avança, l'enveloppe tendue à bout de bras. Puis il laissa tomber le document sur le bureau du général.

Becker posa soigneusement son cigare dans le cendrier de verre, prit le dossier, l'ouvrit et en sortit les états comptables d'Andrews Industries. Il les feuilleta rapidement, puis leva les yeux sur Slade. Lentement, il haussa le sourcil gauche. Ce n'était pas ce qu'il attendait.

24

– Nous avons les capitaux, le prêt bancaire et une liste d'investisseurs crédibles. Ce sont des gens et des organismes ayant une forte charge immobilière à Manhattan et que vous avez tous rencontrés. Qu'est-ce que McLain peut nous apporter de plus ? demanda Webster avec impatience. A l'heure H, vous les appellerez tranquillement. Ils ne se demanderont même pas pourquoi ce n'est pas lui qui les contacte. Ils s'en moqueront. Ce jour-là, ils n'auront plus qu'une idée en tête : retirer leurs billes.

Leeny était à court d'arguments susceptibles de faire gagner quelques jours à Mace. Sauve ta peau, songea-t-elle.

– C'est exact, Lewis. Il n'a plus rien à nous apporter.

Elle venait de signer son arrêt de mort.

– Tout est en place. Nous n'avons plus besoin de lui.

Un sourire se dessina sur les lèvres de Webster.

– Mace McLain n'est qu'un petit connard insolent, murmura le vieillard. Je me demande s'il aura toujours autant de morgue quand il aura un pistolet braqué sur lui.

Il pencha la tête en avant et ses yeux disparurent sous ses sourcils. Leeny eut un frisson dans le dos. Il la dégoûtait.

– Malheureusement, reprit Webster en souriant, il ne le verra même pas, ce pistolet. Ils sont très efficaces. Il n'aura pas le temps de se rendre compte de ce qui lui arrive. Une mort sans souffrance.

Il avait prononcé ces derniers mots avec une pointe de déception.

– Oui, j'imagine, dit Leeny, faute de mieux.

Quelle horreur, de disposer aussi froidement de la vie de quelqu'un. Mace avait travaillé dur chez Walker Pryce et avait contribué à enrichir Webster. Et le seul regret de cet homme était de ne pas pouvoir assister à son exécution.

— Ça va faire un choc à sa petite amie, Rachel Sommers, quand elle apprendra ce qui lui est arrivé, reprit-il en se caressant la barbe.

— Comment ? dit Leeny en dardant les yeux sur lui.

— Vous ne saviez pas ? murmura-t-il d'un air perplexe.

— Je ne savais pas quoi ?

— Pour Mace et cette Sommers.

— Qu'y a-t-il à savoir ?

— Ça fait des semaines qu'ils baisent comme des lapins.

Leeny sentit ses mains se remettre à trembler. Ainsi, Mace s'était servi d'elle. Il ne valait guère mieux que les autres hommes. Dans le taxi, il lui avait dit qu'il l'aimait, mais c'était à Rachel qu'il pensait. Il lui avait menti, comme tous les autres. Elle serra les poings contre son corps pour que Webster ne voie pas ses mains. Elle perdait pied.

— Tout va bien, Leeny ?

— Oui, oui, dit-elle d'une voix rauque.

Webster plissa les paupières.

— Je me demande si vous ne feriez pas mieux de me communiquer la liste des investisseurs auxquels vous avez rendu visite ces dernières semaines. Comme ça, il y en aura deux exemplaires. C'est un document très important.

Leeny porta une main à sa bouche. Avaient-ils l'intention de la tuer elle aussi ? Sinon, pourquoi Webster voulait-il la liste ? Elle en eut l'estomac retourné et dut sortir du bureau précipitamment.

— Je vais vous la chercher, dit-elle.

— Parfait.

Une fois dans l'antichambre, elle referma la porte derrière elle et s'appuya contre le panneau de bois, le souffle court. Elle avait l'impression que les murs se rapprochaient, que la pièce respirait. Elle eut envie de crier, mais parvint à se dominer. Elle ferma les yeux. Quand elle les rouvrit, elle essuya ses larmes à deux mains, étalant son mascara sur ses joues. Elle réussit enfin à s'écarter de la porte, et s'éloigna d'un pas incertain vers les ascenseurs.

Par la porte entrebâillée, Walter Marston la vit passer et l'observa attentivement jusqu'à ce qu'elle ait disparu dans une cabine. Il aurait bien voulu l'aider, et savoir ce qui la mettait dans un tel état. Mais il n'avait pas envie de passer le restant de ses jours en prison. Le fisc ne faisait guère de sentiment avec les individus qui lui dissimulaient près de vingt millions de dollars de revenu. Et dans ce genre de situation, Marston trouvait naturel de se protéger avant d'aider les autres. D'ailleurs, cette femme semblait être arrivée à un point de non-retour. Il n'y avait plus qu'à prier le ciel qu'elle le comprenne et aille se mettre au vert.

Webster sourit intérieurement en regardant Wall Street par la fenêtre. Il ne savait absolument pas si Mace couchait avec Rachel, mais se doutait bien que Leeny ne supporterait pas de les imaginer au lit ensemble. Il rit tout fort pour la première fois depuis des années.

— Mace McLain.

— Bonjour, Mace. Schuler à l'appareil.

— Bonjour, John, dit Mace en consultant sa montre. Je croyais que je devais vous appeler à midi. Il est onze heures et demie.

— Oui, mais j'ai un déjeuner. Et comme j'ai récolté quelques renseignements pour vous, j'ai pensé qu'il vaudrait mieux vous les communiquer tout de suite pour ne pas vous faire attendre.

Il y avait quelque chose d'étrangement servile dans sa voix et Schuler donnait aussi l'impression d'avoir envie de se débarrasser au plus vite de la corvée.

— Quoi de neuf ?

— C'est un peu bizarre, dit Schuler. Oh, remarquez, cela ne m'inquiète pas outre mesure. Pas que je sache, en tout cas.

Malgré toutes ses précautions, il n'était guère convaincant.

Quelque chose clochait. Mace le sentait.

— Qu'y a-t-il, John ?

— J'ai demandé à mon service de remonter à la source des virements effectués ces trois dernières semaines sur le compte de Broadway Ventures, et qui correspondent, en principe, aux participations des co-investisseurs. De nos jours, avec tous les systèmes de vérification mis en place par le gouvernement pour traquer l'argent sale, c'est une opération rapide. Bien entendu, ce que je n'ai pas obtenu par les moyens conventionnels, je l'ai eu par certains amis haut placés dans d'autres banques. J'ai dû solliciter beaucoup de faveurs.

– Je vous en remercie.

Mace était prêt pour la grande révélation. L'affaire ne serait pas bouclée aussi vite qu'il l'avait cru.

– Eh bien, c'est peut-être une simple coïncidence, mais tout de même, il y a trop de choses qui se recoupent.

– Oui, quoi ? demanda Mace qui s'impatientait.

– Deux choses, en réalité. Tout d'abord, j'ai trouvé un total de quinze virements sur Broadway Ventures en trois semaines, dont neuf émis par la Capital Bank de Washington. Il y a quelques intermédiaires, mais on finit toujours par remonter à la Capital Bank. Le montant de chacun de ces neuf virements s'élevait à cent millions de dollars. Les autres étaient beaucoup plus petits : cinq versements de dix millions et un de cinquante. Ce dernier virement vient de Walker Pryce. Les cinq autres ont été émis par les investisseurs immobiliers dont vous m'avez parlé.

Mace n'entendit pas la dernière phrase. La Capital Bank. Il la connaissait bien. Soudain, il eut la chair de poule. Il n'était pas normal du tout que les neuf dixièmes des capitaux viennent de là. Pourquoi tant d'argent passerait-il par ce seul et unique organisme financier qui était une banque de Washington ? Schuler avait raison. C'était trop gros pour se résumer à une simple coïncidence. Mace se souvint que récemment Webster s'était rendu dans la capitale pour rencontrer le vice-président. Il n'osa en tirer des conclusions.

– Vous m'avez parlé de deux choses. La première est l'origine, la Capital Bank. Et la deuxième ? demanda Mace en se mettant à prendre des notes à toute allure.

– Eh bien, nous n'arrivons pas à remonter en amont de la Capital Bank. Les comptes débiteurs des virements semblent appartenir à des sociétés en sommeil. Des coquilles vides. Et je n'arrive pas à savoir comment ils ont été alimentés. Je débouche dans une impasse.

– Avez-vous les noms de ces sociétés ?

– J'en ai un. Pergament Associates. Mais je veux bien être pendu si quelqu'un de la Chase est capable de retrouver une seule véritable société à ce nom-là dans le monde entier. Nous avons vérifié dans les banques de données des sociétés publiques et privées. Il n'y a rien.

C'était dingue. Conformément à la liste d'investisseurs que Leeny lui avait débitée et répétée, cinq virements provenaient d'un peu partout dans le pays. Un autre avait été effectué par Walker Pryce. Mais quatre-vingt-dix pour cent du fonds provenaient d'une seule et unique banque de Washington. C'était incompréhensible.

– Il y a encore autre chose, Mace.

– Oui, John ? dit Mace, ramené à la réalité. Quoi ?

– Le compte de Broadway Ventures a déjà été débité. Par virement.

– Ah, bon ?

– Oui. D'un million de dollars. L'argent a été crédité à une banque dont le siège se trouve à Charleston, en Virginie-Occidentale.

– Quelle banque ?

– La Charleston National Bank and Trust.

– Succursale ? demanda Mace en notant tout. Celle de Charleston ?

– Non. Celle de Sugar Grove, lui répondit Schuler en riant. Je dis « celle » parce que j'imagine qu'il n'y en a pas plusieurs à Sugar Grove.

– Où est-ce, ce patelin ?

Mace écrivait toujours. Schuler ricana.

– Figurez-vous que je me suis posé la question et que j'ai regardé sur une carte. Sugar Grove est une petite ville située sur la piste des Appalaches, près de la frontière avec la Virginie, en pleine forêt, à ce qu'il semble. L'agglomération la plus proche est Perpèteville, à soixante kilomètres.

Mace ne rit pas. Il était trop occupé à noter et à réfléchir.

– A votre avis, qu'est-ce que ça cache ? lui demanda Schuler, nerveux. C'est quand même un milliard de dollars que je mets à votre disposition du jour au lendemain et cela représente une partie non négligeable du capital de la Chase. Vu que je devrais pouvoir revendre les créances aux autres banques très prochainement, je ne me fais pas trop de souci pour mon niveau de risque. Mais en tant qu'arrangeur, il faut que je puisse prouver aux organismes acheteurs que nous leur faisons une proposition de qualité. (Visiblement, il s'inquiétait.) S'il y a un problème, mon réseau va être incapable de placer les créances et je me retrouverai avec toute la dette sur les bras.

Il avala presque ces derniers mots. Mace l'entendit faire sa crise cardiaque en silence à l'autre bout du fil. Le banquier avait tout d'un coup senti que son univers menaçait de s'écrouler, et il essayait de tenir le coup tant bien que mal.

– Tout va bien, John, lui dit-il d'un ton apaisant. J'ai juste une petite vérification à faire. Je vous rappelle demain matin. Entre-temps, ne vous en faites pas pour votre argent. Nous n'aurons pas tout dépensé d'ici là.

Il rit fort dans le combiné pour restaurer la confiance de Schuler, mais eut du mal à se montrer convaincant.

– Bon. Surtout, n'oubliez pas de me rappeler. Je veux savoir ce qu'il en est, dit Schuler d'une voix mal assurée.

– Promis.

– Au fait, comment va Leeny ?

Mace renversa la tête en arrière. Il fallait tenir les couilles de Schuler bien serrées dans le casse-noix s'il ne voulait pas qu'il appelle Leeny.

– Bien, j'imagine. Elle m'a demandé quand j'avais appris que le prêt Broadway Ventures avait reçu l'approbation de la Chase.

– Ah bon ? dit Schuler, qui toussa.

– Oui. J'ai trouvé ça bizarre.

Maintenant, le banquier devait beaucoup regretter d'avoir rencontré Leeny. Il hésita.

– Bizarre ? Ah bon ?

– Oui. Bien, à demain, John, dit Mace en raccrochant sans lui laisser le temps de répondre.

Il était sûr qu'à moins d'une catastrophe Schuler n'aurait jamais le courage d'appeler Leeny. Il jeta un coup d'œil à son calepin. Il aurait tout donné pour être une petite souris dans un coin pendant l'entrevue entre Lewis Webster et le vice-président des Etats-Unis.

La limousine descendait lentement Pennsylvania Avenue en s'éloignant de la Maison Blanche. Robin Carruthers regarda Andrews, qui contemplait le paysage de la fin d'après-midi à travers la vitre teintée. Le soleil disparaissait presque à l'horizon, et l'arrière de la voiture s'assombrissait rapidement. Bientôt il y ferait aussi sombre que dans les pensées de son patron, se dit-elle. L'entrevue avec le président n'avait pas donné les résultats qu'Andrews avait escomptés.

Elle faillit tendre la main vers lui pour le consoler. Ils étaient seuls, personne ne verrait son geste. Mais elle ne put se résoudre à le faire : après tant d'années de dévouement aveugle, le doute s'était immiscé dans son esprit. Elle avait gobé tout ce que lui avait raconté Preston : Becker qui ordonne à Carter Guilford de prendre contact avec le cartel Ortega, Guilford qui dirige l'argent sur la CIA pour couvrir les malversations et surtout l'argent détourné par Becker pour financer sa campagne. Elle avait tout avalé parce qu'elle était dévouée corps et âme à Preston Andrews.

Aujourd'hui, tout lui semblait grotesque. Becker n'était-il pas un héros militaire ? Il avait fait le ménage en arrivant à l'Agence et son honneur ne pouvait être remis en cause. « Au-dessus de tout soupçon », disaient de lui la plupart des gens, et même ses ennemis. Mais elle avait tout pris pour parole d'Evangile.

Et maintenant, à cause de cet aveuglement, elle se trouvait exposée à de terribles ennuis. Les lettres anonymes à Slade Conner, écrites sur ordre de Preston, pouvaient signer sa perte si jamais on découvrait qu'elle en était l'auteur. Andrews avait voulu faire sortir le directeur de la CIA à découvert en testant un de ses hommes, histoire de voir si celui-ci allait se retourner contre son supérieur et chercher à se renseigner sur lui à son insu. Conner possédait des moyens qui leur étaient inaccessibles. C'était un pari très risqué – elle s'en rendait compte à présent

— et qui ne les avait menés nulle part. Conner avait pris les états comptables trafiqués, mais s'était aussi procuré les bons.

Si Andrews n'avait pas perdu espoir d'exploiter ce filon, elle-même n'y croyait plus. Elle était complètement obsédée par l'idée qu'au lieu de fouiller du côté de son supérieur, il allait remuer ciel et terre pour découvrir l'auteur des lettres. Et il trouverait, tôt ou tard. Il était agent secret, tout de même. C'était son boulot de savoir qui envoyait ce genre de courrier.

Soudain, elle se vit devant une commission d'enquête, en train de répondre aux questions vicieuses de sénateurs ou de députés sous l'œil sévère de Malcolm Becker. Elle trembla. Ce type lui fichait une frousse bleue. Et si Slade remontait à la source, il lui ferait la peau. Et tout ça à cause de Preston Andrews.

Elle respira un bon coup et regarda par la fenêtre de la voiture. Elle avait fait tout ça pour lui, et où cela l'avait-il menée ? A rien sinon un début d'ulcère. Plus trois kilos autour des hanches à cause de tout le chocolat qu'elle ingurgitait pour lutter contre le stress.

Le vice-président se retourna lentement.

— Ça va, Robin ?

Elle le regarda dans les yeux.

— Oui, lui répondit-elle d'une voix glaciale.

Andrews secoua la tête.

— Je croyais vraiment qu'il me serait plus facile de pousser le président à obtenir les renseignements sur la CIA.

— Il ne nous sera sans doute pas d'une grande aide. Il voit les choses à plus grande échelle, lui renvoya-t-elle d'une voix mono-corde et inexpressive, en approuvant de la tête.

— Il ne veut pas se retrouver dans une situation où il lui faudrait trancher et risquer de se faire des ennemis. Il ne nous reste plus qu'à révéler nous-mêmes ce qui se passe à la CIA. Je pense que le moment est venu que vous contactiez Slade Conner en personne.

— Quoi ?!

— C'est notre dernière cartouche, lui dit-il fermement.

Robin n'en croyait pas ses oreilles.

— Preston, jusqu'à présent, j'ai toujours fait tout ce que vous m'avez demandé. Je refuse de m'exposer davantage personnellement. C'est aussi simple que cela.

– Je vous croyais dévouée, lui fit-il remarquer sans s'énerver.

Elle sentit son sang bouillir.

– Je vous interdis de douter de mon dévouement, dit-elle d'une voix tremblante.

Elle ne lui avait jamais parlé ainsi. Mais après tant d'années de bons et loyaux services, elle pouvait espérer qu'il lui demande autre chose que de se jeter en pâture aux loups.

– Je n'arrive pas à croire ce que je viens d'entendre, ajouta-t-elle.

– Et moi, je n'arrive pas à croire que vous refusiez de faire le nécessaire pour que nous gagnions cette campagne.

– Pour une fois, je ferai ce que je pense être dans mon intérêt. Et dans celui du pays.

Elle marqua une petite pause pour peser ses mots. Elle ferait mieux de tenir sa langue. Mais elle était révoltée.

– Il faut bien que l'un de nous deux s'en préoccupe, lâcha-t-elle.

Andrews ne répondit pas tout de suite.

– Que dois-je comprendre ? dit-il enfin d'une voix calme, mais sous laquelle on sentait gronder l'orage.

– Ceci : comment saviez-vous que Carter Guilford travaillait avec le cartel Ortega pour financer la CIA ? Qui vous a renseigné ? Jusqu'à présent, j'ai pris tout ce que vous m'avez dit pour argent comptant. Maintenant, c'est fini. J'exige des preuves. J'ai besoin de connaître toute l'histoire.

Pris de panique devant les attaques de la seule personne dont il n'aurait jamais attendu de questions, le vice-président choisit en vitesse la meilleure position de repli.

– Il y a plusieurs mois, Carter Guilford est venu me trouver pour me mettre au courant, dit-il, toujours aussi calme. Il m'a contacté par l'intermédiaire de la DEA, mais sans leur dire pour quel motif. Il a pensé à moi parce que j'ai moi-même travaillé à la DEA. C'est lui qui m'a parlé de Slade Conner. A l'entendre, c'était le seul type honnête de l'Agence et il ne fallait traiter qu'avec lui.

– Avez-vous enregistré vos conversations avec Guilford ?

Elle n'avait aucune intention de se faire circonvenir aussi facilement. Il était trop convaincant. C'était d'ailleurs pour ça qu'il faisait de la politique.

– Non. Je voulais le faire, mais pendant tout l'entretien il a mis de la musique pour couvrir nos voix. Nous ne nous sommes rencontrés qu'une fois, et très brièvement. Nous devions nous revoir, mais je crois que Becker l'a appris. Comme je vous l'ai dit, Robin, je ne crois pas que Carter se soit tué par accident.

C'était trop bien ficelé. Mais Preston était capable de convaincre n'importe qui que les athlètes professionnels jouaient par amour du sport et non de l'argent. Il avait un véritable don.

– Pourquoi avez-vous reçu Lewis Webster, l'associé principal de Walker Pryce ? reprit-elle.

Comment avait-elle bien pu savoir ça ?

– Combien de temps le directeur de cabinet du vice-président a-t-elle l'intention de cuisiner son patron ? lui renvoya-t-il en haussant la voix.

Il était furieux. Elle le comprit en l'entendant employer la troisième personne. Mais elle s'en moquait. Elle exigeait des réponses.

– Aussi longtemps qu'elle le voudra, lui rétorqua-t-elle. Répondez, Preston.

– C'est lui qui m'a appelé. Il m'a dit qu'il avait entendu parler des problèmes financiers d'Andrews Industries et il m'a proposé son aide. Je l'ai fait venir à Washington pour l'assurer que ma société se portait très bien et que je penserais à lui si j'avais besoin d'investir. Ces banquiers de Wall Street, vous n'imaginez pas ce qu'ils sont gourmands ! Dès qu'il a eu ma parole, il est parti sans insister. Mais j'ai eu raison de le recevoir avec le tapis rouge. Ça a magnifiquement marché. Depuis, je n'ai plus entendu parler de lui. Je n'avais vraiment pas besoin d'un type qui aille raconter au monde entier que ma société a des problèmes financiers. Comment l'a-t-il appris, je ne le saurai jamais. Il a refusé de me le dire. Mais les chiffres qu'il m'a cités étaient terriblement précis. Je les ai réfutés, bien entendu, mais j'aimerais savoir où il les a eus.

Encore une fois, c'était trop beau pour être vrai. Preston

n'avait parlé que d'un seul entretien, mais d'après ses sources elle savait qu'il en avait eu plusieurs.

– Pourquoi m'avoir caché que vous rencontriez Webster ? Après tout, je suis votre directeur de cabinet.

– J'essaie de vous tenir le plus possible à l'écart de tout cela, Robin.

– Comment osez-vous dire ça ? lui renvoya-t-elle en haussant le ton. Vous venez de me demander de contacter Slade Conner en personne. Je ne vois pas comment je pourrais me compromettre davantage.

Andrews ne répondit pas. Il la regardait fixement.

– J'ai une dernière question à vous poser, reprit-elle.

– Une seule, je n'en doute pas.

Elle ne releva pas.

– Qui est l'homme que j'ai vu dans votre chambre au Doha Marriott ? Vous ne me l'avez toujours pas dit.

Andrews détourna les yeux aussitôt. Il ne pouvait pas répondre à cette question. Il fallait garder le secret le plus longtemps possible.

25

L'homme était habillé en électricien, mais sa connaissance du métier se bornait à un cours qu'il avait suivi au lycée plusieurs années auparavant. Il plaqua son oreille contre la porte et écouta attentivement. Comme il n'entendait rien, il vérifia encore une fois le numéro de l'appartement, puis il poussa doucement la porte en grinçant des dents. Il aurait été nettement mieux de surprendre la cible dans une rue sombre ou une station de métro bondée, mais les commanditaires avaient exigé une mort immédiate.

La porte céda sans bruit. Le tueur jeta un coup d'œil dans l'entrebâillement pour voir si rien n'était allumé à l'intérieur. Tout était sombre. Il se glissa dans la pièce, referma la porte et remit l'outil avec lequel il l'avait crochetée dans sa poche. Il s'agenouilla en douceur, posa le sac déjà ouvert devant lui et en sortit l'arme chargée. Puis il se releva et s'avança furtivement vers la chambre. On lui avait fourni un plan approximatif des pièces et des meubles, mais la lumière de la rue entrait par la grande fenêtre du séjour et suffisait à le guider.

Il traversa la pièce rapidement et gagna la porte de la chambre à coucher où dormait la cible. Il était plus de deux heures du matin. D'après ses renseignements, McLain était resté à son bureau jusqu'à neuf heures et s'était fait ramener en voiture à son appartement de l'Upper West Side. Il était fatigué et n'avait pas dû tarder à s'endormir. Malgré tout, le tueur avait attendu jusqu'à cette heure tardive pour plus de sûreté.

Il touchait presque au but. Le sort de McLain était quasiment réglé. L'homme hésita une seconde sur le seuil. Puis, le canon brillant dans la lueur venant de la fenêtre, il leva son fusil pour poser la main sur la poignée de la porte. Inhabituelle, l'arme était un fusil dont la seringue était remplie non de sédatif mais d'un poison mortel qui paralyserait sa victime en six secondes et provoquerait un arrêt cardiaque dix-sept à vingt secondes plus tard. Si McLain arrivait à sortir de son lit, ce serait bien le bout du monde.

La difficulté n'était pas de le supprimer, mais de se débarrasser de son corps sans se faire remarquer. Il ne fallait pas qu'on retrouve le cadavre. Les ordres étaient clairs. McLain devait être tué sur place sans qu'il y ait traces de lutte, puis transporté dans un endroit où on pourrait le faire disparaître.

L'homme tourna la poignée, prit trois inspirations et fit irruption dans la pièce. Le lit était vide. Il fonça vers la salle de bains, puis vers l'autre chambre. McLain n'était pas chez lui. On l'avait mal renseigné.

Doucement mais fermement, Mace appuyait Leeny contre le mur et serrait son corps nu contre le sien. Le mur était frais sur ses fesses et sur son dos, ce qui n'avait rien de désagréable car il faisait très chaud dans la chambre. Elle lui massait les épaules un petit moment, puis elle croisait les mains derrière sa nuque et plongeait le regard dans ses yeux gris où dansaient les flammes d'une kyrielle de bougies. Elle sentait sa bouche sur ses lèvres et leurs langues se trouvaient.

Mais à l'instant où il aurait dû la pénétrer, où elle aurait dû lui entourer la taille de ses jambes, il s'écartait. Elle secouait la tête sans comprendre.

Il se dirigeait vers la porte et l'ouvrait. Déjà nue, Rachel émergeait des ténèbres et faisait son apparition. Elle prenait Mace par la main et le conduisait jusqu'à l'immense lit qui occupait le centre de la pièce. Elle grimpait dessus, s'allongeait sur le dos et lui faisait signe de la rejoindre.

Leeny voulait crier, mais le son s'étranglait dans sa gorge. Elle voulait s'écarter du mur, mais ne pouvait s'en détacher. Elle devait regarder Mace monter sur le lit et faire l'amour à Rachel.

Leeny se dressa dans son lit en criant. Elle reprit son souffle, puis se rendit compte qu'elle était en sueur. Le matelas était trempé.

« Oh, mon Dieu. » Les yeux perdus dans les ténèbres, elle tendit la main vers l'interrupteur de sa lampe de chevet. Même dans la lumière douce et réconfortante, elle fut incapable de chasser l'image de Mace faisant l'amour à Rachel.

Sur sa table de nuit, elle prit un flacon et en fit tomber quatre pilules dans sa main – quatre fois la dose prescrite. Elle les avala avec une grande gorgée d'eau et reposa le verre lentement. Celui-ci oscilla sur le bord de la table, puis s'écrasa par terre en mille morceaux. Mais Leeny, les yeux fixés sur les chiffres rouges du réveil, ne remarqua rien. Il était deux heures trente du matin et le tueur avait fini son travail : Mace McLain avait cessé de vivre.

Slade regarda la femme se fondre dans l'obscurité du campus de Georgetown. Il lui avait fallu beaucoup de courage pour venir là, à près de trois heures du matin. Elle devait savoir qu'il serait obligé de signaler cette trahison à Becker.

Au loin, les lumières du vieux McDonogh Gymnasium brillaient de tous leurs feux. Que faire ? Robin Carruthers, directeur de cabinet du vice-président des Etats-Unis, venait de se faire connaître à lui comme étant l'auteur des deux lettres anonymes. Elle avait porté des accusations incroyables contre son supérieur, Malcolm Becker, et avait sollicité son aide. Slade rit tout haut. Bizarre. C'était le seul mot qui lui venait à l'esprit pour qualifier ce qu'il venait d'entendre.

Il tourna les talons et s'éloigna dans la direction inverse. Que faire ?

Le moteur peinait depuis vingt minutes. Dans un hurlement de pistons, la voiture grimpait à flanc de montagne, tournant après tournant. Une odeur d'huile brûlée emplissait l'habitacle et le témoin de température était dans le rouge. Si la bielle coulait maintenant, Mace serait obligé de marcher plusieurs kilomètres pour trouver de l'aide. Le dernier endroit civilisé aperçu sur la route était la vieille station-service installée au pied de la montagne, et elle était plongée dans l'obscurité.

Enfin il passa un col et la grande descente s'amorça. Les phares perçaient difficilement les ténèbres d'une forêt dense où s'accumulait la neige. Par endroits, celle-ci s'amoncelait en congères de trois mètres de haut sur le bas-côté. De temps en temps, un cerf-mulet frôlait la mort au passage de la voiture.

Courbé sur le volant de la petite cylindrée – un modèle de sport ou de luxe ne serait pas passé inaperçu dans le bourg –, les deux mains posées sur le volant dans la position réglementaire, Mace concentrait toute son attention sur les méandres de la voie étroite. Il était épuisé. L'avion n'avait décollé de La Guardia qu'à onze heures et atterri à Charleston sous la neige. Les conditions climatiques l'avaient retardé : pendant une heure et demie de route, la voiture n'avait guère dépassé le trente à l'heure. Il avait failli passer la nuit à Charleston, mais s'était rendu à l'évidence : il n'avait pas de temps à perdre. On ne tarderait pas à se rendre compte de son absence.

La neige avait enfin cessé, la seule difficulté étant maintenant de négocier les virages en épingle à cheveux et d'éviter les cerfs, qui pullulaient comme les sans-abri dans les rues de New York. Les amas de neige et les pins gigantesques défilaient. Quel trou paumé. Merde, il n'avait pas croisé une seule voiture depuis une quinzaine de kilomètres. Il inspira profondément. D'après la carte, il ne pouvait plus être très loin.

Il aperçut le petit panneau qui dépassait tout juste d'un tas de neige. SUGAR GROVE 10 KM. Il se détendit sur son siège. Il y était presque.

Soudain, il se pencha de nouveau sur le volant, plus fort encore. Toujours jouer le quatrième quart-temps plus fort que les trois premiers. Ne jamais relâcher l'effort dans la ligne d'arrivée. Fournir un gros effort pour le finish. Les paupières lourdes comme du plomb, il se força à tenir. Il arrivait. Il y avait un motel ouvert toute la nuit, il avait vérifié.

Mace secoua la tête. Il perdait sûrement son temps. Le virement de Broadway Ventures sur cette petite succursale de la Charleston National Bank & Trust de Sugar Grove ne cachait probablement rien de louche, mais il préférait en avoir le cœur net.

Un cerf sortit brusquement entre les pins. C'était un mâle superbe. Inconscient du danger, il s'avança lentement sur la route.

Mace jugea que, même au train où allait la voiture, l'animal aurait largement le temps de traverser. Mais celui-ci commit l'erreur fatale de faire face au véhicule. Comme statufié, le cerf s'arrêta, hypnotisé par les phares. Mace écrasa les freins, mais ses pneus glissèrent sur une plaque de verglas.

Au dernier moment, il leva le pied, et l'auto fit une embardée à droite. Mace réussit à ne pas déraper, et effleura le cerf. L'accident évité, Mace freina de nouveau et, cette fois, dérapa et alla heurter une congère.

Il ne roulait pas vite au moment de l'impact et s'en sortit sans une égratignure, mais le moteur avait calé. Mace passa au point mort pour le remettre en route, mais n'en tira qu'un hoquet. Il réessaya plusieurs fois, laissant reposer entre chaque tentative. Toujours rien. Enfin, il ouvrit la portière d'un coup de pied et descendit. La marche allait être longue.

Il prit son sac à l'intérieur et allait se mettre en route lorsque le cerf, qui n'avait toujours pas bougé, démarra en trombe pour se réfugier à l'abri des arbres.

– Merde ! lâcha Mace, qui sursauta et recula instinctivement.

L'animal bondit dans les ténèbres de la forêt. Mace l'entendit s'enfuir dans les taillis en cassant des branches. L'animal enfin disparu, il se rendit compte qu'autour de lui le silence était total.

Lentement, péniblement, il prit la route verglacée qui menait à Sugar Grove. Que penserait Leeny si elle savait où il était ? Et Webster ? De toute façon, ils ne s'apercevraient de rien. Il serait de retour à New York le lundi soir, et au bureau dès le mardi matin. Il aurait une excuse valable pour son absence et aucun reçu de carte de crédit risquant de les mettre sur la piste. Il avait tiré suffisamment de liquide dans l'après-midi pour faire face à tous les imprévus.

Il secoua la tête. Rachel avait raison. Leeny n'était pas nette. Pourquoi avait-elle tant insisté pour savoir à quelle heure il rentrait chez lui ? Et s'il avait eu l'intention de sortir ce soir ?

26

Sugar Grove était nichée dans une vallée reculée des Appalaches. Des pics boisés couverts de neige s'élevaient autour des maisons de bardeaux vieillissantes agglutinées les unes contre les autres. C'était une région quasiment abandonnée par le XXᵉ siècle. Dans les rues creusées de nids-de-poule, un véhicule sur deux était un pick-up maculé de boue. Les trois mille habitants de la petite ville semblaient plus ou moins parents. Du moins se connaissaient-ils. Et tout allait par deux : deux épiceries, deux quincailleries, deux banques, deux débits de boissons alcoolisées, deux cinémas si antiques qu'on y montrait toujours des films des années soixante-dix.

Le Deliverance Motel, juste en face du routier, dans la grand-rue, proposait des chambres dont le confort se limitait à un matelas dur, une bible et un vieux téléphone en ébonite. Pour obtenir une communication, il fallait passer par le standard, tenu les trois quarts du temps par le propriétaire obèse, Max Shifflette. La seule commodité moderne était un énorme téléviseur installé dans le salon et qui, grâce à une antenne parabolique perchée sur le plus haut des pics environnants, recevait quatre-vingt-douze chaînes. On était loin des cinq étoiles de Londres, Paris et Los Angeles auxquels il était habitué, mais quand il s'était enfin effondré sur le lit branlant à cinq heures du matin, il s'était cru au paradis.

— Encore une bière, Max ? dit-il en passant le carton de Coors à moitié vide au propriétaire, qui était assis dans un vieux fauteuil de bois à côté de lui.

Mace avait acheté la bière au Piggly Wiggly, à côté du routier, chez Mabel. C'était drôle, se dit-il, ce quartier de Sugar Grove où, comme à New York, on trouvait tous les produits de première nécessité à sa porte, vingt-quatre heures sur vingt-quatre.

– C'est pas de refus, lui répondit Max d'une voix aiguë et avec un fort accent montagnard.

Il but les dernières gouttes de sa canette, jeta celle-ci sur le tapis usé et prit le carton des mains de Mace. De son énorme patte, il en dégagea un récipient doré, le décapsula et en avala la moitié d'une traite. Et lâcha un rot sonore.

Mace sourit intérieurement. Max avait tout de l'ours. Un mètre quatre-vingt-quinze et au moins cent quarante kilos. Cheveux noirs, longs et plutôt clairsemés, comme sa barbe. Il aurait pu faire une belle carrière à la Fédération mondiale de catch. Pour plaisanter, Mace lui avait offert de le représenter, mais « Mad Max », ainsi que l'avait appelé une femme de chambre ce matin-là, n'avait rien voulu entendre. Il entendait passer toute son existence à Sugar Grove, à s'occuper de son motel cinq jours par semaine et à chasser l'ours brun et le cerf les deux autres. Telle était, selon lui, la vie qu'il fallait vivre et il s'en satisfaisait. Il n'avait peut-être pas tout à fait tort, songea Mace.

Tout à coup, la lumière de la télévision faiblit, le concours de tractor pulling disparaissant bientôt de l'écran.

– Merde ! cria Mad Max en lançant sa canette de bière vide dessus.

– La réception est mauvaise ? demanda Mace.

Mad Max prit une autre bière dans le carton qu'il avait soigneusement posé sur ses genoux.

– Oh, c'est le satellite qui doit être en panne. Ou alors, la compagnie qui l'exploite a enfin compris que je pirate leur fréquence.

– Quoi ? dit Mace en souriant.

Mad Max avala une gorgée de bière, se tourna vers lui et lui fit un grand sourire qui découvrit sa gencive supérieure.

– Ouais, c'est mon frère et moi qui avons été mettre l'antenne sur la montagne. Il y a deux ans. Sans rien dire à personne.

– Et les flics n'ont pas réagi ?

– C'est mon frère qu'est shérif.

– Evidemment, dit Mace en hochant la tête.

– Qu'est-ce qu'on va regarder, maintenant ?

Visiblement affecté par ce contretemps, Mad Max se mit à zapper comme un fou.

– On va peut-être réussir à capter une autre chaîne. Avec un peu de chance, on tombera sur un autre concours de tractor pulling.

Mace consulta sa montre. Dimanche, un peu plus de sept heures du soir. Il faillit lui proposer l'émission *60 Minutes*, mais se ravisa.

– Parlez-moi de Sugar Grove, dit-il.

Mad Max posa la télécommande sur une petite table, se caressa la barbe un petit moment et se renversa dans son fauteuil. La question de Mace ne l'étonnait pas. Il trouvait tout naturel qu'un visiteur ait envie de s'informer sur sa ville.

– Sugar Grove a été fondée en 1866 par la brebis galeuse d'une famille de Richmond qui refusait de cohabiter avec les Yankees après la guerre de Sécession. Il se disait qu'on ne viendrait jamais le chercher ici, et il ne se trompait pas. Il n'y a pas beaucoup de Yankees qui trouvent notre ville. Je m'étonne que vous y soyez arrivé. Et je suis assez surpris que vous soyez toujours là.

Il avait dû trouver cette dernière remarque particulièrement désopilante car il rit un bon moment avant de reprendre ses esprits – aidé par quelques bonnes gorgées de bière.

Mace s'abstint de lui demander ce qu'il y avait de si drôle. Il préférait ne pas savoir. L'autre finit par reprendre son récit.

– Au début du siècle, la région a commencé à attirer de grosses sociétés de papier. Ça a créé des emplois et le petit-fils du fondateur de la ville est devenu riche. A la fin des années quarante, ç'a été au tour des compagnies minières de s'installer et de créer de nouveaux emplois. Cette fois-ci, le même petit-fils du fondateur de la ville est devenu très riche. Mais depuis la chute de Richard Nixon, le dernier vrai président qu'on ait eu, Sugar Grove n'est plus en veine. Il y a vingt ans, l'industrie du papier a déménagé parce qu'on trouvait du bois meilleur marché plus au sud, et aujourd'hui il n'y a pratiquement plus de charbon à extraire. La population est tombée de moitié. (Il secoua tristement la tête.) Encore vingt ans et il n'y aura plus personne. Mon cousin n'aura plus de clients.

Il but une gorgée de bière.

— Qu'est-ce qu'il fait, votre cousin ? lui demanda Mace en buvant à son tour.

— Il tient l'épicerie. (Mad Max hésita.) Les deux, en fait. Et aussi les deux quincailleries.

Mace hocha la tête. Voilà donc pourquoi les prix ne lui avaient pas paru très différents de ceux de New York. Mad Max et sa famille avaient un monopole.

— Et vous, vous tenez aussi le motel qui est à l'autre bout de la ville ?

Mad Max découvrit une fois de plus sa gencive rose.

— Evidemment. Et aussi le garage où vous avez laissé votre voiture. C'est ma femme qui s'en occupe. Et ça marche bien. Elle n'a pas le temps de s'ennuyer et moi, je ne l'ai pas trop dans les jambes et je peux aller à la chasse.

Mace rit tout haut.

— Ma parole, mais vous êtes de vrais chevaliers d'industrie des temps modernes ! s'écria-t-il.

Le sourire disparut du visage de Mad Max. Il ne savait pas ce qu'était un chevalier d'industrie et n'était pas sûr que Mace ait voulu lui faire un compliment.

— Je parie que votre famille possède tout Sugar Grove, reprit Mace.

— A peu près.

Max hocha la tête avec raideur. Il ne comprenait pas en quoi cela intéressait tant ce New-Yorkais. Il décapsula une autre canette.

— Alors, le Yankee, qu'est-ce qu'on est venu faire ici ? dit-il en lui adressant un clin d'œil. Vous passiez par notre jolie ville quand vous êtes tombé en panne ?

— Non, je n'y passais pas. J'y venais. Je voulais rester quelques jours ici. Mais je commence à me dire que je n'en partirai jamais. La réparation de ma voiture a pris plus longtemps que prévu.

Max sourit.

— Il faut bien que je vous garde quelques nuits si je veux faire mon beurre. Comme vous le voyez, les affaires ne marchent pas du tonnerre.

C'était vrai. La veille, deux autres chambres seulement avaient été occupées, et aujourd'hui Mace était le seul hôte payant.

– De toute façon, je comptais ne partir que demain, dit-il.

– Pourquoi ? lui demanda Mad Max en se redresssant, soudain intéressé. Qu'est-ce qui vous amène ?

Mace le regarda sans répondre tout de suite, puis il dit :

– Je travaille pour le gouvernement. Nous enquêtons sur des parrains de New York.

Max se pencha en avant, captivé. Les parrains, il en avait entendu parler.

– Vous voulez dire la Mafia ? murmura-t-il.

Mace hocha la tête d'un air solennel.

– Nous pensons qu'ils se servent de la Charleston National Bank and Trust de Sugar Grove pour blanchir de l'argent.

C'était une histoire à dormir debout, mais Mace se dit que « blanchir » faisait officiel et que Max, qui ne connaissait sans doute pas le mot, ne demanderait jamais d'explication.

– Ah, mon Dieu ! s'écria Max. Mais j'ai ma nièce qui y travaille !

Mace leva la tête. Il avait mis dans le mille.

– Les employés vont avoir des problèmes ? reprit Max, soudain inquiet.

– Non, non, lui répondit Mace en se rendant compte que s'il n'y prenait pas garde, le montagnard ameuterait toute sa famille par téléphone dans les deux minutes.

– Non, répéta-t-il. Il n'y a pas de quoi s'affoler. Mais promettez-moi de ne rien dire à personne.

– Pas un mot.

Les yeux écarquillés, Mad Max avala sa salive.

– Dites-moi, Max, qu'est-ce qu'elle fait votre nièce, à la banque ?

– Elle est caissière.

– Vous croyez qu'elle accepterait de m'aider ?

Max hésita. Mais dans les yeux du New-Yorkais, il y avait quelque chose qui lui inspirait confiance.

– Oui, bien sûr. Qu'est-ce qu'il faut qu'elle fasse ?

– Rien de difficile. J'ai besoin d'un renseignement à propos d'un compte. Ça ne devrait pas lui poser de problème.

Max hocha la tête d'un air solennel.

– Elle a accès à tous les dossiers. C'est quelqu'un de confirmé dans le métier. (Il marqua une pause.) Aucun risque qu'on sache qu'elle est dans le coup, hein ?

– Aucun.

– Et je suis sûr que le gouvernement est prêt à monnayer le service, non ?

Mace le regarda dans les yeux. Telle était donc sa philosophie. Il eut un petit rire.

– Si, si.

Il ne prit même pas la peine de lui expliquer que quand le gouvernement voulait savoir quelque chose sur un compte en banque, il lui suffisait de demander. Pour les questions d'argent, il n'y avait pas de secret qui tienne.

Mad Max hocha la tête.

– Demain matin, allez à la banque et demandez Carol Shifflette. Elle sera ravie de coopérer.

27

Mad Max avait quelque peu surestimé la bonne volonté de sa nièce à aider l'homme qui se faisait passer pour un agent fédéral. Les yeux de la jeune femme, très espacés dans son visage piqué de taches de rousseur, exprimaient sa réticence. Debout devant le guichet, Mace lui fit un sourire qu'elle ne lui rendit pas.

– Vous êtes bien Carol ?

– Oui, répondit-elle d'une voix feutrée.

Dans la petite succursale presque déserte à cette heure matinale, elle ne voulait pas se faire entendre de son supérieur, un homme trapu assis à un bureau voisin.

– Je me présente : Mace McLain, dit-il en baissant la voix lui aussi. C'est votre oncle, Max Shifflette, qui m'envoie.

– Je sais.

Elle semblait agacée, et comme obligée de rendre ce service en échange d'un autre qu'elle regretterait d'avoir reçu. Elle regarda autour d'elle d'un air inquiet.

– Donnez-moi le numéro du compte, dit-elle.

Des cheveux roux et raides lui encadraient le visage et, les rares fois où elle souriait, sa lèvre découvrait une gencive supérieure très proéminente.

Mace glissa un papier et un billet de vingt dollars sous les barres de fer qui les séparaient.

– Pourriez-vous me faire la monnaie ? demanda-t-il à voix haute.

Le chef de service leva un instant les yeux de dessus son journal et sa tasse de café.

La jeune femme prit le papier, le glissa dans la poche de sa robe imprimée et donna sa monnaie à Mace.

— Rendez-vous à la station Shell au coin de la grand-rue et de Ridge Street dans une demi-heure, chuchota-t-elle en lui tendant les billets de cinq dollars. Je ne pourrai m'absenter que quelques minutes. Si vous n'y êtes pas, tant pis pour vous.

Mace lui sourit, elle resta de marbre. Le beau cadre citadin ne l'impressionnait pas. Il faisait quelque chose de louche, elle n'en doutait pas. Mais l'oncle Max lui avait donné un ordre, et elle n'avait pas envie qu'il aille raconter à son père que, tout l'hiver durant, elle avait utilisé son motel pour y rencontrer son petit ami.

— J'y serai, lui assura-t-il.

Vingt-cinq minutes plus tard, abrité dans la cabine délabrée qui se dressait devant la station Shell, l'écouteur à l'oreille pour faire croire qu'il téléphonait, il vit Carol Shifflette remonter la grand-rue à la hâte. Elle marchait penchée en avant pour se protéger du vent glacial, une cigarette dans une main, une enveloppe kraft dans l'autre, qu'elle appuyait contre sa poitrine. Mace raccrocha brutalement et se porta à sa rencontre. Encore une fois, il allait y être de sa poche. Et tout ça pour quoi ? Sans doute pour rien. Mais tant pis, il était trop tard pour laisser tomber.

En le voyant sortir de la cabine, la jeune femme traversa rapidement la station-service verglacée.

— Pourquoi ne vous êtes-vous pas couverte ? lui demanda-t-il avec sollicitude.

Elle secoua la tête en frissonnant.

— M. Griffith aurait compris que je sortais. Il vérifie souvent le vestiaire. Tenez, lui dit-elle en regardant autour d'elle avant de lui tendre l'enveloppe. Trois mois de mouvements sur le compte. Photocopies de tous les chèques annulés. Tout y est, mais ça ne fait pas grand-chose. J'espère que vous y trouverez votre bonheur. (Elle le dévisagea un moment.) Remarquez, je ne sais pas si je le souhaite vraiment.

— Ne vous inquiétez pas, dit-il. Tenez.

Il lui remit discrètement une enveloppe dans laquelle il avait glissé mille dollars.

La jeune femme la lui arracha et la fourra au fond de sa poche.

— Combien avez-vous donné à Max ? lui demanda-t-elle, imperturbable.

— La même chose. Exactement.

Il mentait. Mad Max avait réclamé cinq mille dollars, mais il ne voulait pas que sa nièce le sache. Mace regarda la poche où venaient de disparaître les dix billets de cent dollars prélevés sur les vingt mille dollars qu'il avait tirés à New York à titre de précaution.

— Vous voulez me les reprendre ? lui demanda-t-elle en suivant son regard et en posant les deux mains sur l'enveloppe. Pas question. Si jamais vous y touchez, je me mets à cr...

Mace leva les mains en l'air.

— Non, tout ce que je veux, c'est ce bout de papier que je vous ai passé tout à l'heure à la banque, et sur lequel j'avais écrit le numéro du compte. Je ne tiens pas du tout à le laisser traîner, dit-il en inclinant la tête. Ce n'est pas dans votre intérêt non plus, d'ailleurs. Vous comprenez.

Sans un mot, elle plongea la main dans sa poche. Elle y retrouva le papier et le lui remit. Puis elle tourna les talons et redescendit la grand-rue en vitesse. Elle n'avait jamais gagné une somme pareille aussi facilement, et c'était bien ce qui la tracassait.

— Alors comme ça, vous êtes descendu au Deliverance, hein ?

— Exact.

Debout sur l'une des quatre rampes de chargement à l'arrière du bâtiment, Gene Shifflette, le propriétaire de l'épicerie Gene's Food Market, toisait Mace de toute sa hauteur. Il était la copie conforme de Mad Max. Même gencive supérieure, même barbe et cheveux rares, même bedaine, même air hautain que son cousin. On aurait pu les prendre pour des frères, sinon pour des jumeaux. Mais peut-être, à Sugar Grove, plusieurs années de consanguinité avaient-elles réussi à faire d'un cousin un parent aussi proche qu'un frère.

— Sortez-moi ça ! hurla Gene à de jeunes garçons qui déchargeaient un camion un peu plus loin.

Les gamins ne devaient pas avoir plus de dix ans. C'était donc comme ça qu'on faisait marcher le commerce à Sugar Grove : monopole sur les prix et pied de nez à la législation sur le travail des enfants.

Gene secoua la tête.

— Des bons à rien... Où on en était ? Ah, oui. Qu'est-ce que vous voulez ? Max m'a dit que vous aviez quelque chose à me demander.

— En effet, lui répondit Mace en palpant l'enveloppe qu'il avait mise à l'abri dans une poche intérieure de sa parka.

Les documents que lui avait remis Carol Shifflette faisaient apparaître que, ces deux derniers mois, des chèques avaient été établis à l'ordre de Gene's Food Market pour un montant total de près de cent mille dollars.

— C'est pour quoi ? Les amis de Max sont mes amis, vous savez. Hé, magnez-vous le cul, les mômes ! cria-t-il aux petits.

— Ecoutez, monsieur Shifflette, dit Mace d'un ton insistant.

On était lundi matin. Leeny avait déjà dû s'apercevoir de sa disparition et alerter Webster. Il n'avait plus une minute à perdre. S'il n'était pas de retour au bureau le lendemain matin, il aurait du mal à justifier une absence de plus de vingt-quatre heures.

— Ouais, quoi ? dit Shifflette en se tournant vers lui.

— Je travaille pour le gouvernement. Enquête de routine. J'ai quelques questions à vous poser sur de gros chèques que vous avez touchés récemment.

Shifflette leva les mains en signe de protestation.

— Eh, j'ai rien fait de mal, moi !

— Nous le savons bien, dit Mace en prenant soin d'utiliser la première personne du pluriel pour paraître plus officiel. Ce n'est pas à vous que nous nous intéressons. J'ai appelé le fisc hier soir. Vous êtes en règle.

Shifflette se raidit en entendant mentionner le fisc.

— Evidemment que je suis en règle ! Je suis un citoyen honnête, moi !

Il jeta un coup d'œil rapide aux gosses, qui transportaient non sans mal des bacs remplis de viande.

— Allons nous installer dans mon bureau. Nous y serons plus à l'aise pour discuter, dit-il en posant une grosse patte sur l'épaule de Mace et en l'entraînant à l'intérieur.

Mace secoua la tête.

— Non, dit-il. Ce ne sera pas nécessaire. Je n'en ai pas pour longtemps.

Shifflette s'arrêta.

— D'accord. Mais dites-moi au moins de quoi il s'agit.

Mace regarda autour de lui.

— D'après mes renseignements, vous avez reçu des versements s'élevant à près de cent mille dollars et provenant de la... (Il marqua une pause et passa la main à l'intérieur de son anorak.) Excusez-moi, le nom m'échappe. Une seconde, je vérif...

— Vous donnez pas cette peine, le coupa Gene. Je vois qui vous voulez dire. Ils passent prendre livraison tous les deux jours. (Il rit.) Ce sont les seuls clients qui se servent directement à l'entrepôt. Ils ne peuvent pas faire autrement, vu les quantités qu'ils me prennent... Ah, çà, avec eux les affaires marchent bien. Pourvu que ça dure. (Il secoua la tête.) C'est pas possible, on dirait qu'ils nourrissent une armée, nom d'un chien.

Nourrir une armée ? La formule le frappa.

— Vous savez autre chose ?

Une fois de plus, Gene secoua la tête.

— Non. Ils passent commande d'une fois sur l'autre. Toujours la même chose. Viande hachée, pommes de terre, légumes. Et dans les mêmes quantités. C'est à peu près tout ce que je sais. Je ne peux même pas vous dire à quoi ils ressemblent. J'ai l'impression que ce ne sont jamais les mêmes qui viennent. Mais je ne suis pas là tout le temps.

— Rien d'autre, hein ? dit Mace, déçu.

Shifflette se gratta le menton en jetant un coup d'œil à son planning.

— Non. Mais si vous avez des questions, vous n'avez qu'à les leur poser à eux.

Mace plissa les paupières.

– Comment ça ?

– Je vois qu'une livraison est prévue pour ce soir neuf heures, après la fermeture du magasin.

Mace inspira un bon coup. Le compte de Broadway Ventures à la Chase avait été débité par virement au profit d'un autre compte à la Charleston National de Sugar Grove. A partir de ce compte, cent mille dollars de chèques avaient été émis à l'ordre d'un épicier de campagne qui prétendait que les commandes qu'on lui passait étaient de taille à nourrir une armée. Mace regarda autour de lui. Leeny Hunt s'était intéressée à son ordinateur personnel. Lewis Webster avait réuni un fonds vautour absolument colossal en un temps record. Et une armée se cachait dans les montagnes de Virginie. Cela faisait trop de coïncidences, trop de questions sans réponses. L'évidence s'imposait. Il secoua violemment la tête. Non. Pas ça. Lewis Webster avait beau se prendre pour un dieu, il n'aurait pas été jusque-là. A moins que... Mace regarda le montagnard.

– Où puis-je trouver un moyen de transport ? Ma voiture est au garage.

– Oui, oui, je sais, dit Schifflette en souriant. Et à mon avis, elle n'est pas près d'en sortir. Désolé pour vous.

– Certainement, oui.

Mace eut tout d'un coup l'impression d'avoir franchi la frontière d'un pays inconnu et d'être entré dans une manière de crypte où il était retenu en otage sans vraiment le savoir. Peut-être ne récupérerait-il jamais sa voiture et devrait-il continuer de payer quarante-sept dollars la nuit au Deliverance Motel jusqu'à la fin des temps.

– Alors ?

D'un mouvement de tête, Gene Shifflette lui désigna quelque chose qui ressemblait à une casse derrière un rideau d'arbres nus.

– Qu'est-ce que je peux trouver là-dedans ?

– Mike va vous vendre la moto la plus rapide du monde.

Mace en resta bouche bée.

– Laissez-moi deviner. C'est votre cousin.

– Non, mon père, lui renvoya Gene en souriant.

J'aurais dû m'en douter, pensa Mace en sautant prestement du quai de chargement. Il se retourna vers Shifflette.

— Hé, Gene ?

— Quoi ?

— Pas un mot aux types qui viendront ce soir. C'est bien compris ? Si j'ai envie de leur parler, je prendrai contact directement avec eux. Mais on la boucle. L'Oncle Sam vous regarde.

De la tête, Shifflette fit signe qu'il avait compris. Il eut une petite pensée pour les mille dollars en liquide qu'il ne ferait jamais apparaître sur sa déclaration d'impôts. Il avala sa salive. En épluchant sa déclaration et son compte courant, le premier comptable venu s'apercevrait que les chiffres ne concordaient pas. Et Gene trichait depuis si longtemps qu'il ne pourrait plus rien lui dissimuler. Il haussa les épaules. S'ils voulaient lui envoyer les inspecteurs à Sugar Grove, qu'ils ne s'en privent pas. Il leur ferait regretter le voyage.

— Motus et bouche cousue, cria-t-il à Mace qui traversait déjà le petit bois en direction de la casse.

Lentement, d'arbre en arbre, Mace longeait une corniche enneigée qui courait parallèlement à une ancienne usine de traitement de charbon. Les bâtiments rouillés occupaient plusieurs hectares de terre défrichée en pleine forêt. Situés à une centaine de mètres en contrebas, ils étaient encore invisibles dans les ténèbres. Pour ne pas trahir sa position, Mace hésitait à lire sa montre à la lumière de la petite lampe électrique qu'il avait sur lui. Il devait être près de quatre heures du matin. Blotties au pied du versant ouest, les installations ne recevraient les premiers rayons du soleil que dans deux bonnes heures. Heureusement, la nuit était claire bien que sans lune et les contours se dessinaient grossièrement.

Il resta un moment à contempler le vaste complexe, puis il recula et s'assit sur une grosse souche à l'orée de la forêt. Il ferma les yeux, épuisé. La veille au soir, à neuf heures tapantes, caché dans le rideau d'arbres derrière l'épicerie, il avait vu l'énorme camion se garer devant la rampe de l'épicerie. Deux hommes avaient chargé la nourriture sans un mot. Ils travaillaient vite. Puis ils étaient remontés dans la cabine et avaient filé aussitôt. Il les avait suivis à distance respectueuse sur la moto tout terrain qu'il avait achetée au père de Gene.

Le camion avait quitté Sugar Grove en direction du sud, par la route opposée à celle que Mace avait prise le vendredi soir. Le camion avançait au pas, si lentement parfois que Mace avait du mal à conserver son équilibre sur la moto. Il avait fini par s'arrêter sur le bas-côté pour les laisser prendre de l'avance. Il ne fallait surtout pas qu'ils s'inquiètent en voyant son phare dans leur rétroviseur.

Leeny Hunt et Lewis Webster avaient de bonnes raisons de rester vagues sur l'identité des investisseurs, il n'en doutait plus maintenant. Ce n'était pas pour rien non plus que la plupart des capitaux réunis sur le compte de Broadway Ventures étaient passés par la Capital Bank, ni que Leeny avait pu réunir les fonds si rapidement, ni même que le procès des investisseurs de LeClair & Foster avait subitement tourné en eau de boudin. Il sentait qu'il n'y avait pas de coïncidences là-dedans, tous ces faits ayant manifestement un dénominateur commun. Lequel, il l'ignorait. Il avait bien des idées sur la question, mais pas de preuves. S'il arrivait à suivre le camion sans se faire repérer, celui-ci le conduirait sûrement dans un endroit où ses soupçons seraient confirmés.

De quoi nourrir une armée. Et Lewis Webster qui était si sûr d'un effondrement imminent de l'immobilier à Manhattan. Et Leeny Hunt qui s'intéressait à ses fichiers personnels. Tout se mettait en place dans sa tête, tandis que le vent fouettait le casque qu'il s'était acheté à l'une des deux quincailleries de la ville.

A mi-chemin de la troisième côte, à une vingtaine de kilomètres de Sugar Grove, le camion avait brusquement viré à droite et pris un chemin de terre. Les deux hommes avaient sauté de la cabine et refermé une barrière avant de continuer. Jugeant la moto trop bruyante, Mace l'avait cachée deux ou trois cents mètres plus loin et avait suivi un sentier parallèle qui l'avait amené, après cinq heures de marche pénible dans la forêt, à la souche sur laquelle il se reposait maintenant.

Il inspira l'air froid et pur. Il faisait bien au-dessous de zéro, mais il transpirait sous ses vêtements. Il se leva lentement et s'approcha de la lisière du bois pour jeter un coup d'œil en bas, à travers les branches. Il n'avait pas fait tout ce chemin pour rien. Il fallait qu'il sache ce qu'il y avait au bout. Il rit intérieurement. Un financier new-yorkais embusqué dans une forêt de Virginie-Occidentale en pleine nuit ! Peut-être était-il bien aussi têtu qu'on le disait.

Il inspira encore une fois, sortit à découvert et attaqua la pente abrupte. C'était maintenant que la présence de Slade lui aurait été utile. Même s'il n'en parlait jamais, ce devait être comme ça que son ami gagnait sa vie.

La neige s'enfonça sous ses semelles et il perdit l'équilibre. Il tenta de se raccrocher à des arbustes, mais n'attrapa qu'une poignée de brindilles qui cassèrent net dans sa main. Il chuta sans pouvoir s'arrêter et termina sa course par un vol plané de trois mètres qui le fit atterrir dans la poudreuse, au pied de la corniche.

Immobile, couvert de neige, il tendit l'oreille pour savoir s'il avait été repéré, puis il vérifia qu'il ne s'était rien cassé. Il n'avait que des contusions qui lui feraient de belles ecchymoses à la jambe dans quelques heures. Rien à voir avec les gnons qu'il avait pris sur le terrain de football de l'université d'Iowa.

Il se releva enfin, ôta la neige qui collait à son visage et à son anorak et s'avança vers le grand bâtiment, dont il longea lentement le mur, les mains en avant. Enfin celles-ci rencontrèrent une porte. Il en tourna la poignée et la poussa doucement. Une odeur de moisi et de rouille lui sauta aux narines. Il attendit que ses yeux s'habituent à l'obscurité, mais rien ne changea. Il faisait nuit noire.

– Merde, murmura-t-il.

Il voulait retrouver la sécurité des bois bien avant les premières lueurs de l'aube, mais entendait enfin comprendre ce qui se tramait dans cette vallée reculée. Il chercha sa petite lampe électrique dans sa poche. Il n'avait aucune idée de l'endroit où il se trouvait et savait qu'il risquait de donner l'alerte, mais il était bien obligé de courir le risque. Il n'allait pas rester planté là comme un piquet.

Il retint son souffle et poussa le bouton. La pièce, qui était petite, fut baignée d'une lueur douce. Il regarda autour de lui, de plus en plus certain qu'il n'y avait personne. Soudain, le faisceau de sa lampe se mit à trembler. Sur les caisses qui s'empilaient jusqu'au plafond était portée l'inscription : Munitions. D'abord pétrifié, il finit par s'approcher et appuya sa main gantée sur les lettres gravées dans le bois.

– Mon Dieu, murmura-t-il.

Il balaya lentement la pièce de son rayon lumineux. Par terre, une caisse plus grande était ouverte. Il s'agenouilla devant et en inspecta le contenu. Des Kalachnikov. Modèle AK-47, avait-on précisé au stencil. Mace avait entendu parler de cette arme, mais n'en avait jamais vu. Il fut comme hypnotisé par ces superbes machines à tuer.

Il se remit enfin debout et regarda tout autour de lui, dépassé par les événements. Ce qu'il découvrait confirmait bien ses soupçons : le fonds était utilisé à des fins criminelles. Forcément... avec tous ces fusils d'assaut cachés au fin fond de la forêt virginienne... Broadway Ventures puait le complot et l'odeur commençait à lui donner la nausée. Les questions se pressaient dans son esprit.

Bientôt quatre heures et demie. Plus de temps à perdre. Il s'approcha prudemment d'une porte dans le mur d'en face et en tourna la poignée. Comme l'autre, elle céda sans effort. Il la poussa doucement et jeta un coup d'œil à l'intérieur. Soudain, l'espace fut rempli par la tête d'un énorme berger allemand qui se jeta sur la porte en aboyant comme un fou, crocs sortis, et la claqua d'un coup sec. Mace tomba à la renverse sur le sol en béton. « Nom de Dieu ! » s'écria-t-il. De l'autre côté de la porte, le molosse hurlait en griffant le panneau de métal avec un bruit d'ongles sur un tableau noir. Puis une voix cria quelque chose au chien.

Mace ramassa aussitôt sa lampe et se rua sur la porte qui donnait dehors. Il prit juste le temps de la refermer derrière lui et s'éloigna en rasant le mur, sous les aboiements redoublés du chien. Il s'était conduit comme un bleu. Il aurait dû prendre ses jambes à son cou, sans demander son reste, dès qu'il avait découvert les munitions. Il lui aurait suffi de piquer un fusil qu'il aurait montré comme preuve à la police, et de repartir dans les bois.

La neige ralentissait sa progression. Toute personne saine d'esprit n'aurait jamais mis les pieds ici. Toute personne saine d'esprit n'aurait jamais approché, même de loin, Broadway Ventures.

Il était presque au bout du bâtiment et n'avait plus d'autre solution que de traverser à découvert pour rejoindre les bois. En s'attardant à proximité du complexe, il augmentait ses chances de se faire prendre. Malgré l'obscurité toujours très épaisse, il parvint à repérer un endroit où la pente semblait moins abrupte.

Il fonça vers les bois. Il avait déjà parcouru cinquante mètres et commençait à grimper lorsqu'il entendit la porte s'ouvrir.

– Vas-y, Sacha, cherche !

Mace leva la tête. Les arbres se trouvaient encore à une centaine de mètres, en haut de la pente enneigée. Même s'il y arrivait avant le chien, celui-ci ne perdrait pas sa piste et l'homme n'aurait plus qu'à le suivre à la trace. Et il y avait toutes les chances pour qu'il soit armé d'un AK-47.

L'homme lâcha le berger allemand, qui bondit en avant et longea le mur nez au sol, tout excité. Derrière, Tabiq avançait difficilement dans la neige profonde, mais sourit : tout serait terminé en quelques minutes. Et Vargus apprécierait.

Péniblement, Mace se dirigea vers une cabane isolée qu'il avait repérée un peu plus loin. C'était son seul espoir. L'adrénaline courait dans ses veines, décuplant ses capacités. On lui avait souvent couru après sur un terrain de football, mais jamais encore son poursuivant n'avait été armé et précédé par un molosse assoiffé de sang. Étonnant ce qu'on pouvait arriver à faire faire à son corps quand l'esprit l'avait décidé.

Enfin il était arrivé à la cabane. Il en ouvrit la porte à toute volée, la referma derrière lui et alluma aussitôt sa lampe pour voir s'il n'y avait pas des outils qui traînaient. Dans le faisceau de lumière, il découvrit alors les corps de l'homme et de la femme que Vargus avait tués plusieurs semaines auparavant. Bien conservés par le froid, les deux cadavres pendaient côte à côte, attachés à la paroi de bois par des cordes passées autour de leur poitrine, les pieds effleurant à peine le sol. Mace recula d'un pas, lâcha sa lampe et tomba à genoux. L'image du cadavre à la tête déchiquetée s'imprimant dans son esprit, il en oublia un instant le monstre lancé à ses trousses. Il n'avait rien mangé depuis des heures, mais vomit aussitôt le peu de nourriture que contenait son estomac.

Le berger allemand fonçait droit sur lui. Il n'avait même plus besoin de renifler pour le suivre. Derrière lui, Tabiq souriait. Il n'avait pas pris la peine de se couvrir et se félicitait à l'idée que tout serait bientôt terminé. La question n'était pas de savoir s'il allait attaper l'intrus, mais ce qu'il allait faire de lui : le tuer tout de suite ou l'amener à Vargus ? Il ralentit en approchant de la cabane. Debout sur ses pattes arrière, le chien grattait à la porte. Tabiq pointa son fusil, prêt à tirer si nécessaire.

– Assis, Sacha, murmura-t-il.

Tout excité, l'animal obéit en poussant de petits gémissements, oreilles dressées, gueule écumante. Perplexe, Tabiq regarda la porte : l'intrus se trouvait forcément à l'intérieur. Il faillit faire demi-tour pour aller chercher de l'aide. A en juger par les traces de pas, l'ennemi était seul, mais il pouvait être armé. Tabiq secoua la tête. Lui aussi était armé, et accompagné d'un chien. Et il appartenait à un commando bien entraîné. Il tira la porte d'un coup sec, et le chien se rua à l'intérieur.

Au même instant, à l'extérieur, Mace tournait l'angle du petit réduit. Au prix d'un immense effort, il referma la porte en enfermant le chien, puis il abattit la pelle qu'il avait trouvée près des cadavres sur la tête de son agresseur. Celui-ci s'écroula, sans connaissance.

A la lueur des premiers rayons du soleil filtrant dans la vallée, Mace vit le sang qui s'était mis à ruisseler sur le visage de l'homme. Hors d'haleine, il reprit son souffle et contempla l'inconnu qui avait voulu le tuer.

Puis il se baissa et lui prit son fusil. On ne sait jamais, se dit-il en jetant un coup d'œil autour de lui. L'alerte serait bientôt donnée. Il y aurait des hommes, des chiens, des armes. S'il voulait s'en tirer vivant, il fallait fuir tout de suite. Il avala sa salive. La deuxième porte du réduit avait été providentielle.

Vargus montra Tabiq qui gisait toujours sans connaissance dans la neige.

– Relevez-le, grogna-t-il en s'adressant aux quatre autres.

Ils prirent aussitôt leur camarade et l'emmenèrent. Vargus les regarda s'éloigner, paupières plissées derrière les lunettes noires qui le protégeaient du soleil étincelant. Quelqu'un avait percé le secret de leurs installations, de leur projet. Des traces de pas remontaient vers les bois. Le tout dernier jour. C'était totalement imprévu, cela défiait l'entendement, et pourtant...

Il ne pouvait pas se permettre de rester un seul jour de plus pour donner la chasse à l'intrus. Leur emploi du temps était strictement minuté.

Vargus cracha des graines de tournesol dans la neige. L'homme de Washington allait être furieux, mais il n'y pouvait plus rien.

Son regard se posa sur la porte, sur la neige remuée, là où les deux hommes avaient lutté et où Tabiq avait eu le dessous. Il secoua la tête. L'intrus avait de la ressource. Tabiq était un tueur accompli, qui ne ratait jamais son coup.

Il ouvrit la porte du petit abri. Le berger allemand était couché près du corps du randonneur, que l'inconnu avait décroché et soigneusement allongé sur le sol. L'animal renifla la cuisse du cadavre sans quitter son maître des yeux. De nouveau, Vargus hocha la tête. Il regrettait de ne pas s'être débarrassé des corps. Chaque détail oublié pouvait signer sa perte.

28

Janice Dolan sortit de la salle de bains enveloppée dans une serviette, et frissonna au contact de l'air frais de la chambre sur sa peau mouillée. La douche chaude l'avait requinquée après sa longue journée de classe à l'école primaire locale. Sous le jet d'eau, elle avait rêvé des eaux bleu clair des Caraïbes. Mais maintenant, sa chambre glacée lui rappelait crûment que la ville de Nyack était toujours prisonnière des frimas.

Elle frissonna de nouveau. Elle détestait l'hiver. Née et élevée en Floride, elle ne s'était jamais habituée aux longues périodes de froid. Mais c'était ici que travaillait Jim, ici donc qu'ils resteraient. Au moins, les étés étaient-ils beaux.

Si seulement Bobby lui avait obéi quand elle était sortie l'appeler, se dit-elle en se dirigeant vers la grande penderie de la salle de bains. Malheureusement, Jim ne rentrerait pas avant demain matin. Bobby le savait et avait bien l'intention d'en profiter, comme chaque fois que son père était d'équipe de nuit. Ç'allait être la croix et la bannière pour lui faire terminer ses devoirs. C'était toujours la même chose. Autant se résigner à la bagarre.

Elle fit coulisser la porte garnie d'un miroir et ne comprit pas ce qui se passait. La présence de cet homme tapi dans la penderie était tellement inattendue qu'elle resta stupéfaite en découvrant son visage basané et sa moustache poivre et sel broussailleuse.

Elle voulut s'enfuir, mais Vargus bondit sur elle comme un tigre, lui plaqua la tête la première contre le jeté de lit à fleurs et pesa de tout son poids sur son petit corps. D'une main, il attrapa une poignée de ses cheveux encore mouillés et lui appuya la bouche contre le tissu pour l'empêcher de crier. De l'autre, il prit une cordelette à sa ceinture et la lui enroula autour du cou. Il en croisa les extrémités sur sa nuque et commença à serrer. Paralysée par le poids de son adversaire, la femme ne pouvait pas dégager ses mains coincées sous elle. La cordelette l'empêchait de parler.

Vargus eut un sourire en voyant les veines de son cou se mettre à gonfler. Quand elle releva la tête pour lui résister, il se pencha de côté pour mieux observer son visage. Il donna deux secousses à la cordelette, et ses lèvres se retroussèrent lorsqu'un petit vaisseau claqua près de l'œil de sa victime, répandant une tache violacée sous la peau.

Elle voulut parler, lui dire qu'il pouvait avoir tout ce qu'il voulait si seulement il arrêtait de la faire suffoquer. Il y avait de l'argent dans la maison. Si cela ne suffisait pas, elle pouvait l'emmener au distributeur. Et il pouvait prendre ses bijoux. Il pouvait même la prendre elle, si c'était ce qu'il cherchait. Elle ne résisterait pas, elle n'en dirait jamais rien à personne, mais qu'il la lâche ! Incapable d'articuler un mot, elle l'implora du regard.

Quelques secondes encore et ce serait fini. Quelques heures encore et l'étape suivante serait franchie. Quelques jours encore et la mission serait terminée. Et lui, Vargus, empocherait vingt-cinq millions de dollars. Le visage à quelques centimètres de celui de sa victime, il plongea ses yeux froids dans ceux qui semblaient le supplier. Il faillit la violer. Il y avait longtemps qu'il n'avait pas eu de femme et il savait que celle-ci, outre le fait qu'elle était plus jolie que dans son souvenir, ne lui opposerait aucune résistance. Mais cela laisserait des traces que la chirurgie plastique serait impuissante à effacer.

Le petit garçon jouait toujours dehors, comme tous les soirs. C'était lui qu'il visait. Mais d'abord, en finir avec la mère. S'il emmenait le petit sans la tuer, elle se rendrait compte de sa disparition et alerterait son mari. Et cela risquait de mettre toute la mission en péril. Avant de pénétrer dans la maison, il avait eu une pointe de scrupule et envisagé de les kidnapper tous les deux, mais avait aussitôt renoncé à cette idée. L'homme de Washington était déjà furieux de l'incident de Virginie-Occidentale. Il ne fallait pas dévier d'un iota du plan prévu. Vargus se pencha en avant et serra plus fort. Les yeux de Janice se révulsèrent lentement.

– Lâchez-la ! hurla le petit Bobby en se jetant de toutes ses forces sur le colosse.

Surpris par l'impact, Vargus roula sur le côté en lâchant le cou de la femme.

Les mains soudain libres, Janice attrapa le dessus-de-lit et tenta de s'enfuir. Elle voulut crier pour alerter les passants, mais aucun son ne sortit de sa bouche. Vargus fut aussitôt sur ses pieds. La femme hoquetait, cherchant de l'air. Il jugea qu'elle en aurait pour un bout de temps à récupérer. Il se tourna vers le gamin, l'attrapa par la nuque et le jeta dans la penderie. En quelques secondes, il l'immobilisa avec les cravates de son père et lui en fourra une dans la bouche.

Il ressortit pour s'attaquer de nouveau à la femme, qui rampait vers la porte. Il la prit par le cou et la projeta contre le mur. Sa serviette étant tombée par terre, il regarda un instant son corps nu.

De toutes ses forces, Janice lui planta les ongles dans l'œil gauche, qui s'emplit aussitôt de sang. Vargus hurla de douleur, mais ne lâcha pas prise. Le sang ruisselait sur sa joue. Assoiffé de vengeance, il lui serra le cou à deux mains. Elle rassembla ses dernières forces et le roua de coups.

La lutte fut brève. Au bout de quelques secondes, ses bras retombèrent le long de son corps, elle fut secouée de spasmes et ses yeux se révulsèrent. Vargus la laissa s'affaisser, mais ne desserra pas les mains. Son sang coulait sur le visage de sa victime, et pourtant il ne lâchait pas son cou délicat. Toutes les frustrations, toutes les tensions de ces deux derniers mois, il s'en défoulait sur ce petit corps de femme. Il ne se redressa que lorsque enfin il se rendit compte qu'elle ne contrôlait plus ses sphincters. Elle était morte.

Il se releva et s'approcha de la penderie. Il souffrait terriblement, mais il avait connu pire et, de toute façon, la mission n'était pas terminée. Perdre un œil n'était pas trop cher payer pour gagner trente-cinq millions de dollars.

Il fit coulisser la porte. Certain de vivre ses derniers instants, le gosse était pétrifié. Vargus se pencha sur lui en grognant de douleur, le prit à bras-le-corps et l'emporta au rez-de-chaussée. Il alluma la lumière extérieure avant de sortir et, toujours chargé de son fardeau, gagna l'arrière de la Ford Taunus qu'il avait garée dans la rue.

Il posa le gosse dans la neige derrière la voiture et fouilla dans les poches de son pantalon en surveillant les alentours. Quand il eut trouvé sa clef, il essaya de la glisser dans la serrure du coffre. Avec son œil plein de sang coagulé, il lui fallut un moment pour y parvenir. Enfin, le coffre s'ouvrit avec un cliquetis.

Il ramassa son paquet gigotant et le jeta dedans. Il referma le coffre, s'assura qu'il était toujours seul, rejoignit calmement l'avant de la voiture, ouvrit la portière du conducteur et s'assit au volant. Il respira profondément, puis se demanda s'il ne ferait pas mieux d'aller vérifier que la femme était bien morte. Au bout de la rue, il aperçut des phares et décida de ne pas bouger. Elle était morte, cela ne faisait aucun doute.

Il repensa brièvement aux traces de pas qu'il avait vues dans la neige ce matin-là. Elles repartaient vers la forêt. C'était le seul accroc dans le plan. Mais il n'y pouvait rien. Il mit le moteur en route et démarra en douceur. Le meurtre ne serait découvert que plus tard, bien trop tard.

Gigantesque bâtiment de brique avec un dôme couleur ivoire autour duquel gravite l'université Thomas Jefferson de Virginie depuis sa fondation, en 1819, la « Rotonde » se dressait dans le ciel nocturne tel un phare dominant une mer calme. D'architecture classique, avec des colonnades éclairées par des spots cachés, elle se dressait à l'extrémité nord de la Pelouse, qui s'étendait en terrasses sur plusieurs centaines de mètres. De chaque côté, s'alignaient les pavillons qui avaient autrefois abrité salles de classe et dortoirs et qui maintenant, avec leurs cheminées anciennes, servaient de logements et de salles de réception pour les étudiants les plus brillants.

Au bas des marches, debout contre le mur chaulé, Mace attendait, bras croisés sur la poitrine, dans l'entrée du passage voûté qui courait sous toute la Rotonde. Il regarda vaguement le jardin chargé d'histoire. Aussi sensible fût-il à la tradition, il n'avait pas dormi depuis près de deux jours et faisait de son mieux pour rester éveillé. « Ils » pouvaient être partout, et s'« ils » le trouvaient... Il préférait ne pas y penser.

A deux heures du matin bien sonnées, les catacombes étaient désertes. Il frissonna dans la nuit glaciale. Il aurait donné n'importe quoi pour poser la tête sur un oreiller moelleux et remonter d'épaisses couvertures sous son menton. Mais pour l'instant, c'était la dernière de ses préoccupations. Il avait encore une chose à régler avant de pouvoir enfourcher à nouveau sa moto et trouver un hôtel.

Soudain, un craquement sourd se fit entendre à l'autre bout du tunnel baigné d'une lumière étrange, et se répercuta comme une petite vague sur une plage. Mace se tourna dans cette direction. Un instant, il crut voir une ombre disparaître dans les catacombes, et plissa les paupières pour s'assurer qu'il n'y avait personne. Sa paranoïa commençait à lui jouer des tours.

Il se retourna vers la Pelouse et se trouva nez à nez avec Slade Conner.

– Merde ! lâcha-t-il en reculant instinctivement.

Puis il sourit.

– Tu m'as fait une de ces peurs ! dit-il, ses mots repris en écho par les murs du tunnel.

– C'est parce que je sais faire ça que j'ai pu entrer à la CIA, lui répondit Slade en souriant. Viens, faisons quelques pas, ajouta-t-il à voix basse mais ferme, en regardant par-dessus son épaule.

Une cible mouvante étant toujours plus difficile à atteindre qu'une cible fixe, il valait mieux ne jamais rester trop longtemps au même endroit.

Mace approuva d'un signe de tête.

Ils gravirent les marches ensemble et s'engagèrent sur la Pelouse en s'éloignant de la Rotonde.

Quand ils sortirent du halo de lumière, Slade rompit le silence.

– Alors, qu'est-ce qui t'arrive ? Tu avais l'air affolé au téléphone.

– Je l'étais. (Il hésita.) Tout d'abord, merci d'avoir fait tout ce chemin.

Slade agita une main en l'air.

– Ce n'est rien, dit-il. Charlottesville n'est qu'à deux heures de Washington et la route est facile. J'ai fait des choses plus dures que ça, crois-moi.

Il s'arrêta quelques instants en se rappelant la longue piste du Honduras, qui menait à l'aérodrome.

– Mais qu'est-ce que tu fous ici ? Tu n'es pas à New York ?

– Je t'en parlerai dans une minute.

– OK, dit Slade qui ne voulait pas avoir l'air trop intéressé.

Ils arrivèrent au bord de la première terrasse et descendirent la petite pente raide qui menait au deuxième niveau.

– Tu m'avais dit de t'appeler si jamais j'avais besoin d'aide, reprit Mace dans un murmure.

– Oui, acquiesça Slade, soudain grave.

Il avait une idée de ce dont Mace allait lui parler. Il avait espéré contre toute raison que cette rencontre concernerait tout à fait autre chose, et que, si jamais il s'agissait de ce qu'il craignait, il n'aurait pas à faire ce choix crucial.

– Qu'est-ce qui t'arrive ?

– Je t'ai appelé d'une petite ville en Virginie-Occidentale, dit Mace en s'immobilisant pour lui faire face.

– En Virginie-Occidentale ? répéta Slade en s'arrêtant à son tour. Ah, c'est pour ça que tu m'as donné rendez-vous ici. C'est sur la route de New York.

– Oui.

– Et qu'est-ce que tu fabriquais en Virginie-Occidentale ?

Mace ne prit pas la peine de lui demander de garder le secret.

– Tu te souviens que je t'ai dit, quand on s'est rencontrés à New York, que j'avais pris de nouvelles responsabilités chez Walker Pryce ?

– Oui, lui répondit Slade en essayant de cacher sa curiosité.

— Je t'ai dit que nous étions en train de rassembler un fonds pour investir dans l'immobilier new-yorkais et à la Bourse.

— Il me semble t'avoir entendu parler d'un milliard.

— Exact. (Mace sourit.) Mais c'est que tu écoutes, quand tu veux !

— Ça aussi, ça fait partie de mon boulot.

— Ne me demande pas comment, mais j'ai découvert des choses étranges sur la provenance des fonds et sur une partie de leur utilisation. Au début, j'ai cru que je me faisais des idées, mais...

— Mais tu avais vu juste, dit Slade en terminant sa phrase pour lui.

Mace hésita quelques instants, puis reprit en ces termes :

— Apparemment, oui. Je suis tombé sur quelque chose de vraiment louche. (Il marqua une pause.) Une partie de l'argent est détournée pour financer, euh... disons des activités clandestines, je ne vois comment dire mieux.

Slade éclata de rire. Il ne semblait guère impressionné.

— Dis donc, frérot, tu es sûr qu'on ne t'a pas initié aux méthodes de la CIA ? Des activités clandestines, dis-tu ? Ça fait terriblement officiel et sérieux. Même dans la bouche d'un banquier d'affaires.

Mace trouva son ami un peu trop décontracté. Ça cachait quelque chose.

— Je ne plaisante pas, dit-il.

Slade le savait bien, mais, pour la première fois de sa vie, il ne voulait pas faire face aux responsabilités qu'engendre l'amitié.

— Je sais. Quoi d'autre ? demanda-t-il d'une voix étrangement calme.

— En enquêtant sur un virement effectué à partir du compte de notre fonds, j'ai atterri dans un trou perdu en Virginie-Occidentale. Je te passe les détails, mais j'ai découvert une mine de charbon abandonnée à une quinzaine de kilomètres de la ville. Sauf qu'elle n'est pas vraiment abandonnée ; d'après ce que j'ai vu, ce serait plutôt devenu une sorte de camp d'entraînement.

Slade le regarda droit dans les yeux. Il ne posa pas de question, mais Mace comprit.

– Hier soir, j'y suis allé en passant à travers bois et j'ai réussi à m'introduire dans un des bâtiments. J'y ai découvert une énorme cache d'armes et de munitions. Malheureusement, j'en ai fait un peu trop. Je me suis fait repérer et poursuivre par un type et son molosse. Comme tu vois, je m'en suis sorti.

– Qui a fait exécuter le virement ? Je croyais que c'était toi qui gérais le fonds ?

– Non. Mon travail consistait seulement à obtenir les emprunts auprès des organismes bancaires et à dresser une liste d'investisseurs. Mais ce n'est pas moi qui ai rassemblé les fonds privés, et je n'avais pas la signature sur le compte. Je n'avais même pas le droit de savoir ce qu'il y avait dessus. (Il pinça les lèvres.) Seul mon supérieur hiérarchique direct avait l'autorisation.

– Et c'était qui ?

– Tu te souviens de cette femme qui m'accompagnait à Washington ? Leeny Hunt ?

Slade hocha la tête lentement, espérant ne rien trahir de sa réaction.

– C'est elle qui a fait le virement en Virginie-Occidentale.

– Mais elle ne doit pas être la seule à avoir la signature.

– Il y a effectivement une autre personne qui a accès au compte, et c'est Lewis Webster, l'associé principal de Walker Pryce.

Par-dessus l'épaule de Slade, Mace vit les grands chênes s'agiter dans une bise glaciale. Cette fois encore, il crut y apercevoir des ombres, mais se dit que son imagination lui jouait des tours.

– Et tu as peur que Leeny ou Webster, ou les deux, trempent dans l'affaire qui se trame en Virginie-Occidentale, reprit Slade, la mine lugubre.

Mace acquiesça d'un hochement de tête.

– Et je ne peux pas retourner chez Walker Pryce parce que si c'est vrai...

– Tu es un homme mort, conclut Slade. Parce que tu n'as pas mis les pieds au boulot depuis deux jours et qu'ils ont déjà dû apprendre que quelqu'un a percé le secret des installations. Ils auront vite fait le rapprochement.

– Je ne serais pas allé jusque-là mais, oui, c'est à peu près ça. Ce n'était pas un camp de boy-scouts, tu comprends ? Si tu

avais vu comment ce type et son chien me sont tombés dessus...
(Il marqua une pause.) Un milliard de dollars, ce n'est pas rien.
Ça peut pousser les gens à faire de drôles de trucs, surtout s'ils
ont déjà quelque chose à se reprocher.

– C'est-à-dire ? lui demanda Slade d'un ton cassant.

– D'après certains renseignements, il y a déjà eu une affaire
bizarrement étouffée à la boîte où Leeny Hunt travaillait avant
de venir chez Walker Pryce.

– D'où tiens-tu ça ?

S'il pouvait l'éviter, Mace ne voulait pas mêler le nom de
Rachel à cette histoire.

– Je ne t'apprendrai rien en te disant que ça ne fait jamais
de mal de se renseigner sur ses collègues. J'ai des amis qui sont
de la partie. En creusant un peu, je suis tombé sur des questions
troublantes, mais je n'ai pas encore trouvé les réponses.

– Mmouais, dit Slade.

Il était déçu, mais préféra ne pas insister.

– Tu as découvert d'autres bizarreries sur le compte du fonds ?

– Oui. Presque tous les capitaux propres ont transité par la
Capital Bank de Washington. Le compte a été alimenté par des
chemins détournés, mais j'ai un ami qui a essayé de remonter
les filières et ça l'a presque toujours ramené là. Pour neuf cents
millions, en tout cas. Mais il n'a jamais pu remonter en amont
de la Capital Bank. Sauf dans un cas.

– Comment ça ?

– Il a réussi à se procurer l'intitulé d'un compte qui aurait
alimenté celui de la Capital Bank, mais sans pouvoir prouver
l'origine des fonds. En d'autres termes, il ne sait pas comment
l'argent est arrivé à la Capital Bank.

– Le nom de ce compte ?

Mace sourit. Slade était ferré. Il posait toutes les bonnes
questions.

– Pergament Associates, dit-il. Ecoute, j'ai besoin de ton aide
parce que je suis plutôt coupé de mes sources de renseignements
pour le moment. Et honnêtement, je ne sais pas quoi penser de
toutes ces armes que j'ai découvertes. Je ne vois pas à qui
m'adresser en dehors de toi. Les autorités locales m'auraient pris

pour un fou si j'étais allé les trouver sans preuves tangibles. Et il est clair que je ne peux pas me tourner vers Leeny ou Webster.

– Pas de problème. Je t'aiderai. Je suis ton meilleur ami et c'est à ça que ça sert, les meilleurs amis.

– Merci, Slade, dit Mace en regardant autour de lui. Bon, je vais dormir un peu et on retourne ensemble en Virginie-Occidentale demain matin. Je pense que tu devrais contacter les autorités de l'Etat. Ils te croiront, toi.

Slade secoua la tête.

– Non, dit-il fermement. Je veux que tu ailles à Washington dès maintenant. Tu prends une chambre au Four Seasons de Georgetown. Et tu attends que je t'appelle.

– Quoi ?!

– Fais ce que je te dis, lui rétorqua Slade sur un ton proche de la colère. Tu m'as demandé de t'aider, non ?

Mace hocha la tête. Il ne l'avait jamais entendu parler de cette façon. Pas à lui, en tout cas.

– Alors tu fais ce que je te dis, répéta Slade. Et tu ne contactes personne.

Mace fit signe qu'il avait compris.

Slade le regarda dans les yeux. La décision était épouvantable. Il n'y avait pas pire. Il inspira lentement et resta de marbre.

– Dis donc, qu'est-ce qui t'a donné l'idée de me fixer rendez-vous ici ? reprit-il.

Mace sourit.

– On a joué contre l'université de Virginie en terminale. L'entraîneur nous a fait venir sur la Pelouse la veille du match pour que ce soit plus « éducatif ». Tu te souviens ?

Il y avait si longtemps. Comment pouvait-il se rappeler une leçon d'histoire aussi ancienne ?

– Ah, oui, oui, c'est vrai, dit Slade d'un ton neutre.

29

Liam battit des paupières en entendant la porte de la tour de garde s'ouvrir en grand. Quatre hommes habillés en noir de pied en cap lui agitaient une quincaillerie impressionnante sous le nez. Pourquoi avaient-ils donc besoin d'armes toujours plus neuves et toujours plus chères pour tout arroser de peinture ?

Il hocha la tête. Allons, bon, pensa-t-il, les vigiles de l'entrée s'étaient une fois de plus laissé piéger. Résultat, ils l'avaient surpris en train de dormir. Cette fois-ci, il aurait droit à un avertissement écrit, peut-être à une suspension. Il poussa un grognement et se pencha en avant sur sa chaise de bureau.

– S'il vous plaît, pas d'éther ce coup-ci. La dernière fois, ça m'a fichu des nausées pendant plusieurs jours, marmonna-t-il. Attachez-moi et laissez-moi tranquille. Je ne crierai pas, c'est promis. (Il leva les deux mains devant son visage.) Eh bien, allez-y ! Qu'est-ce que vous attendez ?

L'un des assaillants lui colla le canon de son AK-47 sur le front et fit feu. Le gardien s'affaissa en arrière, entraînant sa chaise dans sa chute. Les hommes échangèrent un signe de tête, puis ils firent demi-tour et repartirent par le même chemin.

Vargus les attendait au bas du grand escalier. Il tenait le petit garçon par la nuque.

– C'est fait ? demanda-t-il.

– Oui, grogna le premier qui arriva en bas.

– Bon, dit Vargus en poussant brutalement Bobby vers lui. Prends-le et suis-moi.

Trois minutes plus tard, il se tenait derrière l'immense porte d'acier qui gardait l'entrée de la salle des commandes. Derrière lui se pressaient trente hommes sur les deux cents du commando. Il se tourna vers celui qui tenait Bobby.

– Amène-le, dit-il.

L'autre obéit. Vargus se mit à caresser l'épaule du gamin en souriant.

– Ne me faites pas de mal, monsieur, gémit Bobby, qui avait déjà appris à se méfier des sourires de ce type. Je vous en prie.

Vargus continua de lui caresser l'épaule, puis, brutalement, il lui appuya la bouche contre le micro métallique situé à côté de la porte. En même temps, il releva le poignet gauche de l'enfant presque à hauteur de sa nuque.

– Papa, papa ! A l'aide ! cria le gosse.

A l'intérieur, aucune réaction. Le micro resta silencieux. C'était à croire que dans la salle des commandes de la centrale nucléaire de Nyack personne n'avait rien entendu.

L'air soudain dépité, Vargus tira le bras de Bobby jusqu'au-dessus de sa tête. On entendit un grand craquement : l'épaule avait cédé.

Le petit se mit à hurler.

– Qu'est-ce que vous voulez ? Ne lui faites pas de mal, je vous en conjure ! Pour l'amour de Dieu, ne faites pas de mal à mon gosse ! cria une voix nasillarde dans le micro.

Vargus projeta la tête de Bobby contre le grillage fin. La lèvre supérieure de l'enfant se fendit sur une barbe.

– Continue de crier ! glapit Vargus.

Bobby poussa des cris pathétiques dans le micro.

– Qu'est-ce que vous voulez ? Dites-le !

– Vous le savez parfaitement, gronda Vargus. Ouvrez cette putain de porte.

– C'est impossible. Les barres de sécurité sont déjà en place ! On ne pourra pas les rétracter avant vingt-quatre heures.

Jim Dolan jeta un coup d'œil par-dessus son épaule. Les autres opérateurs s'étaient rassemblés derrière lui. Ils ne voulaient pas qu'il cède. Ils se fichaient qu'on torture son fils à quelques mètres d'eux. Ils voulaient se protéger et savaient ce qui se passerait si on ouvrait la porte.

– C'est des conneries, tout ça ! Je n'ai pas touché au code.

Vous pouvez ouvrir si vous le voulez. (Vargus marqua une pause.) Si c'est vos petits potes qui vous font des difficultés, dites-leur que j'ai un message pour eux. Tous autant qu'ils sont, ils ont quelqu'un à qui ils tiennent à l'extérieur. Si vous n'obéissez pas tout de suite, je les découpe en petits morceaux et tellement lentement que tout le monde les entendra crever.

Il mentait. Il n'avait pris aucun otage, mais ils ne pouvaient pas le savoir.

— Mais si vous faites ce que je vous dis, je vous promets que tout se passera bien.

Bobby Dolan s'effondra par terre quand Vargus le lâcha.

Dans l'interphone, le silence s'éternisa. Puis les énormes portes s'ouvrirent en bourdonnant. Les terroristes pointèrent leurs armes en regardant la fente s'élargir. Précaution inutile : les ingénieurs ne portaient pas d'armes. La centrale nucléaire de Nyack était maintenant aux mains de deux cents hommes.

Une fois les portes immobilisées, ceux-ci s'engouffrèrent dans la salle derrière Vargus, qui leur cria d'encercler les otages.

— Vous les emmenez au cœur du réacteur et vous les attachez. On risque d'avoir besoin d'eux plus tard.

Sept terroristes posèrent leurs armes sur les bureaux et s'installèrent au pupitre. Ils avaient reçu une formation et savaient piloter une centrale. Pendant ce temps-là, le reste du commando fit sortir les opérateurs de force et les conduisit dans les sous-sols. Vargus regarda le groupe s'éloigner dans un bruit de semelles. Tout s'était bien passé. L'homme de Washington apprécierait.

— Mon commandant !

Vargus jeta un coup d'œil à Tabiq. La veille, l'intrus de Virginie lui avait laissé une longue cicatrice sanguinolente sur le front.

— Oui, quoi ? lui répondit-il sèchement.

Depuis l'incident, Vargus ne décolérait pas. Tabiq lui désigna la porte.

— Il refuse de partir.

Assis par terre, Jim Dolan berçait dans ses bras son fils qui avait perdu connaissance.

— Qu'est-ce qu'on fait d'eux ?

Le commandant regarda son second en plissant les paupières.

– Il faut vous endurcir, mon vieux.

Il lui arracha son arme et la déchargea sur Jim et Bobby. Le père s'effondra sur le fils. Ils étaient morts tous les deux.

– Emportez-les et jetez-les dans la piscine de désactivation.

Il remit l'arme entre les mains de Tabiq et se détourna.

Juste après la sonnerie marquant l'ouverture de la séance, à neuf heures et demie, la Bourse de New York s'activait comme une ruche. Deux OPA hostiles ayant été annoncées au cours de la nuit, une véritable frénésie s'était emparée de la salle des marchés. Les arbitragistes entendaient bien profiter des offres et, s'ils voulaient gagner de l'argent, il fallait placer les ordres immédiatement. Les actions cibles grimpaient rapidement, et avaient déjà atteint un cours bien supérieur à l'offre annoncée en début de matinée par les enchérisseurs hostiles, dans les communiqués de presse aux agences.

Des hommes et des femmes en vestes colorées se croisaient en tous sens, cherchant les opérateurs à qui faire exécuter leurs multitudes d'ordres de vente et d'achat. Après avoir détenu ces actions quelque temps, les investisseurs les revendaient déjà. Surtout, ne pas se montrer gourmand. Mieux valait empocher ses gains et filer avec, en laissant les arbitragistes professionnels risquer leur précieux capital et tenter de réaliser leurs derniers dollars de bénéfices.

Les opérateurs formaient des demi-cercles chaotiques devant les spécialistes – ceux qui, hommes et femmes, faisaient le marché pour une action spécifique à la Bourse – et leur criaient leurs ordres d'opérations comme des forcenés. Les plus âgés, et plus expérimentés aussi, se dévissaient les poignets pour transmettre l'information sans avoir à s'égosiller.

C'est alors qu'un silence étrange envahit lentement la grande salle. Même aux postes où les spécialistes tenaient les positions sur les actions des deux OPA, toute activité cessa. Tous les regards se portèrent sur le journal lumineux. La salle entière retint son souffle, espérant qu'il s'agissait d'une blague de très mauvais goût. L'annonce était brève :

Flash — La centrale nucléaire de Nyack, située à vingt-cinq kilomètres au nord de New York sur l'Hudson River, a été prise d'assaut par des terroristes. L'attaque a eu lieu vers quatre heures trente ce matin.

La foule assemblée devant l'écran resta figée sur place après que le message eut disparu. Puis, lentement, les gens bougèrent. Certains reprirent les transactions. D'autres préférèrent croire qu'il s'agissait d'une plaisanterie et se mirent à rire. D'autres encore quittèrent la salle sans un mot.

Si les actions des deux cibles des OPA continuèrent de grimper toute la matinée durant, les autres indices ne se portèrent pas aussi bien. A midi, le Dow Jones avait perdu plus de trois cents points. La prédiction de Lewis Webster se réalisait.

Kyle Mcyntire, le commandant des mille Wolverines qui devaient intervenir à Nyack, sauta de l'hélicoptère sur le sol gelé. Courbé en deux pour échapper au souffle des pales, il courut vers un homme en uniforme qui se tenait devant un bosquet d'arbres à la lisière du champ. L'hélico s'éleva et s'éloigna en rase-mottes en l'enveloppant dans un tourbillon de feuilles et de brindilles. Enfin les bruits furent amortis par l'épaisse et menaçante couverture nuageuse, et le calme revint.

– Bonsoir, mon commandant !

Le Wolverine s'était détaché des arbres et se tenait juste devant Mcyntire.

– Capitaine Thomas Ellet, dit-il en saluant d'un geste brusque.

– Repos.

– Bien, mon commandant, dit Ellet en désignant d'un petit signe de tête entendu la ferme qui se dressait derrière lui. Nous avons écacué les habitants. La maison nous sert de QG. C'est assez près sans l'être trop, ajouta-t-il en regardant à l'autre bout du champ.

Mcyntire suivit son regard et aperçut les tours de refroidissement qui dépassaient de la cime des arbres dépouillés.

– Quelle distance ?

– Un peu moins de cinq kilomètres.

Mcyntire posa les yeux sur le jeune homme.

– Faites-moi le rapport.

– Bien, mon commandant, dit Ellet en se raidissant. Nous avons déployé environ huit cents Wolverines, et deux cents autres arrivent de Fort Dix. Ils devraient être ici dans moins d'une heure. Les installations sont encerclées au nord, à l'ouest et au sud. A l'est, nous manquons d'espace pour positionner des hommes entre la centrale et les falaises sans les exposer au feu des terroristes. Mais nous avons des bateaux sur le fleuve.

– Et le système de refroidissement ?

– Mon commandant ?

– Le refroidissement à circuit ouvert, branché sur l'eau de la rivière. Je suggère, si ce n'est déjà fait, qu'on y place des caméras. On ne sait jamais. Quelqu'un pourrait essayer de s'échapper par là.

– Oui, mon commandant, dit le jeune homme, vexé de ne pas y avoir pensé lui-même.

– Ils sont combien, capitaine ?

– Plusieurs centaines.

– Sur quoi vous basez-vous pour arriver à ce chiffre ?

– Deux vigiles se sont échappés par les bois quand ils ont donné l'assaut. Ils vous attendent là-bas, dit-il en désignant la ferme.

Mcyntire soupira en secouant la tête.

– Inutile. Ils sauvaient leur peau. Je doute qu'ils aient vu grand-chose. Et de toute façon, même s'ils ont vu quelque chose, leur témoignage ne doit pas être très fiable. Combien d'otages ? ajouta-t-il après avoir marqué une pause.

– Au moins une centaine.

– Autre chose ?

– Ceci.

Ellet mit la main dans sa poche et en sortit une enveloppe qu'il tendit brusquement à Mcyntire.

– Qu'est-ce que c'est ? demanda celui-ci sans l'ouvrir.

– Courrier des terroristes.

– Comment l'avez-vous eu ?

– Ils ont libéré l'une des otages il y a près d'une heure. Elle nous l'a apporté.

– Qu'est-ce qu'ils disent ?

– Ils exigent un milliard de dollars et la libération de certains terroristes emprisonnés un peu partout dans le monde. Ils donneront la liste plus tard. Ils veulent aussi pouvoir rejoindre le Yémen du Nord sans problème, et à ce moment-là seulement ils libéreront les otages.

Mcyntire fourra l'enveloppe dans la poche de son pantalon et alluma une cigarette.

– Quoi d'autre ?

Il savait d'expérience que ce n'était pas tout.

– Ils ont placé cinq bombes d'une tonne chacune autour du cœur et feront tout sauter s'ils n'ont pas ce qu'ils demandent.

– Quel délai ? demanda le commandant calmement.

– Ils ne l'ont pas encore fixé.

Mcyntire tira plusieurs bouffées de sa cigarette.

– Mon commandant ?

– Oui, Ellet ?

– Si jamais ils font péter les bombes...

– New York sera inhabitable dans les deux heures. Remarquez, ça ne nous fera ni chaud ni froid. Nous serons tous morts.

30

Leeny observait Webster qui faisait les cent pas devant la fenêtre de son bureau en s'arrêtant de temps en temps pour jeter un coup d'œil dans Wall Street. Malgré l'annonce de l'attaque sur la centrale de Nyack, la rue grouillait d'activité. Perdu dans ses pensées, il se prenait le menton dans les mains, hochait la tête et marmonnait des paroles inintelligibles. Il semblait extrêmement préoccupé et faisait preuve d'une nervosité dont Leeny ne l'aurait jamais cru capable. Pour être nerveux, il fallait éprouver des sentiments et cet homme était l'être humain le plus froid qu'elle ait jamais connu.

Peut-être s'émouvait-il de savoir qu'avec son comparse de Washington il était responsable de l'attaque de la centrale et de la panique qui s'emparait peu à peu de la ville. Les agences de presse annonçaient déjà un nombre anormalement élevé de morts par crise cardiaque et attaques cérébrales – surtout parmi les personnes âgées –, toutes morts que les médecins attribuaient au stress intense causé par les événements. Le pillage avait commencé dans les quartiers que les gens avaient décidé de déserter.

Mais penser que Webster en était affecté relevait du plus haut comique. Cet homme dur se moquait éperdument des souffrances des autres, sauf s'il se sentait directement menacé. Pour qu'il s'agite de la sorte, il fallait qu'il soit lui-même en danger.

Leeny se renversa dans le canapé de cuir. Le plan marchait à la perfection. Les propriétaires fonciers de Manhattan qu'elle avait contactés avec Mace appelaient d'eux-mêmes « pour garder le contact », disaient-ils. Ils voulaient savoir si l'opération Broadway Ventures suivait son cours ou si elle était suspendue en attendant que les problèmes de la centrale soient résolus – dans un sens ou dans l'autre. Ils essayaient de prendre avec calme la tragédie qui se déroulait à quelques kilomètres de Manhattan – et de leur précieux patrimoine –, mais elle percevait dans leur voix une panique à peine masquée. Même si aucun d'entre eux n'était en danger de mort, car ils habitaient et travaillaient loin de New York, ils craignaient pour leur vie : leurs immeubles et leurs capitaux étaient au cœur du drame. Vulnérables et immuables. A la merci de terroristes qui risquaient de faire sauter leurs bombes d'une seconde à l'autre et d'arroser Manhattan d'une pluie radioactive.

Malgré leurs efforts au téléphone, ils n'arrivaient pas à donner d'eux l'image de la confiance. Eux d'ordinaire si pressés, ils prolongeaient les conversations par des bavardages futiles, en espérant peut-être que Leeny leur ferait une offre d'achat. Jamais ils n'en parlaient les premiers. Ce n'était pas dans leur nature. Un investisseur foncier ayant un brin de jugeote n'ouvre jamais une transaction. Il laisse à l'autre le soin d'annoncer la couleur de façon à être certain de ne pas y perdre.

Leeny n'entrait pas dans leur jeu et les congédiait d'un au revoir poli, en sachant qu'ils rappelleraient et qu'à ce moment-là ils s'avoueraient vaincus par une inquiétude insupportable.

Elle recevait déjà la seconde série d'appels. Et elle jouait de son pouvoir, les laissant se traîner à ses pieds sans leur faire de propositions précises pour leurs immeubles. Encore une fois, elle jouait à Dieu – et cette fois-ci, elle y prenait plaisir.

– Que se passe-t-il, Lewis ?

Le vieillard se tourna vers elle, le menton toujours dans la main.

– Rien.

Ses yeux noirs semblaient éteints, se dit-elle. Il fallait que ça aille mal.

Le silence fut rompu par la sonnerie du téléphone.

– Allô ? murmura Webster.

Leeny l'observa. Manifestement, les nouvelles étaient mauvaises.

– Oui, répéta plusieurs fois Webster avant de reposer le combiné.

Il la regarda fixement et longuement sans rien dire.

– Mais enfin, Lewis, que se passe-t-il ? insista-t-elle. Répondez-moi !

Elle avala sa salive. Tout lui échappait de plus en plus vite.

– C'est Mace McLain, siffla-t-il enfin.

– Quoi ? dit-elle, sursautant presque en entendant son nom.

– Nous avons de bonnes raisons de penser qu'il s'est introduit dans le camp de Virginie-Occidentale juste avant le départ des troupes pour Nyack, dit-il en penchant la tête en avant d'un air menaçant.

Leeny secoua la tête.

– C'est impossible, voyons. Mace McLain est mort. Vous m'avez dit qu'il devait être tué vendredi soir.

– L'assassin ne l'a pas trouvé chez lui. Et il n'est toujours pas rentré, murmura Webster en la foudroyant du regard.

– Quoi ?!

Abasourdie, Leeny se rassit lentement.

Webster plissa les paupières. Il épiait toutes ses réactions, guettant l'indice qui trahirait une éventuelle complicité de sa part. Mais le visage de la jeune femme n'exprimait que la stupeur. Et il savait que, même si elle connaissait l'existence du centre d'entraînement, elle en ignorait l'emplacement exact. Ce n'était pas elle qui pouvait l'avoir mis sur la piste de Sugar Grove. Il n'était donc pas logique de penser qu'elle l'avait entraîné hors de chez lui : c'était pour se rendre à Sugar Grove qu'il avait quitté New York.

– Il n'est pas mort, dit Webster.

– Mais comment... comment a-t-il découvert le camp de Virginie ? demanda-t-elle, envahie par le désespoir.

– Je l'ignore.

– Mais là-bas, il a dû se faire prendre, insista-t-elle, tentant d'attraper toutes les perches possibles.

– Non. Il s'est échappé.

– Quelqu'un l'a reconnu ? C'est comme ça que vous savez que c'est lui ?

– Une seule personne l'a vu. Et encore, pas assez bien pour l'identifier formellement.

– Alors comment savez-vous que c'est lui ? demanda-t-elle en mettant ses mains sur sa bouche.

– Des gens de Sugar Grove qui l'ont reconnu sur des photos.

– Donc, il sait tout, dit-elle d'une voix tremblante.

– A mon avis, il y a de grandes chances qu'il ait reconstitué le puzzle. Il suffit de lire le journal et de réfléchir un peu. On a trop attendu pour le tuer.

Leeny respirait difficilement.

– Il faut le retrouver.

– Un peu qu'il le faut ! siffla Webster, furieux. On le cherche partout. Mais c'est un malin. Avant de quitter New York, il a tiré près de vingt mille dollars en liquide sur son compte épargne à la Chemical. Il n'a utilisé aucune carte de crédit et il est impossible à localiser.

– Il faut mettre la main sur la fille, dit Leeny d'une voix étrangement monocorde.

Elle savait pouvoir trouver une réponse auprès de Rachel.

Webster darda ses yeux noirs sur elle.

– Vous voulez dire Rachel Sommers ?

Elle approuva de la tête.

– Elle doit savoir où il est. Elle doit en savoir beaucoup plus long, même.

– Croyez-moi, on la cherche elle aussi, dit Webster. Elle n'est nulle part. Columbia a annulé des cours et elle a disparu dans la nature.

– Où vit sa famille ?

– A Columbia, elle n'a donné aucune autre adresse que son studio et nous avons vérifié tous les Sommers de New York. Rien.

– Mon Dieu ! s'écria Leeny en croisant les mains pour les empêcher de trembler.

Webster décrocha son combiné et se mit à pianoter un numéro.

– Retournez dans votre bureau, lui dit-il d'une voix qui n'avait rien perdu de son calme. Continuez de répondre aux appels des investisseurs. Et rapportez-moi leurs noms et les offres éventuelles qu'on vous fera.

Leeny se leva en chancelant. Elle eut un vertige et se rattrapa à la petite table. Mace était tapi quelque part, comme un virus dans un logiciel. Il attendait son heure. Le moment venu, il frapperait et les détruirait tous. Elle le sentait. Il fallait absolument le trouver.

Elle se dirigea vers la porte en titubant. Vite, son bureau, ses pilules.

– Mon commandant ?

Mcyntire leva les yeux de dessus ses papiers.

– Oui, capitaine Ellet ?

– Ils ont libéré un autre otage.

– Et alors ? aboya Mcyntire, que les événements commençaient à éprouver.

Ellet s'approcha et déposa une enveloppe sur le bureau.

– Qu'est-ce qu'elle dit, celle-là ?

Mais il connaissait la réponse. Tout se réduisait à une question de délai.

– Ils nous donnent soixante-douze heures.

Le commandant poussa un grognement, se tourna et regarda la centrale par la fenêtre de la pièce où il avait installé son quartier général.

– OK. Appelez Ferris. Il faut mettre Becker au courant dès que possible.

Roger Hamilton, directeur chez Maryland Mutual Life et responsable de ses trente-deux milliards de dollars d'emprunts immobiliers garantis, regardait d'un œil morne le téléviseur placé dans un coin de son bureau richement décoré. De son fauteuil, il avait une jolie vue sur le Capitole et ne se privait pas de le contempler plusieurs fois par jour. Mais ce matin-là, il avait autre chose à faire que d'admirer le paysage. Il n'avait d'yeux que pour les images de Nyack.

Il était comme hypnotisé par son écran. Le correspondant de

CNN interviewait un expert en physique nucléaire – un de plus. L'ancien président de la Commission de régulation nucléaire confirmait que les retombées radioactives risquaient fort de rendre Manhattan inhabitable. Inexploitable, traduisit Hamilton.

Il regarda son téléphone. Il n'avait pas encore essayé de joindre Mace McLain. Il avait plus ou moins réussi à se convaincre que tout ceci n'était qu'un mauvais rêve, ou une erreur monumentale. Qu'entre le gouvernement et les terroristes, l'un des deux camps allait bientôt céder, et qu'un accord serait rapidement conclu. La vie reprendrait son cours normal à New York, ville dont le marché immobilier était le plus représentatif du pays.

Tout à coup, le journaliste de CNN interrompit l'interview.

– On nous... (Il marqua une pause et appuya sur son oreillette.) Oui, on nous confirme que les terroristes ont fixé un délai de soixante-douze heures. Si d'ici là leurs demandes ne sont pas satisfaites, ils menacent de faire exploser les bombes qu'ils ont placées autour du cœur des deux réacteurs.

Hamilton ne put réprimer un frisson. Ce serait la fin de sa carrière. Si l'impensable se produisait, ses milliards de dollars d'emprunts garantis ne vaudraient plus rien en une seconde. Les immeubles seraient toujours debout, mais vidés de leurs occupants et donc des revenus qu'ils généraient. Et cela pour l'éternité. Du moins l'éternité réduite à sa petite personne.

Il n'avait pas envie de donner le coup de fil qui s'imposait pourtant.

– Mace McLain, s'il vous plaît, dit-il à la secrétaire en tripotant une pochette d'allumettes.

– Désolée, monsieur. Il est absent aujourd'hui.

– Ah.

Peut-être McLain avait-il déjà quitté la ville. Peut-être Broadway Ventures n'était-il pas un vautour aussi coriace qu'il l'avait espéré.

– C'est Mlle Hunt qui prend tous ses appels, reprit la secrétaire.

Hamilton ne sut si c'était une bonne ou une mauvaise nouvelle. Au moins n'avaient-ils pas renoncé au fonds. Mais il n'avait pas été particulièrement aimable avec cette Mlle Hunt lors de leur rencontre. Pourvu qu'elle ait oublié.

– Je peux vous la passer si vous voulez, ajouta-t-elle, la voix tendue.

– Oui, merci.

Hamilton la sentait consternée. Il imaginait ce que devait être la peur de la contamination. Si la bombe explosait, il y perdrait peut-être sa carrière, mais il serait toujours en vie et aurait encore sa maison.

La ligne cliqua plusieurs fois. Hamilton consulta son agenda professionnel à toute vitesse. Walker Pryce, Walker Pryce... ah, voilà. Kathleen Hunt.

Le téléphone sonna. Les New-Yorkais étaient confrontés à un choix épouvantable : soit ils partaient de chez eux en prenant le risque de livrer leur maison aux pillards – et pour rien si aucune catastrophe ne se produisait –, soit ils restaient fidèles au poste et s'exposaient à la mort. Les experts prédisaient en effet qu'en cas d'explosion les radiations seraient sur la ville en moins de trois heures. Et il était impossible d'évacuer des millions de New-Yorkais dans ces délais. Il ne fallait pas oublier que Manhattan était une île. Hamilton voyait déjà les gens traversant l'Hudson à la nage : même s'ils s'en sortaient, ils ne pourraient pas revenir à New York avant des années.

Des fuites de réacteurs s'étaient déjà produites en Europe de l'Est et dans l'ex-Union soviétique, et il avait entendu parler des ravages causés à la population et aux constructions. A l'exception de celui de Tchernobyl, ces accidents étaient restés secrets ; mais il avait dans ces pays des amis qui lui avaient raconté ce qui s'était passé. Les retombées avaient été rapidement maîtrisées. A New York, les dégâts seraient décuplés, voire centuplés.

– Répondez, bon sang ! hurla-t-il dans le téléphone, soudain paniqué.

Il fut exaucé sur-le-champ.

– Allô ? Kathleen Hunt à l'appareil.

– Ah, mademoiselle Hunt, dit-il aussitôt soulagé. Roger Hamilton de Maryland Mutual Life à l'appareil.

Il eut beau prendre son ton le plus amical, il ne put en effacer l'arrogance. Même lui s'en rendit compte.

– Je suis sûr que vous vous souvenez de moi.

– En effet, lui répondit-elle froidement.

Malgré la détresse dans laquelle la plongeait la nouvelle de l'assassinat manqué, elle réussit à sourire. De ce coup de fil, au moins, elle allait se régaler.

Hamilton perçut le tranchant de sa réponse. Elle n'avait pas oublié. Qu'elle aille se faire voir. Elle lui devait toujours le respect : à sa personne, à la position qu'il occupait, aux immenses sommes d'argent qu'il brassait.

– Je voulais vous dire que j'ai eu grand plaisir à vous rencontrer, Kathleen, et...

– Vous m'appelez pour vous assurer que nous sommes toujours ouverts à la négociation, c'est ça ? le coupa-t-elle.

– Euh...

– Est-ce bien ça ?

– Oui.

Hamilton avait répondu dans un murmure. Sa carrière implosait et cette femme s'en fichait. Il avala sa salive. Le moment était venu de se mettre à plat ventre. Il nageait dans des eaux inconnues et devait faire l'impossible pour se désengager.

– Vous serez sans doute content d'apprendre que nous sommes toujours prêts à négocier. Vous comprendrez aussi que je suis assaillie de coups de fil et que je n'ai pas beaucoup de temps à vous consacrer.

Elle marqua une pause. A l'autre bout du fil, il respirait bruyamment. Il devait transpirer à grosses gouttes. Merveilleux. Elle ne put s'empêcher de sourire. Ses prochaines paroles seraient pour l'achever.

– Je vais être généreuse : je vous offre vingt pour cent de la valeur nominale de vos titres, Roger. Deux cents millions. Ce n'est même pas la peine de faire des analyses financières séparées pour chacune de vos propriétés. C'est une offre globale.

– Quoi ?! Mais c'est ridicule... c'est... c'est dément ! bégaya-t-il.

– Peut-être, mais à New York, c'est ainsi.

– Vingt pour cent, c'est inacceptable. Je pensais négocier sur la base de quatre-vingt-seize, quatre-vingt-dix-sept.

Hamilton jeta un coup d'œil rapide autour de lui. Vingt pour cent... En d'autres termes, il y perdait huit cents millions de dollars. Il sentit la sueur perler sur la paume de sa main et mouiller le combiné.

– Nous sommes manifestement beaucoup trop éloignés pour pouvoir ne serait-ce que commencer à discuter. Si notre offre ne vous convient pas, appelez donc d'autres acheteurs... en admettant que vous en trouviez. Ou alors, rappelez-moi quand vous serez plus raisonnable. Merci, Roger.

Elle raccrocha doucement et sourit, parcourue d'un frisson délicieux. Elle jouissait d'un pouvoir exorbitant. Et enivrant.

– Putain de merde ! rugit Hamilton quand il entendit le déclic.

Et il claqua le combiné sur l'unité.

– Putain de merde ! répéta-t-il en hurlant.

Il savait qu'il n'y avait pas d'autre acheteur. Kathleen Hunt était la seule dans toute la ville.

Satisfaite de sa performance, Leeny souriait en regardant son téléphone. Elle avait l'impression d'avoir empalé Hamilton sur un couteau de chasse. Il devait regretter amèrement le jour où il s'était montré désagréable avec elle. La sonnerie retentit de nouveau. Lui, déjà ?

– Allô ?

Silence au bout du fil.

– Allô ? répéta-t-elle d'une voix forte.

– Leeny ? fit une petite voix timide.

– Oui.

– John Schuler à l'appareil.

Leeny plissa les paupières.

– John ! Comment allez-vous ? Il y a si longtemps...

Elle était tout miel. Il fallait le mettre en confiance. Schuler toussa.

– Je vais bien, répondit-il, surpris par son accueil amical. Si l'on peut dire, vu la situation.

Les experts annonçaient qu'en cas d'explosion les retombées de Nyack pouvaient arriver jusqu'à Greenwich. Mais cela prendrait un certain temps et les effets ne seraient pas aussi dévastateurs qu'à New York. Il avait donc quitté la banque dès l'annonce de l'attaque terroriste – en confiant les affaires courantes aux jeunes qui pouvaient bien risquer leur vie, eux. De Greenwich, il pouvait encore sauter dans sa BMW. Il aurait suffisamment d'avance sur la catastrophe. En restant à New York, il se condamnait.

— Je sais, dit Leeny d'une voix de petite fille affolée. J'ai si peur...

— Mais bon sang, pourquoi ne filez-vous pas tout de suite ?

— Je vais le faire. Je finis deux ou trois choses et je m'en vais.

Schuler fut soulagé. Broadway Ventures se mettait en veilleuse.

— Si je comprends bien, vous, Mace et Webster n'avez pas l'intention de profiter de la situation pour spéculer ? Vous n'allez rien acheter, n'est-ce pas ? demanda-t-il, hésitant.

— Bien sûr que non, lui mentit-elle.

— Et vous n'avez rien acheté non plus ?

— Non.

— Bon, dit-il d'une voix soudain très assurée maintenant qu'il croyait son milliard de dollars à l'abri.

— John ? dit-elle d'une voix suave.

— Oui ?

— J'ai très peur. C'est drôle mais, quand j'ai appris l'attaque de la centrale, je n'ai pas pu m'empêcher de penser à vous. Je voulais m'assurer que vous alliez bien. (Elle hésita.) John, j'aimerais vous voir. Même quelques minutes. Même si c'est seulement pour que vous me preniez dans vos bras. J'ai besoin de vous.

Schuler sourit avec suffisance. McLain n'avait vraiment rien compris à cette fille. Il était clair que leur nuit à l'Inter-Continental lui avait laissé de bons souvenirs. Il n'avait donc pas perdu son pouvoir de subjuguer les femmes grâce à ses prouesses sexuelles. Il se revit la prenant par les cheveux et la forçant à s'agenouiller par terre. Aussitôt, il sentit le sang affluer entre ses jambes. Parfois, il fallait savoir rudoyer physiquement les femmes.

— Quand ?

— Ce soir.

— Je ne reviens pas à New York.

— Mais je ne vous le demande pas, dit-elle d'une voix douce.

Nous pourrions nous retrouver au Stamford Marriott. Ce n'est qu'à une vingtaine de minutes de Greenwich, il me semble.

– Oui, lui confirma Schuler, qui se félicitait de son coup de fil. A quelle heure ?

– Vers dix heures. J'aurai pris une chambre. Appelez-moi en arrivant.

– D'accord. A ce soir.

Il raccrocha en souriant.

Leeny reposa l'écouteur et cessa de sourire. Mais elle n'eut pas le temps de penser à Schuler. La sonnerie retentit de nouveau.

– Allô ? dit-elle tout miel car c'était peut-être le petit banquier qui rappelait.

– Mademoiselle Hunt ?

Elle leva les yeux au ciel. Elle avait reconnu la voix d'Hamilton.

– Roger Hamilton à l'appareil.

Il semblait avoir perdu son côté imbuvable.

– Oui ?

– Quatre-vingt-dix pour cent, ça vous irait ?

– Non, lui renvoya-t-elle d'une voix d'airain. Trente. C'est mon dernier prix.

Et elle raccrocha brutalement.

Hamilton lâcha son combiné et laissa sa tête retomber lentement sur le buvard de son sous-main. Son sort était entre les mains de terroristes qui sévissaient à trois cents kilomètres de là.

31

– Allô, répondit la voix familière.

Mace fut immensément soulagé.

– Rachel !

– Mace ?

– Oui.

– Ce que je suis contente de vous entendre ! s'écria-t-elle, soulagée à son tour.

Dissimulé derrière le rideau de sa chambre au quatrième étage du Four Seasons de Washington, Mace regardait au-delà de la cour de l'hôtel. Il se terrait depuis plus de vingt-quatre heures et n'avait toujours pas de nouvelles de Slade.

– Je voulais vous appeler plus tôt, mais je viens seulement de me rappeler le nom de votre beau-père.

– Oh... Je me suis fait du souci pour vous, vous savez, dit-elle d'une voix rauque. Je vous ai appelé au bureau, mais je n'ai eu que votre secrétaire. J'ai appelé chez vous, pas de réponse non plus.

– J'ai quitté New York.

– Heureusement que vous m'appelez. Mon beau-père avait l'intention de rester coûte que coûte. Il refuse de se faire chasser de chez lui par des terroristes. Mais maman l'a persuadé de s'en aller. Je pars avec eux. C'est le mieux. Surtout étant donné le délai qu'ils ont fixé.

Mace resta silencieux.

– Mace ?

– Oui.

– Tout va bien ? Où êtes-vous ?

– A Washington.

– Qu'est-ce que vous faites là-bas ?

– Rachel, vous vous souvenez des documents que vous m'avez communiqués ?

– Sur Leeny Hunt ? demanda-t-elle d'une voix soudain tremblante.

– Oui.

– Bien sûr que je m'en souviens !

– Eh bien, vous avez mis la main sur quelque chose de gros.

– C'est-à-dire ?

Soudain, elle avait très peur.

– Je vous passe les détails, mais je ne crois pas qu'il faille trop s'inquiéter. Les bombes n'exploseront pas à Nyack.

– Quoi ?! hurla-t-elle.

Il hésita.

– Broadway Ventures finance un camp d'entraînement de terroristes en Virginie-Occidentale.

Rachel hoqueta.

– Un virement émis à partir du compte de Broadway Ventures à la Chase m'a conduit jusqu'à une petite ville qui s'appelle Sugar Grove. J'ai trouvé le site. Et j'ai failli y laisser ma peau. Je ne suis pas retourné au bureau depuis. Pour des raisons évidentes.

– C'est incroyable, dit-elle à voix basse.

– Et ce n'est pas fini. Je suis presque sûr que ce sont les troupes de Virginie qui ont pris d'assaut la centrale de Nyack. C'est pourquoi je ne pense pas qu'ils vont faire exploser les bombes. Si bombes il y a.

– Comment ça ?

– Réfléchissez : Broadway Ventures, un fonds vautour, finance un groupe terroriste. Or, Broadway Ventures est censé investir dans des propriétés foncières à Manhattan et dans des titres boursiers qui sont précisément les valeurs les plus affectées par l'attaque sur Nyack. L'immobilier, on comprend aisément pourquoi. Les titres en Bourse, tout simplement parce que parmi les cinq cents plus grandes sociétés du pays, beaucoup ont leur siège social et font leurs grosses opérations dans la région de New York.

— Je n'en crois pas mes oreilles, dit Rachel, qui pourtant vit tout de suite la logique des choses. C'est parfait.

— Oui. C'est du Lewis Webster tout craché. C'est ce qu'il a trouvé de mieux pour ne pas faire coter Walker Pryce en Bourse.

— Mais si vous avez raison, il a pris un risque énorme. Au moindre problème, il sera éclaboussé. Pourquoi faire une chose pareille ? Il est riche, non ?

— Oui. D'après la rumeur, il pèserait près de trois cents millions de dollars.

Mace pensa subitement au rendez-vous que Webster avait eu à Washington, et dont il avait appris l'existence par Sarah Clements.

— Alors, pourquoi faire ça ?

— Pour sauver le statut de société en nom propre, j'imagine, dit-il. Ça paraît hors de proportion, je sais. Les risques sont énormes, mais c'est la seule explication que je vois.

C'était le maillon faible de sa théorie et, bien entendu, elle avait mis le doigt dessus.

— Comprenez-moi bien, Rachel. Je veux que vous quittiez New York tout de suite, dit-il d'un ton sans équivoque.

Elle ne répondit pas tout de suite, puis elle dit :

— Et Leeny Hunt ?

— Quoi, Leeny Hunt ?

— Vous croyez qu'elle est dans le coup ?

— Ça me paraît inévitable. Elle a réuni les fonds tellement vite. Et...

Il s'interrompit : tout venait de Washington.

— Et quoi, Mace ? Qu'y a-t-il ?

— Rien.

Il ne voulait pas lui dire ce qu'il pensait. C'était beaucoup trop grave.

— Etes-vous allé trouver la police ?

Elle parlait d'une voix suraiguë, tendue. S'il ne se trompait pas, il avait du monde à ses trousses.

— Je ne peux pas. Je n'ai pas de preuves.

— Mais vous ne pouvez pas rester les bras ballants.

– Je sais. Pour l'instant, j'attends des renseignements d'un ami. Ensuite, je reviens à New York. J'ai encore besoin de quelque chose avant d'aller trouver la police.

Elle hésita.

– Leeny, dit-elle d'une voix creuse. Je parie qu'elle pourra tout vous dire.

Elle était intelligente et pensait exactement comme lui.

– Non, c'est autre chose.

Et il ne mentait pas, même si Leeny serait sa première cible. Mais il ne pouvait pas lui dire à quoi il pensait, pour ne pas l'affoler.

– Allez trouver la police, Mace. Tout de suite. Je vous en supplie.

– D'accord.

Sans preuves, c'était impossible. Mais mieux valait la rassurer.

– Bon, dit-il, il faut que j'y aille. Et vous aussi. Quittez la ville, au cas où je me tromperais.

Il y eut un silence tendu. Ils se rendaient compte tous les deux que si les bombes existaient réellement, ils risquaient de ne plus se revoir. Mace fut le premier à parler.

– Rachel ?

– Oui, dit-elle aussitôt.

– Vous vous souvenez du jour où vous m'avez demandé : « Et nous ? »

– Oui.

Il hésita. Il avait du mal à exprimer ses sentiments.

– Je tiens beaucoup à vous. Quand tout ceci sera fini...

Il ne termina pas sa phrase.

– Je sais, dit-elle. Vous savez, je... Moi aussi, je tiens à vous.

Il se passa une main dans les cheveux. Jamais personne ne lui avait manqué comme elle. Mais il n'y avait plus rien à ajouter pour l'instant.

– Bon, eh bien... au revoir, dit-il.

– Au revoir, Mace, lui répondit-elle en reposant lentement son téléphone.

A peine Mace eut-il raccroché qu'il reçut un appel. Ça ne pouvait venir que d'une seule personne.

– Allô ?

– Mace ? C'est Slade.

– Qu'est-ce que tu fabriquais ? dit-il, soulagé.

– Désolé, frérot. J'étais à la pêche aux renseignements.

– Tu es au courant de ce qui se passe à New York, non ?

– Oui, dit Slade en baissant la voix.

– Tu sais ce que je pense ?

Slade répondit sans hésiter.

– Tu penses que c'est un coup des types de Virginie-Occidentale.

– Exactement. Tu es allé jeter un coup d'œil aux installations de Sugar Grove ?

– Oui.

– Et tu n'as trouvé personne.

– Non. Il n'y avait personne.

Slade prit une cigarette dans son paquet et l'alluma d'une seule main. Il jeta un coup d'œil au Lincoln Memorial. La dernière fois qu'il avait fumé remontait à la maison de redressement de Plymouth. L'allumette tremblait dans sa main.

– Mais ce n'était pas abandonné depuis longtemps. Il y avait des cartouches partout.

– Lewis Webster et Leeny Hunt sont les seuls responsables de la crise de Nyack, Slade. Il n'y a pas de bombes à la centrale. C'est un coup monté pour spéculer sur l'immobilier et les titres à New York.

Slade secoua la tête. Mace était trop malin. Ça pouvait lui coûter cher.

– C'est absurde, Mace.

– Peut-être, mais je suis sûr que c'est la vérité.

– Les bombes existent, Mace. C'est mon patron qui est responsable de la situation. Les bombes sont bien là.

– Impossible. Dis-le-lui, toi. Sinon, si jamais les troupes du gouvernement font une percée, des Wolverines se feront tuer pour rien.

– Les bombes sont en placc, insista Slade.

– Bon, bon, d'accord. Elles sont en place, répéta Mace, irrité.

Pourquoi Slade était-il si borné ? Soudain, une alarme sonna dans sa tête. C'était un tout petit avertissement, mais il l'avait bien entendu.

— Tu as trouvé quelque chose sur Leeny ou sur Pergament Associates ? demanda-t-il.

— Non. Je cherche toujours, lui répondit Slade.

Il était encore beaucoup trop tôt pour révéler à Mace ce qu'il avait appris sur l'une et sur l'autre.

— Ecoute, donne-moi encore vingt-quatre heures, dit Slade.

Il tira une bouffée de sa cigarette et se détendit aussitôt. Il fallait absolument retenir Mace dans cet hôtel.

— Impossible. Je retourne à New York.

— Non !

— Je ne peux plus attendre comme ça dans cette chambre d'hôtel ! Je deviens dingue.

Du regard, Slade fit rapidement le tour du plan d'eau. Evidemment que Mace voulait retourner à New York. Il se croyait indestructible.

— Bon. Ecoute, j'aurai très bientôt l'information que tu me demandes. Je te retrouverai où tu veux, quand tu veux, à Manhattan.

Mace réfléchit une seconde. Vu la situation à New York, il n'y serait pas aussi vite que d'habitude.

— Demain soir. Onze heures. La patinoire du Rockefeller Center.

— Ça marche.

Mace raccrocha. Slade lui cachait quelque chose. Il le connaissait depuis suffisamment longtemps pour savoir quand il ne lui disait pas toute la vérité. Mais que lui cachait-il ? Et pourquoi ? Il jeta un coup d'œil dans la cour de l'hôtel. Slade avait beaucoup insisté sur la présence de bombes à Nyack, mais il ne devait pas y croire plus que lui puisqu'il lui avait donné rendez-vous à New York. Pourquoi donc faisait-il semblant ?

Slade tira une longue bouffée de sa cigarette. Mace avait raison : des innocents risquaient d'y laisser leur peau. Des hommes appartenant aux Wolverines, et d'autres parmi ses amis. Et il aurait du sang sur les mains.

Assis en caleçon sur le bord du grand lit, Schuler contemplait le corps de Leeny debout devant lui. Une vraie déesse, magnifique, semblable à l'image qu'il avait gardée d'elle.

Il jeta un dernier coup d'œil à la télévision. La situation n'avait pas évolué. Les terroristes étaient retranchés dans la centrale et les autorités n'avaient pas encore arrêté leur plan d'action. Il tendit la main vers la télécommande. Leeny avait beaucoup monté le volume et cela le dérangerait quand ils passeraient aux choses sérieuses.

Toute séduction, elle lui prit l'appareil des mains et le laissa tomber par terre. Elle s'agenouilla devant lui, le déshabilla et l'embrassa bien que ce fût inutile : il était déjà en pleine érection.

Puis elle se releva et le fit basculer sur le lit. En quelques secondes elle fut sur lui et il la pénétra.

Schuler la regardait aller et venir. C'était divin. Il ferma les yeux et oublia Broadway Ventures, la Chase Manhattan et la menace d'irradiation. Quand elle se pencha soudain de côté, il gémit doucement. Délicieuse...

– John ! cria-t-elle tout d'un coup, pour couvrir le son de la télévision.

Elle voulait qu'il voie.

Il battit des paupières et ne comprit pas tout de suite. Quand il se rendit enfin compte de ce qui se passait, il voulut fuir, mais n'en eut pas le temps. La balle lui perfora le cartilage nasal, bien entre les deux yeux, et lui ressortit à la base du crâne. Il fut secoué de spasmes, puis s'immobilisa.

32

Au niveau inférieur du Washington Bridge, le pont suspendu qui enjambe l'Hudson et relie New York au New Jersey, le fourgon suivait une Mercedes en direction de l'est. A une heure du matin, les gens continuaient de quitter la ville dans un calme étonnant. Malgré la circulation intense, on roulait à cinquante kilomètres à l'heure.

Au beau milieu du pont, le fourgon s'arrêta. Le chauffeur fut aussitôt houspillé par un concert de klaxons qui le laissa indifférent. Il retira tranquillement les clefs de contact, sauta de son véhicule et courut vers la Mercedes qui l'attendait cinquante mètres plus loin. Les gens qui venaient en sens inverse l'injurièrent au passage, mais il s'en moquait éperdument. Quelques secondes plus tard, il était sur la banquette arrière de la voiture allemande qui accéléra et se fondit bientôt dans la circulation.

Exactement deux minutes trente secondes plus tard, le fourgon n'était plus qu'une boule de feu. En direction de l'est, les deux étages du pont furent soufflés. Les gens et les véhicules qui ne brûlèrent pas tout de suite tombèrent dans les eaux noires du fleuve. Bientôt, de part et d'autre de la brèche, les deux morceaux du tablier pendirent, retenus par quelques câbles, telles des langues de chiens hors d'haleine.

Depuis la tour de contrôle de la centrale de Nyack, Vargus avait vu l'explosion. Il sourit en imaginant le chaos et la panique qui devaient régner sur le pont et l'effet que cela aurait sur les New-Yorkais.

Bobby Maxwell, l'investisseur de La Nouvelle-Orléans qui possédait douze immeubles à Manhattan, s'assit lentement dans son lit avec une gueule de bois carabinée. Il avait bu beaucoup de vin la veille au soir et rit tout fort en se frottant les yeux. Au moins cela lui avait-il permis d'oublier la crise qui secouait New York. Il attrapa la télécommande en grognant et alluma son poste. Il oublia aussitôt ses maux de tête.

L'image montrait une journaliste avec New York et le pont éventré sur l'Hudson en arrière-plan. Les cheveux balayés par un vent furieux, la jeune femme mettait son oreillette en place et tenait un énorme micro devant sa bouche. Elle hocha la tête et prit la parole.

– Vers une heure du matin, un attentat au camion piégé a détruit les deux étages du George Washington Bridge. Des témoins ont pu relever le numéro d'une Mercedes qui s'est enfuie à vive allure. La police a retrouvé la voiture abandonnée dans le comté de Westchester, Etat de New York, vers quatre heures du matin. Il n'y a pas eu d'arrestations et, pour l'instant, la police se refuse à tout commentaire sur les victimes. L'attentat a été revendiqué par le groupe terroriste qui s'est emparé de la centrale nucléaire de Nyack.

Maxwell avala sa salive. Il se leva aussitôt et alla fouiller dans sa table de nuit. Le côté tragédie humaine du reportage ne l'intéressait pas. Ce qui l'intéressait, c'était la pierre. Et d'une heure à l'autre, ses immeubles risquaient de ne plus valoir un sou. Il cherchait le numéro de téléphone de Mace.

L'attentat n'empêcha pas la Bourse d'ouvrir comme tous les jours à neuf heures trente. Les courtiers et les spécialistes, dont le nombre s'était réduit de moitié, allaient et venaient dans la salle des marchés dans un silence inhabituel. Un œil en permanence sur le journal lumineux, ils exécutaient leurs transactions sans enthousiasme. Dès midi, le Dow Jones avait chuté de mille points et les responsables interrompaient les cotations. Inutile de continuer. Mais avant la clôture, Broadway Ventures avait eu le temps de réaliser quelques opérations très juteuses par l'intermédiaire de comptes numérotés blancs comme neige.

Bouche bée, ahuri, Mace contemplait ce qu'il restait de son appartement éventré comme une vache à l'abattoir. La bourre des canapés de cuir jonchait le sol, mêlée au verre brisé des lithos arrachées au mur. De grands trous béaient dans les murs. Des pilleurs ? Ça n'en avait pas l'air, songea-t-il : la chaîne hi-fi était en miettes, mais toujours là.

Faisant craquer le verre sous ses semelles, il entra et se dirigea vers la salle de bains, où il avait caché l'enveloppe que lui avait donnée Rachel et qui détaillait le scandale de LeClair & Foster dans lequel avait trempé Leeny. Ce paquet devait intéresser la personne qui s'était introduite chez lui.

Debout en équilibre sur le rebord de la baignoire, il déplaça une dalle du faux plafond. Il fut aussitôt soulagé. L'enveloppe était toujours là. Il la prit avec soin. Maintenant, il était sûr que Rachel était en sécurité parce qu'ils ne pouvaient pas établir de lien entre elle et lui. S'ils avaient vu le nom du destinataire, elle aurait été en danger de mort.

Il descendit de la baignoire. Il était temps de rattraper Leeny. Ensuite seulement il irait trouver la police avec ce qu'il possédait.

Assise dans une encoignure chez Joey, une brasserie ouverte vingt-quatre heures sur vingt-quatre, juste en face de chez Mace, Leeny sirotait une tasse de café. Le stress et le manque de sommeil lui avaient creusé les orbites. Par la fenêtre, elle surveillait la porte d'entrée de l'immeuble. Mace avait forcément découvert ce que cachait Broadway Ventures. Et il allait détruire tout le plan. A cause de lui, elle irait en prison. Sauf si elle pouvait l'arrêter avant.

L'image du cadavre de John Schuler étendu sur le lit lui traversa l'esprit. Elle rit tout fort, puis regarda autour d'elle pour voir si on l'avait entendue. Personne ne l'avait remarquée.

Elle sortit de son sac la photo Polaroïd qu'elle avait prise dans la chambre du Stamford Marriott. Inutile d'imaginer le cadavre puisqu'elle l'avait sous les yeux. Elle posa le gros plan du visage ensanglanté sur ses genoux pour pouvoir le regarder en douce, puis se passa une main dans les cheveux en souriant : l'expression horrible du petit banquier l'emplissait d'aise. Elle était contente de son travail.

— Vous désirez autre chose, madame ? lui demanda la serveuse en essayant de jeter un coup d'œil sous la table.

Leeny mit la main sur la photo, puis, après avoir surveillé la porte de l'immeuble, leva les yeux.

— Non, murmura-t-elle.

La serveuse secoua la tête. Une originale, cette blonde. Elle l'avait vue souvent ces deux derniers jours. Elle avait passé des heures entières assise à la même place, à surveiller l'immeuble d'en face. La serveuse de nuit avait elle aussi remarqué son manège. Toutes les deux avaient même envisagé de la faire embarquer par la police, mais avaient renoncé car elle ne faisait pas d'ennuis et laissait des pourboires de vingt dollars alors qu'elle ne consommait que du café.

— Vous êtes sûre ? insista la serveuse en lorgnant les billets étalés sur la table.

— Oui, répondit la cliente d'une voix à peine audible.

— Bon. Nous fermons dans deux ou trois heures. Nous quittons la ville. Je vous suggère d'en faire autant, parce que moi, je suis sûre que ces terroristes ne sont pas des plaisantins.

Leeny hocha la tête sans répondre. Elle regarda encore une fois la porte de l'immeuble. Si elle ne voulait pas que Mace parle, il fallait qu'elle le tue. Elle se sentait un peu bête de passer son temps assise là, mais quel autre moyen avait-elle de mettre la main sur lui ?

Caché derrière son journal au fond de la salle, le tueur l'observait. Webster lui avait enfin donné l'ordre de la supprimer. Il sourit intérieurement. De toute façon, elle était fichue. La pression des événements avait eu raison d'elle. Il y avait des gens trop fragiles pour supporter des situations aussi éprouvantes, et elle était de ceux-là.

Il prit une gorgée de Pepsi. Webster ne serait pas content s'il savait comment les choses traînaient. Il aurait voulu se débarrasser d'elle rapidement. Ç'aurait dû être fait dès ce matin, au bureau. Bizarre, pour un homme aussi posé. Mais le patron était passablement ébranlé lui aussi. Le tueur ne l'avait jamais vu dans un état pareil. Il avait tout de même réussi à le convaincre de patienter et d'agir avec plus de discrétion.

Un peu plus bas que chez Joey, à l'angle de la rue, une femme solitaire attendait, les yeux rivés sur la porte. Elle avait eu de la chance de retrouver Leeny, qui avait passé les premières heures de la journée à son bureau comme si de rien n'était. Elle remonta le col de son gros manteau d'hiver sur son visage.

Soudain, Leeny bondit de son siège et se rua sur la porte. Manquant renverser son verre de Pepsi, le tueur ramassa son portefeuille et ses clefs sur la table et la suivit. Quelle mouche l'avait piquée ? S'était-elle rendu compte qu'il la suivait et tentait-elle de s'enfuir ?

La serveuse les regarda filer en hochant la tête. D'abord la blonde, et maintenant cet homme qui, visiblement, la filait ? Cette ville était décidément pleine de fous et de choses bizarres dont il valait mieux ne pas se mêler.

Lentement, elle s'approcha de la table où la blonde venait de passer deux heures. Elle voulait voir ce qui était tombé de ses genoux quand elle s'était levée. Une cafetière bouillante à la main, elle se baissa pour ramasser l'objet et découvrit le visage sanguinolent du mort.

Elle lâcha sa cafetière, qui s'écrasa en mille morceaux et lui ébouillanta les chevilles. Elle ne sentit la douleur qu'au bout de quelques secondes. Alors seulement, elle se mit à crier.

Mace sortit de l'immeuble à grands pas et se dirigea vers la station de métro. Il n'avait pas pris la peine de sortir par la porte de service, à l'arrière de l'immeuble. C'était pourtant par là qu'il était entré pour éviter de se faire repérer. Son ou ses visiteurs étaient partis depuis longtemps – ils avaient laissé le frigo ouvert et la nourriture avait eu le temps de s'abîmer – et n'attendaient pas son retour.

Il se mit à courir. Il fallait faire vite. Un gros homme déboucha tout à coup en travers de son chemin. Mace lâcha un juron et le heurta si violemment qu'il le fit tomber.

– Excusez-moi, dit-il.

Il lui tendit la main pour l'aider à se relever, tout en regardant autour de lui. Il était surpris du nombre de gens qui étaient encore en ville. Mais l'ultimatum n'expirait que le lendemain à midi. Les rues auraient alors un tout autre aspect.

Il se remit à courir. Pour trouver Leeny, il essaierait d'abord chez Walker Pryce. Elle connaissait les réponses aux questions qu'il se posait. Elle ne les lui donnerait pas sans résistance, mais il verrait bien comment les lui arracher le moment venu.

La rame entra dans la station dans un grondement de ferraille, passa en cahotant devant le quai où se pressaient des gens chargés de valises et de sacs et s'arrêta en grinçant de tous ses freins. Les portes s'ouvrirent et les voyageurs montèrent.

Mace suivait le mouvement. Il s'arrêta net en entendant crier. La foule se fendait devant lui, on se bousculait, on se jetait à terre pour éviter quelque chose.

Il ne comprit pas tout de suite. Puis il la vit. Elle s'avançait lentement sur le quai, comme en transe, les yeux fixés devant elle, un pistolet – celui avec lequel elle avait tué Schuler – tendu à deux mains devant elle.

Le contrôleur passa la tête par la portière du cinquième wagon et la vit lui aussi. Il verrouilla aussitôt toutes les issues du train et, dans l'interphone, cria au machiniste de démarrer. Le convoi s'ébranla.

Leeny n'était plus la femme qu'il avait rencontrée dans la limousine qui les avait conduits à Columbia. Autour de sa bouche, des rides s'étaient creusées. Ses cheveux avaient perdu leur éclat et elle était d'une pâleur mortelle.

Elle avançait toujours, à quelques centimètres de la rame qui avait pris de la vitesse. Elle n'était plus qu'à six ou sept mètres de lui. Les yeux fixes, elle ne voyait plus que lui et lui seul. Soudain elle s'arrêta, le visa, mit le doigt sur la détente et la pressa.

D'instinct, Mace porta les mains à son visage. Il ne l'aurait pas crue capable de violence, mais se rappela tout d'un coup que Rachel lui avait parlé d'un séjour en institution. Il s'était complètement trompé sur son compte.

Rachel parcourut les trois derniers mètres en courant. Elle n'entendait ni les cris des gens ni le grondement du train, ne voyait ni les voyageurs aplatis par terre ni les wagons qui défilaient. Elle n'avait d'yeux que pour la silhouette mince de Leeny pointant son arme sur Mace.

Elle s'abattit sur elle au moment même où Leeny tirait. L'impact, violent et inattendu, projeta la jeune femme sur la dernière voiture. Elle rebondit dessus en poussant un cri, et sa tête alla heurter un pilier d'acier au bord du quai. Leeny s'affaissa, inconsciente. Le pistolet lui échappa, et un deuxième coup partit lorsqu'il tomba par terre.

Mace regarda Leeny, puis Rachel, et vérifia qu'il n'était pas blessé. Il était indemne.

C'est alors qu'il aperçut un homme qui courait vers lui en évitant les gens toujours recroquevillés par terre. Ses intentions n'étaient pas particulièrement amicales : il tenait une arme et le regardait comme Leeny l'avait fixé quelques instants plus tôt.

Il zigzaguait en tenant son arme contre lui. Il ne la cachait pas mais, au cas où il y aurait un héros dans la foule, il jugeait plus prudent de ne pas l'exhiber.

Il n'était plus qu'à une trentaine de mètres et se rapprochait vite. Mace regarda Rachel, dont les yeux étaient emplis de terreur. Elle avait vu l'homme et compris ce qu'il voulait.

Quelle chance extraordinaire, se dit l'assassin. Leeny Hunt avait vu juste : Mace McLain était revenu chez lui. Il reconnaissait le jeune financier d'après les photos que l'homme de Washington lui avait fournies. Il ne lui restait plus qu'à finir le travail que Leeny Hunt avait essayé d'accomplir. Il avait manqué Mace chez lui, mais, cette fois-ci, il ne le raterait plus. Après, il s'assurerait que Leeny était morte et rejoindrait la station suivante par le tunnel. Il avait une veine incroyable ! D'une pierre deux coups.

Il leva son arme. L'homme de Washington allait apprécier.

Le pistolet de Leeny était resté par terre, à deux mètres de Mace. Celui-ci plongea dessus, le ramassa et fit feu d'un geste gracieux, tout en force et souplesse à la fois. Il garda son sang-froid, conscient que le premier coup devait être le bon. Tout gosse, il avait chassé le gibier à plume et savait que lorsqu'on veut être sûr de faire mouche, il faut conserver son calme, même sous la pression, et viser soigneusement. La précipitation était la pire ennemie. Il n'avait pas droit à l'erreur.

Le tueur se prit la cuisse à deux mains et s'effondra de tout son poids sur le quai.

Mace sauta sur ses pieds et courut vers Rachel qui s'était jetée par terre comme tout le monde. Il l'aida à se relever.

– Vite ! dit-il.

Il s'approcha du bord du quai, sauta sur les voies et l'aida à descendre. Dans l'obscurité du tunnel, il voyait approcher les phares de la rame suivante. Il attrapa la jeune femme par le poignet et l'entraîna vers le bout de la station. Il fallait la sortir de là.

Sur le quai n° 12 de Penn Station, Mace donna un long baiser à Rachel.

– Tu m'as sauvé la vie, lui dit-il enfin.

Elle sourit, et sa fossette se creusa.

– On dirait bien. Ça fait de toi mon esclave pour la vie.

Mace hocha la tête en souriant.

– Eh oui. Mais je ne vais pas m'en plaindre.

– En voiture ! cria le contrôleur en arpentant le quai.

Ils s'approchèrent de la portière.

– Tu te souviens de ce que je t'ai dit ? reprit Mace.

– Oui, lui répondit-elle en levant les yeux au ciel. Le Mountaintop Inn, à Harpers Ferry. Je descends du train à Baltimore, je loue une voiture, je vais jusqu'à Harpers Ferry et j'attends ton coup de fil.

– Bien. Et si jamais quelqu'un d'autre t'appelle, tu files, même si la personne a l'air bien intentionnée. Au moindre soupçon, tu déménages. Tu as compris ?

Elle hocha la tête. Ses craintes revenaient. Mais elle lut un empressement sincère dans les yeux de Mace, et cela la rassura.

– Tu as de l'argent ?

– Je dois avoir deux cents dollars.

Elle avait vidé son compte avant de partir à la recherche de Leeny.

– Des cartes de crédit ?

– J'en ai une.

– Parfait. Sers-t'en pour louer la voiture, mais surtout pas au Mountaintop Inn. Tu règles tout en liquide. C'est bien compris ?

– Oui.

La portière commença à se fermer. Mace la retint, se pencha à l'intérieur et embrassa Rachel encore une fois. Puis il lui fit un clin d'œil.

– Tout va bien se passer. Promis.

– Je l'espère.

– Allez, mec, j'ai autre chose à faire, moi ! lui cria le contrôleur.

Mace lui jeta un coup d'œil, puis se tourna de nouveau vers Rachel.

– Qu'est-ce que tu faisais dans la station de métro ? Comment savais-tu ?

– J'ai suivi Leeny depuis son bureau ce matin. J'étais sûre qu'elle me conduirait jusqu'à toi.

Il secoua la tête. Elle était fantastique. Il l'embrassa, puis lâcha la portière. Elle lui fit au revoir derrière la vitre.

Le train s'engagea lentement sur le réseau d'aiguillages. Rachel était en sécurité. Il consulta sa montre et remonta vers la salle des pas perdus. Une heure. Cela lui en laissait dix jusqu'à son rendez-vous avec Slade.

Vargus se renversa dans son fauteuil et frotta doucement son œil gonflé. Il s'infectait, et la douleur devenait intolérable. On frappa à la porte.

– Qui est là ?

– Tabiq.

– Entrez.

La porte s'ouvrit à toute volée.

– Qu'est-ce que vous voulez ? aboya Vargus en le dévisageant de son œil valide.

– Les hommes veulent savoir si vous avez des nouvelles des autorités, dit Tabiq en désignant le téléphone du menton.

– A propos de quoi ?

Vargus avait détruit tous les postes de télé de la centrale et ne comprenait pas comment les autres avaient fait pour savoir qu'il communiquait avec l'extérieur.

– Inutile de nous raconter des histoires, lui renvoya Tabiq, agacé par ce chef qui ne lui disait rien. Vous avez lancé un ultimatum. Sinon, pourquoi auriez-vous libéré deux otages ?

Vargus se frotta l'œil.

– Calmez-les. Les autorités vont nous donner ce que nous voulons. Mais il leur faut un peu de temps. Un milliard de dollars, ça ne se trouve pas sous le sabot d'un cheval, dit-il en souriant pour rassurer son second.

Tabiq ne le fut pas, mais au moins Vargus reconnaissait-il avoir exigé une rançon. Maintenant, il savait que les négociations étaient en cours.

– Je vais leur dire. Ça les aidera à patienter.

Quand il fut parti, Vargus inspira un bon coup. Encore quelques heures et ils seraient tous morts, sauf lui. A condition qu'il n'y ait pas d'anicroche et que le commandant des Wolverines n'essaie pas de jouer au héros solitaire.

33

– Monsieur Webster ? Roger Hamilton de Maryland Mutual Life.

– Oui, répondit le vieillard en esquissant un sourire malin.

– Jusqu'à aujourd'hui, j'ai eu affaire à une certaine Kathleen Hunt pour des obligations appartenant à ma société.

– Oui, répéta Webster, en espérant que le tueur avait terminé sa besogne.

– Mais la secrétaire me dit que désormais, c'est vous qui prenez tous les appels.

– C'est exact, dit Webster froidement, pour le maintenir en haleine jusqu'au moment où il ferait son offre.

– Le propos qui m'amène est assez urgent.

– Au fait, s'il vous plaît ! le rudoya Webster pour lui donner des sueurs froides.

– Mlle Hunt et moi-même avions parlé du rachat de mes obligations pour un montant d'un milliard de dollars, dit Hamilton, la voix soudain rauque.

– Oui ?

Webster était cassant. Il ne fallait pas que l'autre ait des hésitations de dernière minute.

Hamilton sentait le sang lui battre dans les veines.

– Je suis vendeur à soixante-dix pour cent de la valeur, dit-il d'une voix éteinte.

Webster ne répondit pas. C'était une tactique de négociation qu'il maîtrisait depuis longtemps. La plupart des gens détestaient les silences téléphoniques et parlaient pour les remplir.

– Monsieur Webster ?

– Oui ?

– Vous êtes toujours là ?

– Oui, dit-il en faisant durer le silence.

Hamilton n'était pas dupe. Lui-même n'était pas né de la dernière pluie. Mais il n'avait pas le choix ; il était bien obligé de négocier contre ses propres intérêts. Le directeur général exigeait de tirer quelque chose de ces obligations.

– Soixante pour cent.

– Non, dit aussitôt Webster.

– Je vous en supplie.

– Non.

Hamilton avala sa salive et respira un bon coup. Ses mains tremblaient.

– Cinquante.

– Marché conclu. Confirmez immédiatement par fax. L'argent sera viré à Maryland Mutual dès cet après-midi.

Webster eut son sourire mauvais. Il venait de gagner un demi-milliard de dollars.

Mace se glissa dans la chambre de Leeny sans se faire remarquer par le personnel hospitalier. Il s'approcha rapidement du lit. Vite, la faire sortir.

Elle tourna lentement sa tête couverte de pansements. Elle le reconnut et ses yeux s'emplirent de larmes.

– Allez, debout, on s'en va ! lui lança Mace.

Elle ne dit pas un mot et ne résista pas. Elle accepta son aide et se leva simplement, puis alla enfiler ses chaussures que l'infirmière avait laissées près de la porte.

Il la prit par le poignet et regarda dans le couloir pour voir si le champ était libre. Les médecins étaient trop occupés à accueillir les nouveaux patients pour leur prêter attention. Il sortit de la chambre et disparut dans l'escalier juste en face en tirant Leeny par la main.

Au même moment, un médecin sortit de l'ascenseur et gagna calmement la chambre 425, écritoire en main, visage baissé pour passer inaperçu. Arrivé devant la porte, il palpa le pistolet caché sous sa blouse. Malgré le silencieux, le coup ferait du bruit. Il espérait que le personnel serait toujours trop absorbé par ses tâches pour remarquer sa fuite après qu'il l'aurait tuée. Il sourit intérieurement. Le premier tueur avait tellement salopé le boulot qu'il avait atterri sur un lit d'hôpital à l'autre bout de la ville. Heureusement qu'il était là pour rattraper les choses. Ils auraient dû faire appel à lui dès le début.

Il jeta un dernier coup d'œil dans le couloir et entra. Il s'arrêta net. Le lit était vide.

Une demi-heure plus tard, Mace entrait dans la chambre d'hôtel avec Leeny. Le Hilton serait fermé dès le lendemain matin sept heures, l'avait-on averti à la réception. Pas d'exceptions. Les clients qui n'auraient pas dégagé avant seraient escortés vers la sortie *manu militari*. L'homme avait même tellement insisté qu'il n'avait pas remarqué le pansement de Leeny, mal dissimulé par une casquette de base-ball.

– Assieds-toi, lui dit-il doucement.

Elle s'assit lentement sur le bord du grand lit. Les yeux dans le vide, elle serrait ses bras contre sa poitrine.

Il s'agenouilla devant elle et lui prit les mains. Il la regarda dans les yeux.

– Tu vas me dire tout ce que tu sais.

Elle acquiesça d'un signe de tête. Il était inutile de résister.

Il se releva et sortit de sa poche un petit Dictaphone dans lequel il inséra une minuscule cassette. Puis il s'assit à côté d'elle.

– Je vais d'abord t'enregistrer, et ensuite tu vas me mettre tout ça par écrit. Compris ?

Elle hocha de nouveau la tête et fondit soudain en sanglots en se cachant le visage dans les mains.

– Je te demande pardon, Mace. Pardon !

C'était la première fois qu'elle ouvrait la bouche depuis qu'ils avaient quitté l'hôpital.

La poitrine secouée de spasmes incoercibles, elle pleurait, méconnaissable. Mace hocha la tête. Elle avait essayé de le tuer. De le tuer, nom de Dieu ! Et pourtant, il ne pouvait pas la laisser sombrer ainsi sans la consoler. Sa détresse le touchait. Il lui posa doucement une main sur l'épaule.

Leeny n'attendait que cela. Elle lui jeta les bras autour du cou et appuya la tête contre sa poitrine, s'accrochant à lui comme à un dernier fétu de paille.

Rachel descendit le perron éclairé du Mountaintop Inn et se dirigea dans l'obscurité vers la voiture qu'elle avait louée en fin d'après-midi à Baltimore. Le trajet sur l'Interstate 70 avait été moins long que prévu.

Elle traversa le parking au pas de course. La soirée d'hiver était froide, et elle était pressée de rentrer se mettre au chaud. Elle avait pris un bain dès son arrivée, deux heures plus tôt, mais avait oublié les vêtements qu'elle s'était achetés à Baltimore dans la voiture.

Elle sortit les clefs de la poche de son pantalon et s'approcha du coffre, qui s'ouvrit aisément. Elle plongea le bras à l'intérieur pour y prendre le sac.

Lorsqu'elle se releva, une main gantée se posa sur sa bouche et son nez. Des vapeurs lui emplirent les poumons. Quelques secondes plus tard, elle gisait sans connaissance dans les bras de l'homme, qui se tourna vers un deuxième tapi dans les ténèbres.

— Vite fait, bien fait, murmura-t-il. Mets-la dans le camion. Je m'occupe de McLain.

Ferris entra et referma la porte derrière lui. Assis à son bureau, Malcolm Becker fumait un de ses chers Monte Cristo.

— Alors ? demanda Becker.

Le Rat ne put contenir sa joie. Un grand sourire découvrit ses longues incisives bombées.

— Ils ont cueilli Rachel Sommers devant la porte d'un *bed and breakfast* de Harpers Ferry, en Virginie-Occidentale, annonça-t-il d'une voix triomphante.

Becker continua de fumer.

— Et McLain ?

Le sourire du Rat s'estompa.

– Il n'était pas avec elle.

Becker assena un grand coup de poing sur son bureau.

– Putain de merde ! rugit-il.

Il regarda dehors. La nuit de Virginie était aussi sombre que son humeur.

– Tout va s'arranger, Chef, dit le Rat d'une voix qu'il sut rendre apaisante. On a la fille. On va se servir d'elle pour l'appâter. Conner va le débusquer, et on arrivera bien à le faire sortir de son trou. Ça va marcher.

Becker s'accrocha au bord de son bureau.

– C'est vrai qu'on a la fille, dit-il. Et McLain ne nous livrera ce qu'il sait que quand il sera sûr qu'elle soit hors de danger.

– Exactement.

Ferris sourit. C'était toujours dans ce genre de moments que Becker avait besoin de lui. Le général était un excellent stratège, mais sous la pression il lui arrivait de perdre sa lucidité. C'est pour ça qu'ils formaient une équipe formidable. En cas de crise, le Rat restait d'une froideur de glace.

– On attire McLain et on le supprime. Après, tout ira bien.

– Oui. Je compte sur vous, Willard. Vous le savez, hein ?

Ferris hocha la tête en plissant les paupières.

– Vous avez eu Webster ? demanda-t-il.

– Oui.

– Alors ?

– C'est incroyable, dit Becker en souriant. Broadway Ventures a investi près de deux milliards de dollars depuis que Vargus a fait péter le George Washington Bridge. Webster estime la valeur de marché des actions achetées par le fonds depuis trois jours à près de trois milliards et demi. Quand les Wolverines reprendront le contrôle de Nyack sans qu'aucune bombe n'ait explosé, le portefeuille remontera en flèche à cette valeur d'origine. Webster nous retournera les neuf cents millions aussitôt par l'intermédiaire des sociétés écran. Ensuite, sans se presser, il vendra les actions achetées par Broadway Ventures. Il nous versera les intérêts échelonnés dans le temps pour ne pas éveiller de soupçons. Evidemment, il faut bien que nous remboursions le milliard de la Chase, avec intérêts, et que les autres investisseurs récupèrent leurs billes. Mais tout permet d'espérer un bénéfice net de plus d'un milliard de dollars pour la CIA et pour Walker Pryce. De quoi couvrir largement les dépassements budgétaires sur les Wolverines et le financement de ma campagne.

Ferris hocha la tête. Becker s'y entendait comme un dieu pour monter une entreprise de cette envergure en assignant à chacun sa tâche sans divulguer à personne l'ensemble d'un plan qu'il restait seul à connaître. La tâche du Rat avait été de s'assurer que l'opération de Virginie-Occidentale se déroulait sans heurt.

– Ce sera l'apothéose quand les Wolverines s'abattront sur Nyack, Chef. Le pays entier retiendra son souffle et regardera la force d'assaut, votre force d'assaut, anéantir les terroristes. Imaginez un peu les retombées que ça fera dans la presse ! Pensez à tous ces gens qui vous réclameront à cor et à cri et qui voudront voter pour vous. Vous leur direz que nous étions prêts à intervenir depuis longtemps et que nous avons attendu que les gens aient évacué New York pour pouvoir le faire.

Ferris se laissait emporter par son enthousiasme. Becker posa une fesse sur le bord du bureau.

– Oui, murmura-t-il avec emphase.

Puis il se tourna vers le Rat.

– Willard, dit-il, vous êtes certain que Vargus a pu faire entrer les bombes dans la centrale ?

– Oh, oui ! Quand les Wolverines prendront le contrôle de la salle des réacteurs, ils trouveront cinq bombes sur chacun d'eux. Mais elles ne peuvent pas exploser : il a neutralisé les détonateurs. Normalement, il est le seul habilité à tout déclencher. Si jamais il y a chez les terroristes un petit rigolo qui s'avise de jouer les héros, il ne pourra rien faire. C'est magnifique.

Becker rit tout haut.

– Je voudrais bien voir la tête d'Andrews quand il verra que la centrale est aux mains des Wolverines. A ce moment-là, il saura que c'est la fin de sa campagne.

Soudain, les deux hommes baissèrent les yeux en même temps. Il leur restait deux petits problèmes à résoudre : Leeny Hunt et Mace McLain. Il fallait les supprimer tous les deux, et vite, sans quoi toute la conspiration risquait d'être compromise.

Becker inspira profondément.

– Sans ce foutu Mace McLain, tout serait parfait. La Hunt serait morte et on n'aurait plus de souci à se faire.

– Tout va s'arranger, Chef. N'oubliez pas que nous tenons Rachel Sommers. Ça va ôter à McLain toute envie de jouer au con avec nous.

– Vous avez intérêt à ne pas vous tromper, dit Becker en tirant une bouffée de son cigare. Mais bon sang, je me demande comment les agents ont fait pour aller la cueillir à Harpers Ferry. Ce n'est pas aussi paumé que Sugar Grove, je vous l'accorde, mais ce n'est pas la 42ᵉ Rue non plus. Elle a payé sa chambre par carte bancaire ? Elle n'aurait tout de même pas fait ça... Tout le monde la dit intelligente.

Ferris secoua la tête.

– Non, elle a payé en liquide. (Il hésita.) La voiture qu'elle a louée à Baltimore était équipée d'un téléphone cellulaire. On peut suivre ces petites choses-là n'importe où. Et la Bell Atlantic est très coopérative avec la CIA.

34

Mcyntire s'adossa à un pilier de la véranda et alluma une cigarette. Le ciel couvert masquait les étoiles. Il y vit un cadeau providentiel.

Il regarda les phares tressautants d'une voiture remonter l'allée de gravier. La Jeep s'arrêta dans un crissement de pneus devant la petite ferme. Le capitaine Ellet sauta du siège du passager et vint vers lui.

– Vous m'avez fait chercher, mon commandant ? dit-il en le saluant.

– Oui, répondit Mcyntire à voix basse.

Il regarda le chauffeur qui, lui aussi, était descendu et se tenait à côté du véhicule. Placé comme il l'était, il ne pouvait pas entendre.

– Nous attaquons dans sept heures. A trois heures du matin.

– La décision vient de Washington, murmura Ellet.

C'était plus un commentaire qu'une question, mais Mcyntire l'entendit néanmoins comme une question. Ellet voulait s'assurer que son supérieur n'avait pas pris une décision unilatérale.

– Préparez vos hommes, capitaine Ellet, dit-il calmement.

Le capitaine regarda ses chaussures.

– Oui, mon commandant.

Il regrettait ses paroles, qui frisaient l'insubordination. C'était seulement que les conséquences éventuelles d'une attaque étaient très lourdes.

– Il y a du mouvement dans les lignes des Wolverines ! cria Tabiq en entrant sans frapper.

Vargus reprit connaissance en grognant. Tout son corps le faisait souffrir : son œil infecté avait la taille d'une pomme.

– Quoi ?!

– Oui. On les voit dans les lunettes de vision nocturne. On a l'impression qu'ils se replient.

Vargus consulta sa montre. Il était près de neuf heures. Trop tôt, donc. Et pourquoi se replier ?

– Mountaintop Inn, bonsoir ? dit une voix féminine dans le téléphone.

– Betty Saif, s'il vous plaît, dit Mace en donnant le pseudonyme sous lequel il avait conseillé à Rachel de prendre sa chambre.

– Un instant, je vous prie.

– Merci.

Mace était encore sous le choc de ce que Leeny lui avait avoué à la fin de sa confession. La machination était un véritable scandale de bout en bout, mais la fin lui en avait paru incompréhensible. Il regarda sa montre. Onze heures dix. Slade devait l'attendre.

Au bout de quelques instants, il entendit la ligne sonner dans la chambre. A la dixième sonnerie, la réceptionniste le reprit.

– Elle ne répond pas. Voulez-vous laisser un message ?

– Pouvez-vous me confirmer qu'elle est bien arrivée ? lui demanda-t-il.

– Une minute... Oui. Elle s'est présentée à l'accueil il y a trois heures environ.

Il hésita. C'était bizarre. Il lui avait bien dit de ne quitter sa chambre que si elle remarquait quelque chose d'anormal.

– Vous désirez autre chose, monsieur ?

Il éprouva une sensation désagréable au creux de l'estomac.

– Non, je rappellerai.

Il raccrocha, hésita de nouveau, puis se dirigea vers le Rockefeller Center.

Il y avait plusieurs mois déjà que Malcolm Becker avait assigné à Slade la tâche de prendre contact avec son ami, sans doute dans le cadre de la conspiration. Le but de l'opération était de surveiller Mace, de s'assurer qu'il ne faisait rien d'irrégulier et de lui offrir une aide désintéressée au cas où il en aurait besoin. C'était Leeny qui le lui avait révélé à la fin de ses aveux. Il en avait été si bouleversé qu'il avait dû interrompre l'enregistrement. Il comprenait maintenant que ses récents contacts avec Slade ne devaient rien au hasard. Slade accumulait les renseignements pour Becker. Une fois de plus, il sentit sa colère monter en lui.

Le Rockefeller Center brillait de tous ses feux, mais était désert. Il n'eut donc pas de mal à repérer Slade. Adossé au mur de soutènement dans lequel étaient plantés les drapeaux, sur le côté sud de la patinoire, il fumait une cigarette, chose que Mace ne lui avait pas vu faire depuis l'orphelinat.

Il observa son vieil ami un instant. Comment leur relation avait-elle pu en arriver là ? Ils avaient grandi ensemble, chacun prêt à épauler l'autre dans les moments difficiles. Et aujourd'hui, il découvrait que Slade participait à une conspiration effroyable.

Il se rapprocha de lui prudemment, en restant dans l'ombre pour ne pas se faire voir. Il essayait de repérer d'éventuels comparses postés dans les recoins pour mieux le capturer – ou pis encore.

– Salut, Slade, dit-il tranquillement.

– Salut, frérot.

Slade laissa tomber son mégot et l'écrasa du pied.

– Tu pouvais t'avancer à découvert. Je suis venu seul.

Ainsi, Slade l'avait-il repéré dès son arrivée.

– Tu fumes, maintenant ?

– Oui, dit Slade, j'en ai besoin.

Il parlait d'une voix triste. Mace ne lui demanda pas pourquoi. Il décida de lui dire tout de suite ce que lui avait appris Leeny.

– Je sais tout, Slade. Je sais que Becker est responsable de l'attaque terroriste de Nyack. Qu'il a fait chanter Lewis Webster et Leeny Hunt en les menaçant de prison, et qu'il les a obligés à monter Broadway Ventures pour financer déficits et malversations à la CIA. Je sais tout. J'ai mis Leeny dans une chambre au Hilt...

Il s'interrompit au milieu du mot. Leurs regards se croisèrent.

– ... au Hilltop Hotel de Brooklyn, termina-t-il en espérant que Slade ne s'apercevrait pas qu'il inventait.

– Je vois, dit celui-ci.

Il y eut un silence gêné, que Mace rompit enfin.

– Depuis quand es-tu au courant ? Depuis quand essaies-tu de me piéger ?

– Je ne t'ai jamais piégé, Mace. Jamais je ne te ferais ça, répondit-il tranquillement. Tu le sais. Nous sommes de vieux amis, toi et moi.

Il y eut une rafale de vent. Slade en profita pour souffler la fumée de sa cigarette.

– Il y a une semaine seulement que j'ai compris ce qui se passe. Pas plus, ajouta-t-il.

– Me raconte pas de conneries ! s'écria Mace. Leeny m'a dit que Becker t'avait demandé de me surveiller dès le départ.

– C'est exact. Mais je ne savais pas pourquoi. N'oublie pas que c'est mon patron et qu'il dirige la CIA. (Il hésita, et baissa encore la voix.) Après t'avoir vu à Charlottesville et être passé à Sugar Grove, je suis allé le trouver. Il m'a mis au courant et j'ai accepté de participer à la conspiration parce que c'était le meilleur moyen de t'aider. De toute façon, s'il avait eu le moindre soupçon sur ma loyauté, il m'aurait fait tuer. Ils t'auraient tout simplement fait suivre par quelqu'un d'autre. Ce qui est d'ailleurs le cas.

– Comment veux-tu que je te croie ?

Depuis les révélations de Leeny, il ne pouvait plus se fier à personne, pas même à lui.

– Rien ni personne ne t'y oblige, lui renvoya Slade qui s'énervait à son tour. Pas moi, en tout cas. Nous sommes amis depuis l'âge de quatre ans. Je ne devrais pas avoir à te prouver quoi que ce soit, mais sache que je ne mens pas. Ça devrait te suffire. (Il marqua une pause.) Je te tenais dans le creux de ma main quand tu étais au Four Seasons de Washington. Si j'avais voulu, j'aurais pu te livrer à Becker à ce moment-là.

Mace ne l'écoutait plus. Il le regardait dans les yeux, épiant un indice, franchise ou tromperie, qu'il ne trouva pas.

Slade regarda autour de lui.

— Je t'ai apporté des preuves qui t'aideront à épingler ce salopard de Becker, dit-il.

Mace sentit toute la haine contenue dans ses paroles. Mais là encore, comment savoir si Slade ne lui jouait pas la comédie ?

— Quelles preuves ?

Slade sortit une grosse enveloppe de la poche de sa veste.

— Tiens, prends ça.

— Qu'est-ce que c'est ?

— Les noms et les numéros des comptes anonymes qui ont servi à alimenter Broadway Ventures. Les notes signées de Willard Ferris, son assistant, et autorisant les transferts à partir des comptes de la CIA. C'est ton maillon manquant.

Mace fourra l'enveloppe dans la poche intérieure de sa veste, mais il se méfiait toujours d'une embuscade.

— Leeny Hunt était dans le coup elle aussi, poursuivit Slade. Il y a quelque temps, Becker m'a demandé d'enquêter sur elle. Il savait qu'elle avait un délit d'initié qui lui collait à la peau et qu'elle serait toute disposée à coopérer en échange d'une absolution. Becker lui a arrangé ça, et elle lui a été acquise. Mais à l'époque, je ne savais pas pourquoi il voulait la faire travailler pour lui.

— Je suis au courant, moi aussi, dit Mace d'une voix assurée.

— Ah, c'est vrai, tu la gardes sous le coude au... (Il marqua une pause.) Au Hilltop Hotel de Brooklyn.

— Oui, dit Mace, soulagé que Slade ait retenu la fausse adresse.

Slade aspira la dernière bouffée de sa cigarette et se débarrassa de son mégot d'une pichenette.

— Mace, il y a quelque chose que tu dois savoir, reprit-il d'un ton extrêmement grave.

— Quoi ?

— Becker a kidnappé Rachel Sommers à Harpers Ferry.

Au début, Mace ne broncha pas, puis il baissa soudain la tête : il n'avait aucune raison de ne pas le croire.

— Mon Dieu ! dit-il simplement.

– Comme tu dis, frérot. (Slade désigna le paquet qu'il venait de lui remettre.) Si tu tiens à la revoir vivante, tu ne peux pas aller trouver la police avec ça. J'ai eu Willard Ferris au téléphone il y a quelques minutes.

– Alors, pourquoi me l'as-tu donné, merde ? dit Mace en haussant le ton, furieux.

– Monnaie d'échange, répondit Slade calmement.

– Contre quoi ?

– Il sait que tu es allé à Sugar Grove, dit Slade en allumant une autre cigarette.

– Tu lui as dit ça aussi ? Je rêve !

Slade plissa les paupières.

– En ne te voyant pas au bureau lundi matin, ils ont compris que tu étais le visiteur de la mine désaffectée. Ils ont fait circuler ta photo à Sugar Grove et plusieurs personnes t'ont reconnu. Alors comme ça, tu es un agent du fisc ? ajouta-t-il en hochant la tête. Je sais tout ce que tu endures depuis un moment. Je ne t'en veux pas de me soupçonner.

Mace détourna les yeux. Il n'arrivait toujours pas à faire confiance à Slade qui avait réponse à tout – et des réponses plausibles, qui plus est. Son intuition lui disait qu'il était complice de Becker depuis le début. Et s'il avait suivi son intuition quand Webster lui avait parlé de Broadway Ventures, il ne se serait pas mis dans ce pétrin.

– Becker sait que tu as flairé quelque chose, reprit Slade. Sinon, comment serais-tu arrivé à Sugar Grove ? (Il hésita un instant.) Je veux sa peau. Je veux qu'il paie. Mais c'est à toi de le faire tomber. Moi, je ne peux pas. (Du menton, il désigna l'enveloppe.) Je vais lui dire que je t'ai eu au téléphone, que tu détiens toutes les preuves et que tu m'as donné les noms et les numéros de comptes de toutes les sociétés bidon. Je vais le convaincre de conclure un marché avec toi : Rachel Sommers contre les renseignements. Sans cette enveloppe, tu ne peux rien prouver. Mais s'il sait que tu l'as, il négociera.

Il tira une bouffée de sa cigarette et recracha la fumée.

Tout était trop bien ficelé. Le piège était parfait, et prêt à se refermer d'un coup sec. Mace se méfiait toujours, mais il était coincé. S'il ne faisait pas ce que Slade lui suggérait, Rachel était morte. Et ça, au moins, il ne pouvait en douter.

Slade envoya valser son deuxième mégot. Dès qu'il aurait quitté Mace, il lui faudrait appeler le général pour lui dire que Leeny Hunt était au Hilton.

35

Les hélicoptères d'assaut jaillirent des ténèbres et fondirent sur la centrale nucléaire de Nyack. Arrivés à cent mètres de hauteur, ils déchargèrent leurs engins de mort sur les terroristes retranchés dans le périmètre des installations. Des missiles explosèrent au milieu des troupes, transformant leurs cibles en torches.

Les Wolverines envahirent les lieux et n'y rencontrèrent que peu de résistance, voire aucune. Prendre le contrôle des bâtiments s'avéra plus difficile, mais en moins d'une demi-heure ce fut chose faite, à l'exception du cœur du réacteur. L'intervention avait coûté la vie à vingt-sept Wolverines et près de cent terroristes, dont certains étaient pourtant les mieux préparés de la planète.

Debout dans l'immense salle qui abritait le réacteur nucléaire, Vargus regarda autour de lui. Il était le dernier. Il sentait les Wolverines, et donc sa libération, tout proches. Enfin il entendit le signal prévu : deux coups rapides suivis de trois courts. Il avait mis cela au point avec Becker. Ses épaules s'affaissèrent. La centrale de Nyack était aux mains des Wolverines, ce qui voulait dire que la mission avait réussi. Broadway Ventures avait gagné des milliards de dollars, et, dans quelques jours seulement, il allait lui-même en toucher vingt-cinq millions.

Il descendit lentement le petit escalier métallique et s'avança vers la porte. Chaque pas lui coûtait. Son œil était perdu, mais ce n'était pas trop cher payer une si belle retraite, se dit-il en déverrouillant la lourde porte, qui s'ouvrit en grinçant.

Elégant dans son uniforme bleu marine, le Wolverine était seul et s'engouffra rapidement dans l'entrebâillement. Il hésita un quart de seconde, puis leva son arme automatique et tira. Ses projectiles fendirent quasiment le dernier terroriste en deux. L'homme chancela un instant, puis s'écroula en se vidant de son sang sur le ciment.

Le capitaine Ellet regarda Vargus une seconde pour s'assurer qu'il était bien mort. Il sourit : la centrale de Nyack était de nouveau entre des mains amies. Et tous les terroristes avaient été supprimés, conformément aux ordres directs de Malcolm Becker, ordres dont même le commandant Macyntire n'avait pas eu connaissance.

Dans la chambre d'hôtel, Preston Andrews et Robin Carruthers regardèrent le petit écran de la télé. Malcolm Becker venait de monter sur le podium pour donner sa conférence de presse. Il allait lire une déclaration annonçant que la centrale de Nyack avait été reprise aux terroristes et que les citoyens de New York pouvaient réintégrer leur ville en toute sécurité. Une fois de plus, les Wolverines de la CIA s'étaient avérés indispensables dans la lutte contre la guérilla terroriste.

Andrews se leva de son fauteuil, prit la télécommande sur la table basse et éteignit le téléviseur. Il s'approcha de la fenêtre qui donnait sur le centre de Los Angeles, où il était venu récolter des fonds pour sa campagne, mais ce voyage lui paraissait maintenant bien inutile. Becker allait gagner dans un fauteuil. Pendant les six mois à venir, on verrait sa photo dans tous les journaux et magazines et sur toutes les chaînes télévisées. Une fois de plus, il était un héros. Plus grand que nature. Cette fois-ci, c'était New York qu'il avait sauvé du désastre.

— Il est invincible, dit Andrews calmement. La présidentielle sera un raz de marée électoral, ajouta-t-il d'une voix presque inaudible.

Robin ne répondit pas. Il avait raison.

— Il a une veine de cocu, reprit-il en y allant d'un petit rire sarcastique. Dire qu'il a fallu que ça arrive maintenant, et que ça se termine aussi bien… Mes contacts au Moyen-Orient ne doivent pas être aussi bons que je le croyais.

Il avait parlé sans avoir l'air d'y toucher, presque pour lui-même, mais Robin leva aussitôt la tête.

– C'est-à-dire ?

Le vice-président se retourna vers elle.

– L'homme qui était dans ma chambre au Doha Marriott… Vous vouliez savoir qui c'était.

– Oui ?

Elle se leva, sentant qu'il allait lui faire une révélation importante.

– C'était un agent de la DEA. Cette nuit-là, il était venu m'avertir que quelque chose se préparait. Il n'a pas spécifiquement mentionné Nyack, mais parlé d'une attaque de grande envergure sur des installations américaines. C'était probablement l'opération de Nyack qu'il avait en tête. Mais il n'avait rien de plus solide à m'apporter que des rumeurs et des sous-entendus.

Andrews hésita, comme s'il cherchait quelque chose à se reprocher.

– Si seulement j'avais pu découvrir de quoi il retournait ! J'aurais pu couper l'herbe sous le pied de Becker sans problème ! (Il secoua la tête.) Tous les réseaux d'intelligence gouvernementaux travaillaient pour moi. Sauf la CIA, bien entendu, ajouta-t-il avec un rire sarcastique. Ceux-là n'étaient pas de mon côté. Ils marchent tous avec Becker.

Robin se passa une main dans les cheveux. Son rêve était terminé. Comme Preston venait de le dire, Becker était invincible. Il allait s'installer à la Maison Blanche et la carrière politique d'Andrews était finie. La sienne aussi.

Les deux agents descendirent rapidement le couloir du Hilton de New York. Leur mission était de la repérer, de la capturer et de la ramener à Willard Ferris qui se trouvait à Washington. On ne leur avait pas dit pourquoi celui-ci l'envoyait chercher, ni ce qu'il ferait d'elle. Mais c'étaient des agents confirmés et ils avaient l'habitude des procédures un peu inhabituelles.

Ils savaient simplement que Leeny Hunt était au Hilton, et avaient trouvé sa chambre sans difficulté. Ils avaient mis leurs badges sous le nez du veilleur de nuit, qui avait aussitôt passé l'éponge sur la confidentialité due à la clientèle et les avait autorisés à consulter le registre. Un troisième agent était resté en bas pour s'assurer qu'il ne prévenait pas la cliente.

Arrivés à la chambre 1741, ils insérèrent dans la serrure le passe-partout extorqué au gardien et se ruèrent à l'intérieur. Elle n'était pas dans le lit. D'instinct, le premier alla ouvrir à toute volée la porte de la salle de bains. Elle était vide.

Le second l'y suivit, y jeta un coup d'œil à son tour et secoua la tête.

– On a dû se tromper de chambre, dit-il, dépité.

– Je ne crois pas, lui répondit l'autre tranquillement.

– Comment ça ?

Son coéquipier lui montra un sac à main qu'il avait trouvé sur le rebord du lavabo. Il était bourré de photos représentant un homme tué de plusieurs balles en plein visage, et ne contenait rien d'autre.

Debout sur le toit du Hilton, les cheveux rabattus sur le visage par les rafales de vent, Leeny regardait la 6ᵉ Avenue, quarante étages plus bas. Quelle sensation éprouverait-elle quand son corps heurterait le béton ? A l'instant où sa chair s'écraserait sur le trottoir ? Que lui apprendrait cette dernière seconde de conscience avant la mort ? Elle avait toujours eu envie de le savoir.

36

Le soleil inondait l'immeuble de la Nations bank, un bâtiment de sept étages situé un peu au sud-est de l'intersection entre l'autoroute Baltimore-Washington et l'Interstate 495, ou rocade de Washington. Debout sur le toit, au coin nord-ouest, comme le lui avait indiqué Slade, Mace observait la porte par laquelle il était arrivé. Elle donnait sur l'escalier qui descendait au septième étage. Il en avait grimpé la dernière marche en s'attendant à recevoir une balle, mais non, le toit était désert.

Il avait posé le sac à ses pieds. Celui-ci contenait les renseignements fournis par Slade – sa « monnaie d'échange » – et la cassette sur laquelle Mace avait enregistré les aveux de Leeny sur Broadway Ventures, Lewis Webster et Malcolm Becker. Il faudrait montrer ces pièces à Becker si on voulait qu'il fasse libérer Rachel Sommers. Slade le lui avait dit la veille au soir, au téléphone.

Sur la rocade, les voitures passaient dans un vacarme continu, mais Mace ne les entendait pas. Il était tellement concentré qu'il n'entendait rien. La porte allait s'ouvrir d'un instant à l'autre et il devrait alors affronter la situation la plus difficile qu'il ait jamais rencontrée. Ses ennemis voulaient sa mort et il avait remis son sort entre les mains de son vieil ami. Peut-être à tort. Qui sait si Slade n'était pas en train de le vendre ?

Il avala sa salive. Savoir anticiper sur l'événement était une des clefs de la réussite. Se préparer entièrement à une réunion, avoir prévu toutes les questions, toutes les conséquences, tous les dérapages, lui était devenu routinier. Mais en l'occurrence, cela ne marchait pas. Tout allait se dérouler à la vitesse de la lumière et il devrait réagir d'instinct. Sinon, l'avait prévenu Slade, il serait un homme mort.

La porte s'ouvrit en grand, découvrant la silhouette massive de Slade. Malcolm Becker se trouvait trois mètres derrière, suivi par un grand maigre et Rachel. Mace fut immensément soulagé de la revoir. Il se souvint de la vulnérabilité qu'il avait lue dans ses yeux au restaurant, de son désir de la protéger. Le moment était venu de soumettre ses bonnes intentions au test suprême.

Lorsqu'ils s'approchèrent, Mace remarqua que le grand maigre pointait une arme dans le dos de Rachel. Il croisa son regard. Elle avait peur, mais parvint à lui sourire.

Slade vint se placer juste en face de Mace, laissant les trois autres en arrière. Il avait l'air lugubre. Il baissa les yeux sur le sac. Mace suivit son regard.

– Demi-tour ! hurla Slade.

Mace le regarda aussitôt.

– Quoi ?!

– Demi-tour !

Mace obéit lentement. Ça ne faisait pas partie du programme. Ils n'en avaient pas parlé au téléphone.

– Mains sur le mur.

Mace s'appuya au parapet et regarda en bas. Slade pouvait le jeter par-dessus bord. Ensuite, ils tueraient Rachel et les enterreraient tous les deux, ni vu ni connu. Il sentit Slade le fouiller.

– Retourne-toi.

Mace se remit face aux autres.

Slade fit un signe de tête par-dessus son épaule.

– Il n'est pas armé, dit-il.

Puis il se retourna vers Mace.

– Tu l'as ?

De la tête, Mace lui fit signe que oui.

Slade se pencha sans le quitter des yeux.

Ça y est, se dit Mace. Maintenant, tout est entre ses mains.

Le pousser par-dessus le muret aurait été risqué. Ils ne s'étaient jamais battus et ne connaissaient pas leur force mutuelle. Au pire, Mace aurait pu faire basculer Slade avec lui. Mais maintenant, c'était différent. Mace était sans défense.

Slade ouvrit la fermeture à glissière, fouilla dans le sac et en sortit le contenu. Il se releva lentement, en tournant toujours le dos à Becker pour qu'il ne puisse pas voir ce qu'il avait dans les mains.

Mace aperçut le pistolet de Leeny, que son ami lui pointait sur le ventre. C'est le moment de vérité, se dit-il en le regardant dans les yeux. Le visage de Slade ne reflétait aucune émotion.

– Conner ! cria le général, las d'attendre.

Aussitôt, Slade pivota sur ses talons et fit feu. Ferris s'écroula. Tel un félin, Slade sauta sur Becker, lui fit un étranglement et lui colla son pistolet sur la tempe. Becker tenta de se dégager, mais il ne faisait pas le poids.

– Lâchez-moi, Conner ! Lâchez-moi tout de suite !

Terrorisé par le canon brillant de l'arme que Slade appuyait toujours sur sa tempe, le général ouvrait des yeux agrandis par la peur.

– C'est une trahison !

Laissant libre cours à la haine qu'il contenait depuis si long-temps, Conner lui serra encore plus le cou. Il l'étranglait pres-que. Becker s'était rendu coupable d'un crime atroce contre son pays, et il avait respecté cet homme-là. Sur le front de Becker, les veines saillaient de manière grotesque.

Le sac toujours à la main, Mace courut vers Rachel et la prit dans ses bras. Elle qui avait été tellement sûre de ne jamais le revoir, elle s'y abandonna sans retenue.

Quelques secondes plus tard, l'hélicoptère se posa sur le toit, piloté par un marine avec lequel Slade s'était lié d'amitié pen-dant la guerre du Golfe.

Le pilote ouvrit aussitôt la porte, et Slade poussa Becker sans ménagement vers l'appareil.

– Suis-moi ! cria-t-il à Mace par-dessus son épaule.

Mace attrapa Rachel par le poignet et l'entraîna. Il passa devant Slade, qui s'était arrêté pour menotter Becker, fit monter Rachel dans l'hélicoptère et y grimpa à son tour. Puis il aida son ami à embarquer de force le directeur de la CIA.

Soudain, la porte s'ouvrit toute grande et les agents secrets jaillirent de l'obscurité comme des frelons chassés de leur nid.

En voyant leur directeur chargé à bord comme du bétail, ils s'agenouillèrent en position de tir.

Le pilote les avait vus. Il fit ronfler les moteurs et décolla.

Slade n'avait pas encore eu le temps de monter lorsque l'appareil piqua du nez. Il sentit le sol se dérober sous ses pieds, se rattrapa à deux mains au patin d'atterrissage et jeta un regard désespéré à Mace tandis que l'hélico s'écartait du toit.

Mace se pencha aussi loin qu'il put à l'extérieur, et tenta d'attraper le poignet de Slade, ses doigts, même.

Les balles s'écrasaient furieusement sur les flancs de l'appareil, en criblant le fuselage d'une multitude d'impacts. Encore quelques secondes, songea Mace, et ils échapperaient au tir et Slade serait hors de danger. Il se pencha tellement en avant qu'il faillit tomber. Il y était presque. Encore un tout petit effort et il pourrait l'attirer à l'intérieur.

La balle déchira l'épaule de Slade et lui paralysa le bras. Il put se retenir d'une main mais, l'hélico s'inclinant soudain dangereusement, il lâcha prise. Pendant une seconde, Mace eut l'impression de voir son ami flotter dans l'espace grâce à quelque intervention divine. Un instant plus tard, il lui attrapait le poignet et, au prix d'un effort herculéen, le hissait dans l'appareil.

Les deux amis roulèrent sur le sol. Puis ils s'assirent et, malgré la blessure de Slade, s'embrassèrent en riant et pleurant. C'est alors que Mace vit l'expression amère de son ami. Il suivit son regard.

Allongée sur le sol, Rachel se tenait le ventre à deux mains. Du sang coulait de sa blessure.

Debout sur la pelouse de la Maison Blanche, le vice-président Preston Andrews et son chef de cabinet, Robin Carruthers, attendaient l'hélicoptère qui amorçait sa descente. Le petit point d'abord presque invisible grossissait peu à peu.

Slade Conner avait appelé Robin deux heures plus tôt pour l'informer de la trahison de Malcolm Becker et tout lui dire de Broadway Ventures et de ce que cachait l'attaque terroriste sur Nyack. Elle l'avait écouté sans trop le croire, mais en voyant l'hélico descendre du ciel à l'heure dite, elle dut se rendre à l'évidence. Et le général était bien là.

Mace sauta de l'appareil avant l'atterrissage. Il cria aux gardes armés qui se jetaient sur lui pour lui passer les menottes de s'occuper de Rachel. Elle avait perdu beaucoup de sang et avait besoin de soins urgents.

D'autres s'étaient rués sur Malcolm Becker et le tiraient de force sur la pelouse verdoyante. Ils l'amenèrent devant Preston Andrews. Pendant quelques instants, celui-ci le dévisagea sans rien dire, mains derrière le dos. Puis il lui adressa son sourire de podium.

– Bienvenue à la Maison Blanche, Malcolm. Même si, à n'en pas douter, vous n'aviez pas prévu d'y entrer de cette manière.

Lewis Webster raccrocha brutalement. Où était passé Becker, nom de Dieu ? Il consulta sa montre. Presque cinq heures. Il avait essayé de le joindre toute la journée sans succès.

Quelque chose clochait. La veille, Becker ne lui avait pas paru dans son état normal, au téléphone. Et aujourd'hui, il était introuvable. Ferris aussi, d'ailleurs. Il inspira profondément. Il vaudrait peut-être mieux filer en Suisse – où, ces dernières années, il avait fait passer l'essentiel de son capital – et s'y terrer en attendant que l'orage passe.

La porte de son bureau s'ouvrit en grinçant. Il leva les yeux et sentit une douleur fulgurante irradier dans sa poitrine. Mace McLain se tenait dans l'embrasure. Derrière lui, des inconnus braquaient leurs armes sur lui.

– Bonsoir, Lewis, dit Mace en entrant, suivi par quatre agents fédéraux.

Webster se leva.

– Que signifie... ?

Mace se planta devant l'immense bureau.

– Vous voulez parler de ces messieurs ? dit-il en désignant les officiers de police.

– Evidemment, aboya Webster.

Mace lui fit un grand sourire.

– Eh bien, figurez-vous que je les ai rencontrés en bas. Ils avaient envie de voir à quoi ressemble le bureau d'un grand directeur de Wall Street qui va passer le restant de ses jours en prison. Je leur ai dit que j'en connaissais un et je les ai invités à monter. J'espère que ça ne vous dérange pas.

Le vieil homme plissa les paupières.

– Vous n'êtes qu'un impudent petit salopard ! dit-il. Mais vous ne m'aurez pas. Vous ne pouvez rien prouver contre moi. Un seul coup de fil à mes avocats et je sors dans les vingt-quatre heures. Sans jamais avoir à remettre les pieds en taule.

– Erreur, Lewis, lui renvoya Mace, soudain sérieux. Ces hommes savent tout, jusqu'au rôle que vous avez joué dans la conspiration et la manière dont Becker a pu vous le faire accepter.

Webster le regarda dans les yeux. Cette fois, c'était fini. Il n'avait fait que retarder son rendez-vous avec la prison.

37

Impavide, Mace était assis au bout de la longue table, juste en face de Bentley Cox, le nouvel associé principal de Walker Pryce & Company. Cox n'avait pas un charisme fou, mais ce n'était pas la qualité principale que recherchait la banque chez son directeur. Ce qu'il fallait, c'était quelqu'un qui soit capable de projeter une image forte et stable et, surtout, qui soit au-dessus de tout soupçon. Bentley Cox répondait à ces exigences. Cet ancien combattant du Viêt-nam était un citoyen engagé, dévoué à sa famille. Il ne risquait pas de se faire accuser d'intelligence supérieure, mais cela importait peu. Walker Pryce ne manquait pas de grosses têtes capables de tenir ce rôle.

Mace profita de ce que les autres s'asseyaient pour embrasser du regard la salle des associés, où il était admis pour la première fois.

Walker Pryce venait de subir des attaques cuisantes dans la presse. Son comité exécutif – Webster, Marston et Polk – était sous les verrous en attendant d'être jugé, et le gouvernement imposait à la banque une amende d'un demi-milliard de dollars. Mais Walker Pryce survivrait, et prospérerait.

Mace regarda Cox qui mettait ses papiers en ordre. La société avait une notoriété trop grande, des relations trop multiples et des dirigeants trop puissants pour être durablement affectée par le scandale. Et l'amende ne représentait qu'un petit handicap à court terme pour un établissement qui allait encore gagner un milliard de dollars cette année-là.

Cox ayant toussé, un silence de mort tomba sur la salle.

– Monsieur McLain, voulez-vous bien vous lever, s'il vous plaît ? dit-il.

Mace repoussa sa chaise et se mit lentement debout. Il parcourut l'assistance d'un coup d'œil rapide. Il ignorait ce qui lui avait valu d'être convoqué ce soir. Peut-être allait-on le cuisiner, lui reprocher de ne pas avoir été plus clairvoyant sur Broadway Ventures. C'était la première fois depuis six semaines qu'il revenait à la banque.

De sa voix forte et nasale, Bentley Cox prit enfin la parole :

– Je tiens à porter à la connaissance de tous les associés ici présents que Mace McLain a reçu le statut d'associé chez Walker Pryce & Company.

Il leva les yeux de dessus son livret relié de cuir et sourit à Mace.

– Félicitations, Mace, poursuivit-il. Vous êtes le plus jeune associé de toute l'histoire de la banque. Et le seul à avoir jamais accédé à ce statut en étant simple sous-directeur.

Un hourra s'éleva dans la salle. On l'entoura pour lui serrer la main avec enthousiasme.

Debout à la fenêtre du bureau de Mace, bras croisés sur la poitrine, Rachel regardait dans la rue. Sa blessure était en cours de cicatrisation. Elle avait passé quelques jours entre la vie et la mort, mais, après six semaines de convalescence, elle avait presque retrouvé ses forces.

En entendant Mace entrer, elle se retourna.

– Alors ? Qu'est-ce qu'ils te voulaient ?

Elle se porta à sa rencontre, il la prit aussitôt dans ses bras.

– Je pourrais te le dire, mais après, il faudrait que je te fasse l'amour.

Elle fit une moue faussement irritée.

– Allez, Mace, ne me fais pas attendre.

– Il vient de devenir le plus jeune associé de l'histoire de Walker Pryce, dit Bentley Cox qui avait passé la tête dans la pièce. Et maintenant, il faut qu'il s'en montre digne. Je vous donne à tous les deux une semaine de congé, mais après, je vous veux sur le pont. Allez aux Caraïbes et amusez-vous bien avant de reprendre le collier.

Mace sourit, puis il baissa les yeux sur Rachel, qui était toujours dans ses bras.

— Les Caraïbes, c'est pour les losers, dit-il. Nous, on va à Detroit.

— A Detroit ? s'écrièrent Rachel et Cox d'une seule voix.

Mace haussa un sourcil.

— Ouaip. C'est là que se trouve le siège d'Andrews Industries. Preston Andrews vient de décider de faire appel à Walker Pryce. Nous commençons demain. Et il y en a, du boulot. Sa société perd un million de dollars par jour.

Cox secoua la tête. Mace était aussi fou de travail qu'on le disait. Le directeur rit et prit congé.

Rachel se tourna vers Mace, l'air déçu.

— Et moi qui espérais un peu de temps avec toi avant que tu replonges dans la mêlée.

Mace l'attira doucement à lui en riant.

— Bentley ne sait pas tout.

— Ah, qu'est-ce qu'il y a d'autre ? lui demanda-t-elle en souriant sans trop savoir pourquoi.

Mace lui prit le visage à deux mains.

— J'embarque une équipe de cinq négociateurs. Je passe une journée entière avec eux à leur expliquer ce qu'il faut faire. Et après, je t'emmène à Rome et on se marie là-bas.

Il plongea le regard dans l'azur étincelant des yeux de Rachel.

— Mais... et la clause ? dit-elle.

— Quelle clause ?

— Celle qui interdit que deux époux travaillent chez Walker Pryce.

Il pencha la tête de côté.

— Tu n'envisages tout de même pas sérieusement de travailler ici. Tu comprends, je gagnerai suffisamment ma vie pour...

— Dites donc, monsieur McLain, l'interrompit Rachel en feignant l'indignation. Permettez-moi de m'étonner. Je me suis défoncée, moi, à Columbia. Je veux tenter ma chance et devenir associée à mon tour.

— Oh, dit Mace en faisant la moue.

– Voilà qui va nous poser un petit problème, reprit-elle avec un sourire innocent.

– Pas du tout, lui renvoya-t-il. On se marie quand même, et je me moque bien des clauses. Surtout de celles qui ont été décidées par Lewis Webster.

Rachel l'embrassa.

– Alors, c'est d'accord, on se marie. (Elle s'écarta légèrement.) Quoi qu'il arrive, garde-moi toujours auprès de toi.

– Je te le promets.

Remerciements

Je tiens à remercier particulièrement :

Peter Borland, mon directeur littéraire chez Dutton, dont les talents exceptionnels ne laissent pas de m'impressionner.

Peter Schneider, directeur marketing chez Dutton, à qui je dois l'initiative de ce projet.

Cynthia Manson, mon agent. Tous les écrivains devraient avoir ma chance.

Richard Green et Howard Sanders, agents de cinéma. Merci pour l'énergie et l'enthousiasme phénoménaux que vous m'avez apportés.

Mace Neufeld, Rob Rehme, Dan Rissner et Innes Weir, à qui va toute ma gratitude.

Gordon Eadon, toujours prêt à m'apporter son aide.

Stephen Watson, collègue et ami fidèle.

Jim et Anmarie Galowski, de grands amis qui ont accepté de revoir le manuscrit.

Les meilleurs opérateurs de marché : Chris Tesoriero, Jim McPartlan, Betty Saif-Bambara, Tom McCaffery, Mark Randles, Damian Harte, Bill McCormick, Chris Doyle et Rob Ely, de la West LB.

Brooke McDonald, cousin merveilleux, qui m'a été précieux chez Bloomberg.

Chez Dutton, je n'oublie pas non plus :

Peter Mayer, Elaine Koster, Arnold Dolin, Michaela Hamilton, Leigh Butler, Denise Cronin, Aline Akelis, Lisa Johnson, Mary Ann Palumbo, John Paine et Kari Paschall.

Merci également à :
Robert Wieczorek Jr., Jeff Hilsgen, John Paul Garber, Roland et Susan Chalons-Browne, Rick Stoddard, Dileep Bhattacharya et Nita Mathur, Mark et Sharon Walch, Pat et Terry Lynch, Barbara Fertig, Walter Frey, Horst Fuellenkemper, Stewart Whitman, Kevin Erdman, Gerry Barton, Franz Vohn, Rick Slocum, Kheil McIntyre, Karen Hoplock, David Lawrence, Keith Min, June Drewes, Mark Rothleitner et Glenn Stylides.

COMPOSITION : I.G.S. CHARENTE-PHOTOGRAVURE À L'ISLE-D'ESPAGNAC
IMPRESSION : BUSSIÈRE CAMEDAN IMPRIMERIES À SAINT-AMAND (CHER)
DÉPÔT LÉGAL : JUIN 1998. N° 30009 (982761/1)

Elsa Lewin
Le Parapluie jaune

Herbert Lieberman
Nécropolis
Le Tueur et son ombre
La Fille aux yeux de Botticelli
Le Concierge

Michael Malone
Enquête sous la neige
Juges et Assassins

Dominique Manotti
Sombre Sentier

Andreu Martín
Un homme peut en cacher un autre

Dallas Murphy
Loverman

Kyotaro Nishimura
Les Dunes de Tottori

Michael Pearce
Enlèvements au Caire

Sam Reaves
Le taxi mène l'enquête

April Smith
Montana avenue

Edward Sklepowich
Mort dans une cité sereine
L'Adieu à la chair

Austin Wright
Tony et Susan

L. R. Wright
Le Suspect
Mort en hiver
Pas de sang dans la clairière